普通高等教育公共基础课"十四五"系列教材

大学生创新创业基础

申新生　主审

杨瑞仙　鲁晓明　曹恒涛　主编

U0341838

郑州大学出版社

图书在版编目（CIP）数据

大学生创新创业基础／杨瑞仙，鲁晓明，曹恒涛主编. -- 郑州：郑州大学出版社，2024. 9. -- ISBN 978-7-5773-0643-8

Ⅰ. G647.38

中国国家版本馆 CIP 数据核字第 202484JL23 号

大学生创新创业基础
DAXUESHENG CHUANGXIN CHUANGYE JICHU

策划编辑	祁小冬		封面设计	苏永生
责任编辑	吴 波		版式设计	王 微
责任校对	李 蕊		责任监制	李瑞卿

出版发行	郑州大学出版社		地　址	郑州市大学路 40 号（450052）
出版人	卢纪富		网　址	http://www.zzup.cn
经　销	全国新华书店		发行电话	0371-66966070
印　刷	广东虎彩云印刷有限公司			
开　本	787 mm×1 092 mm　1 / 16			
印　张	13.25		字　数	284 千字
版　次	2024 年 9 月第 1 版		印　次	2024 年 9 月第 1 次印刷

书　号	ISBN 978-7-5773-0643-8		定　价	39.00 元

主　审　申新生

主　编　杨瑞仙　鲁晓明　曹恒涛

纵观人类历史,创新是人类自我成长、自我发展的内在驱动,人类的来路从来没有缺少创新,人类的未来必然不会缺少创新。当前,在百年未有之大变局的背景下,国家反复强调创新、人才的重要性,正如习近平总书记在二十大报告中所提出的"科技是第一生产力,人才是第一资源,创新是第一动力"。

高校开展大学生创新创业教育,正是应对我国创新驱动发展快速推进的需求。当前,低端制造已经在逐步迁移出我国市场,拥有自主产权的高科技企业逐步崭露头角,大学生们如果不走创新之路,没有锐意进取的创业精神,不主动塑造自我的核心竞争力,那么个人层面的人生价值实现将无从谈起,国家层面更是缺失了最重要的发展动力源泉。

放眼国际,争端的起源在于对资源分配权的争夺,创新是唯一一条打破人类零和博弈、实现全人类共同价值的道路。一代又一代的大学生们不但要肩负起民族复兴、国家兴旺的重任,更要为全人类谋福祉,创新就是大学生们的使命。大变局是危,更是机,为创业带来了前所未有的机遇。

对于大学生而言,当前就业岗位不足,从个人角度来讲,是困难,但如果从社会价值的角度去看,这个阶段所面临的问题正是创业的好时机。大学生学习掌握了理论知识,但仅仅只有理论是不够的,还要紧紧跟随社会发展的步伐,将眼光放在国家需要的领域,智能制造、实体经济、乡村振兴、高科技创新。扎下根去调查研究,去发现问题,去分析问题,最终拿出解决方案,让问题落地。未来的发展靠的是科技技术,靠的是创新,靠的是人才。

在本书的编写过程中,我们得到了郑州大学就业创业指导服务中心的鼎力支持。郑州大学曹恒涛负责绪论、第1~3章的编写和附录A的整理工作,鲁晓明负责第4~6章、结语的编写和附录B的整理工作,杨瑞仙负责全书的统稿。在此,我们要特别感谢主审申新生的悉心指导和严格把关,他的专业意见和宝贵建议对本书的完善起到了至关重要的作用。

同时,我们也要衷心感谢郑州大学出版社的全力支持和帮助,没有他们的辛勤付出和高效工作,本书无法如此顺利地呈现在读者面前。我们深知,尽管我们付出了巨大的努力,但书中难免存在不足之处。因此,我们欢迎读者、专家批评指正,帮助我们不断改进和完善。您的反馈是我们前进的动力,也是我们不断追求卓越的源泉。

编者

2024 年 6 月

目录

创新创业教育
——时代的召唤　成长的驱动

0.1　外驱力——时代发展

从 20 世纪 80 年代起，以美国为代表的发达国家将一些高投入、高能耗、高污染的低端技术产业外包给包括中国在内的发展中国家，而自身则将发展重心转移到服务产业，在生物科技、集成电路等高收益的先进领域不断钻研。我国经历了以高能源消耗、污染物大量排放、生态环境被破坏来换取经济快速发展的阶段，已发展成为世界第二大经济体，成为拥有全部工业门类的世界第一大工业国。这期间，随着国家逐渐融入国际市场，劳动力丰富，劳动密集型产品在国际竞争中处于有利地位，出口不断增加，但产品集中在低端制造业领域，利润极低。即使是属于高新技术的信息行业企业，硬件设备组装、信息基础设施的安装与施工、面向应用层的软件开发与运营等，拥有自主知识产权的高科技产品也极少。

2012 年国家确立了创新驱动的发展战略，党的十八大报告提出"科技创新是提高社会生产力和综合国力的战略支撑，必须摆在国家发展全局的核心位置"。中共十八届五中全会把创新作为新发展理念之首。党的十八大以来，载人航天、深海探测、超级计算、卫星导航等战略高技术领域取得重大原创性成果，C919 大型客机飞上蓝天、首艘国产航母下水，高铁、核电、特高压输变电等高端装备大步走向世界，科技事业的发展和创新推动着我国向工业强国不断迈进。创新驱动发展战略还带动了我国传统制造业的转型升级，推动了工业的绿色发展。

在和平发展的大国理念下，我国完成的一项项创新成果悄然改变着世界格局。2017 年我国在人工智能领域的年投资额达到 73 亿美元，占全球人工智能初创企业融资额的 48%，这个信息给了一直处于制造业产业链顶端的美国一定的危机感。2018 年 3 月，美国提出《人工智能国家安全委员会法案》，以保护美国国家安全为借口欲掐断我国新兴科技的发展道路。同年 4 月，美国商务部发布"中兴通讯销售禁令"，2019 年 5 月，华为公司被美国商务部工业与安全局列入威胁美国国家安全的"实体名单"。

2022 年 8 月，美国政府签署了《芯片与科学法案》，法案引入美国国务院的"关切国家清单"，明确将中国、俄罗斯、朝鲜、伊朗等国列为"对美国家安全与外交政策有害"的"关切国家"，予以系统性排斥。面对发达国家对我国创新发展高新技术的围追堵截，我们该如何应对呢？

再把眼光放回到国内，局势更加严峻，社会深度老龄化逐渐加剧，国内消费市场格局也在发生着深刻变革。党的十九大报告提出，我国经济已由高速增长阶段转向高质量发展阶段。高质量发展是适应我国人口老龄化、资源环境承载能力和外部经济风险变化的必然选择。当前，我国已经进入创新驱动发展的快速推进时期，创新能力显著增强，创新对经济发展的贡献度显著提升。当前我国很大一部分产业的上游产业链依然为西方发达国家所制约，关键领域创新能力提升的需求越来越迫切，必须依靠自主创新的要求也越来越清晰。

因此，创新驱动发展战略就成了事关我国发展全局的核心战略，习近平总书记在党的二十大报告中还指出，加快实施创新驱动发展战略，加快实现高水平科技自立自强，以国家战略需求为导向，积聚力量进行原创性、引领性科技攻关，坚决打赢关键核心技术攻坚战，增强自主创新能力。

2023年9月，习近平总书记在黑龙江考察调研期间首次提出"新质生产力"的概念，形成新质生产力，要依托科技，依托创新，教育、科技、人才是全面建设社会主义现代化国家的基础性、战略性支撑。在当前百年未有之大变局的背景下，国家反复强调创新、人才的重要性，高等教育开展大学生创新创业教育，首先就要深刻理解这背后的深层逻辑。

综上，从国内层面来看，低端制造正在逐步迁移出我国市场，拥有自主知识产权的高科技企业逐步崭露头角，大学生们如果不走创新之路，没有锐意进取的创业精神，不主动塑造自我的核心竞争力，势必沦落到"找不到工作"的尴尬境地。从国际层面来看，争端的起源在于对资源分配权的争夺，创新是唯一一条打破人类零和博弈、实现全人类共同价值的道路。一代又一代的大学生们不但要肩负起民族复兴、国家兴旺的重任，更要为全人类谋福祉，创新就是大学生们的使命。创新创业教育在高校的广泛开展，就是国家对未来发展的全面而底层的布局。

0.2 内驱力——个人成长

历史的长河中，个人的发展离不开时代的发展，新时代是国家和民族的时代，更是大学生个人自由而全面发展的舞台。这个创新创业的时代，也是知识转化成生产力的时代，正是学富五车、激情澎湃的大学生们大有作为的时代。

如何用专业理论去认识经济社会中出现的问题？如何用专业技能去解决越来越复杂的社会问题？如何前瞻性地预见和解决未来可能出现的问题？这些都需要大学生们在精深专业知识和技能的同时，通过创新创业教育放眼社会，发现问题、认识问题，从而思考解决问题的方法,并能够通过创新创业类的项目进行实践,验证自己的方法,形成个人内隐的"认识论指导下的方法论,方法论指导下的实践论"的发展逻辑。而这种内隐的经验获取在大学生未来的个人职业生涯中一定会转化为显性的生产力。由此,我们每个人的发展就这样契合了国家的发展,生逢其时,国运是当代大学生最大的运气。

因此,无论从我国经济发展阶段的外部驱动而言,还是从个人成长成才的内在诉求而言,大学生们在求学阶段对创新创业有一个初步的认识和思考,并能够进一步通过创新创业类竞赛将自己的"想法"落地实施,这正是当前高等教育对人才培养的重要目标之一。

创新基本概念

1.1 创新概述

1.1.1 创新概念

著名的经济学家熊彼特在其《经济发展理论》中首次提出"创新"的概念,"创新"不是某一单一的行为方式或行动方法,而是一套涵盖多种创新要素在内的多元化综合体系,这种体系的建立相当于构建了一个新的生产函数,把一种从来没有过的关于生产要素和生产条件的"新组合"引入生产体系。在该体系中,创新既包括"引入一种新产品、采用一种新方法或者新技术",也包括"开辟一个新市场、采取一种新的组织形式、获取一种新的来源渠道",等等。

函数一般由四个部分构成:函数名、参数、函数体和返回值,形式如下:

返回值类型　函数名(参数1,参数2,……,参数n)

{

函数体

return 返回值

}

创新函数继承一般函数特征。其中,参数作为创新函数的输入条件,也就是现有的生产要素、生产条件,可能表现为技术、生产资料、劳动力、生产时间,等等;函数体是创业函数的主体部分,所有的输入条件在函数体内经过各种组合,产生"化学反应",最终得到函数的返回值,这个返回值可能是一种新产品、新方法或新技术,也可能是一个新市场、新组织形式或新的资源来源渠道。

以 Go-Print
为例解析创
新函数

以第七届中国国际"互联网+"大学生创新创业大赛的一个金奖作品"Go Print"为例,用熊彼特关于创新的概念来分析这个实例的创新本质。在这个实例中,函数名就是"Go Print",参数就是这个参赛队队员们的智力、学业基础、老师资源等,这些要素经过灵感闪现、技术路线制定、老师指导、实践落地,这样一系列的操作下来,最终"Go Print"这个可以行走的打印机作为此创新函数的返回值,以新产品的形式实现。

从以上创新的概念可以看到,创新可以产出新产品、新方法、新技术、新市场、新组织形式、新的资源来源渠道等,这些都是人类经济社会发展过程的驱动力量,但创新除了带给人们正面"好处"以外,还可能会产生一些负面的影响。

 **思政课堂**

比如,新的技术革新带来了一个领域的生产模式的转变,提升了行业的整体效率,新的流水线已经不再需要过多的工人了。将创新过程解构后,一项创新发生前,人们按照既定的模式工作生活着,有些"聪明人"为了获取更高的劳动效率、更便捷的生活方式、更高端的生产模式,开始了创新活动,创新后最直接的结果可能就是"失业",不适应时代的就业岗位消失了。

新的设备需要具备新技能的工人、工程师、代码设计师等,新的就业岗位随着创新行为而产生。从个人的微观层面来看,失业和就业是一件事关个人生涯发展的大事,而从社会整体宏观角度来看,创新带来的是产业的升级、行业结构的调整,以及社会整体人员素质的提升。

当下我们正经历着百年未有之大变局,需要各行各业的创新来驱动新时代的发展,旧的工作岗位被新的更具竞争力的岗位所替代,因此就需要我们大学生转变意识,适应这种转变,抓住转变的先机,做好自己的人生规划,与时共进。

1.1.2　创新类型

人们生活、成长在一个由创新驱动发展的时代,创新到底能带给人们什么呢? 其实创新一直在推动着人类社会向前发展,人们现在所享受的物质、精神生活无一不是前辈们创新的成果。

1.1.2.1　不同姿态的创新

创新以不同的姿态呈现在人们面前,如产品创新、制度创新、技术创新、市场创新、资源配置创新等。

(1)产品创新

产品创新是指通过改进、发展或创造全新产品来满足市场需求,提高产品质量,增加功能或降低成本。产品创新可以有多种形式,取决于目标、行业和市场。产品创新是一个不断演化的过程,通常需要不断迭代和改进。关键是保持灵活性,愿意学习和适应市场反馈,以确保产品的成功。创新可以是改进现有产品,也可以是全新产品的开发。它可以为企业带来竞争优势,满足不断变化的客户需求。比如,我们的祖先伏羲创新性的结绳以作网罟,并教人们用它来捕鱼狩猎,这是产品创新为人们带来的生活上的便利以及生活品质的提高。

📖 **拓展阅读**

　　"故宫文创"系列产品破冰文化消费市场，"朝珠耳机""奉旨旅行"等文创成为爆款潮品，故宫"雪"系列彩妆产品重绘了故宫的红墙白雪，从中可窥李商隐诗中"旋扑珠帘过粉墙，轻于柳絮重于霜"的惊艳美景。

图1.1　故宫文创"朝珠耳机"和"雪"系列彩妆产品

　　"千里江山"系列产品更是再现了王希孟画中"江山千里望无垠"的秀丽风光。千里江山折扇从外观设计上看，它的扇面采用了几近失传的"花罗"工艺，这种工艺源于故宫博物院藏清代缠枝牡丹纹花罗文物，具有极高的历史和文化价值。扇面的图案设计灵感来源于《千里江山图》，以细腻的笔触描绘了烟波浩渺的江河、层峦起伏的群山，以及渔村野市、水榭亭台等景致，构成了一幅美妙的江南山水图。这种设计不仅展现了原作的优美意境，还还原了原作的绚丽色彩，让人一眼就能感受到中国传统文化的韵味。千里江山折扇的扇面质地细密、轻盈通透，采用了真丝贡缎内衬，与折扇浑然天成，交相呼应。这种材质的选择不仅增加了折扇的质感和美感，还使得扇面更加耐用、易于保存。同时，折扇的开合顺畅，使用起来非常方便，无论是在炎炎夏日带来一丝清凉，还是在闲暇时刻欣赏其精美的图案，都是一种愉悦的体验。

故宫文创创新产品

　　千里江山氛围灯是"千里江山"系列产品之一，灯罩采用了与《千里江山图》相似的山水画图案，以细腻的笔触和绚丽的色彩还原了原作的优美意境。灯罩的材质选用了高质量的亚克力材料，使得灯光在透过灯罩时能够呈现出柔和而不刺眼的效果，为生活空间增添了一份温馨和雅致。功能上，千里江山氛围灯不仅具有照明功能，还可以作为氛围灯使用。通过调节灯光亮度和色温，可以营造出不同的氛围和情绪。

图1.2　故宫文创"千里江山"系列产品折扇和氛围灯

"故宫文创"的"卖萌IP""文人雅士手办"等品类上市样样走心。"故宫文创"一经推出就触发了国内各大博物馆的创新按钮,当前文创产品成为博物馆行业新的"流量密码","吸睛"与"吸金"效应明显,社会与经济效益双重斩获。

(2)制度创新

制度创新是指重新设计或改进现有组织、政府、企业或社会体系中的规则、程序、政策和流程,以提高效率、适应变化、解决问题或实现目标。制度创新旨在使制度更加适应不断变化的环境,并创造更好的结果。制度创新可以在政府、组织、教育机构、医疗保健体系等各个领域中发生。它的目的是提高效率、公平性、适应性和可持续性,以更好地满足不断变化的需求和挑战。制度创新是一种战略性的方法,旨在推动社会和组织的进步。

🎓 思政课堂

秦王嬴政扫平六国完成中国大地上第一次地域上的统一后,创新性地实行了"书同文,车同轨,度同制,行同伦,地同域"政策,这次伟大的制度创新为我们整个民族形成共有文化和基于共有文化上的共同心理素质奠定了坚实的基础。

时至今日,制度创新仍然从战略层面对一个组织、一个地区甚至一个国家的发展起到方向上的引领作用。伟人邓小平从我国的实际出发,在充分尊重历史和现实的基础上,创新性地提出了"一个国家,两种制度"的科学构想,作为我国解决台湾、香港、澳门问题实现祖国统一的一项基本国策。如今,这项创新的制度已经经过了实践的检验,祖国的完全统一在它的指导下指日可待。

（3）技术创新

技术创新是指通过引入新技术、改进现有技术或应用技术来开发新产品、提高生产效率、增强竞争力,以满足市场需求或解决问题。技术创新可以涉及各个领域,包括信息技术、制造业、医疗保健、能源、交通等。技术创新对于企业、组织和社会来说都非常重要。它可以改进产品质量、提高生产效率、降低成本、拓展市场份额、推动可持续发展,甚至创造新的产业。在竞争激烈的市场环境中,技术创新是保持竞争优势的关键因素之一。

比如,第一次工业革命始于蒸汽机的发明,这一技术创新的历史意义是巨大的,正如恩格斯所言:"17 世纪和 18 世纪从事制造蒸汽机的人们,谁也没有料到,他们所创造的工具,比其他任何东西都会使全世界的社会状况发生革命性变化……"。在这场百余年蒸汽机技术变迁中,人们不但千方百计地降低着煤炭资源的消耗,而且在交通运输、工业制造等领域,人们也将蒸汽机的作用发挥得淋漓尽致。

（4）市场创新

市场创新是指通过改进市场策略、推出新的市场模式或开发新的市场机会来创造增长、扩大市场份额或实现竞争优势的过程。市场创新旨在满足不断变化的消费者需求、掌握新的市场趋势和脉搏,并在竞争激烈的市场中取得成功。市场创新是企业在不断发展和竞争的市场中取得成功的重要方式之一。通过满足消费者需求、寻找新的市场机会和创造独特的价值,企业可以实现增长和利润。市场创新不仅涉及产品或服务本身,还包括市场策略、品牌建设和销售方法等方面的创新。

📖 拓展阅读

新技术的持续研发促进了新产品的更新换代,也催生出了新的市场。1885 年德国机械工程师卡尔·本茨(Karl Friedrich Benz)制造出世界上第一辆以汽油为动力的三轮汽车,于 1886 年 1 月 29 日向德国专利局申请汽车发明专利,同年 11 月 2 日专利局正式批准该专利。1888 年 9 月,奔驰汽车在慕尼黑博览会上引起极大轰动,当时的报纸描述道:"星期六下午,人们怀着惊奇的目光看到一辆三轮马车在街上行走,前边没有马,也没有辕杆,车上只有一个男人,马车在自己行走,大街上的人们都惊奇万分。"

卡尔·本茨制造出世界上第一辆三轮汽车

就这样,汽车逐步成为运输及代步不可或缺的工具,改变了数千年来人类通过自身、畜力及自然动力实现的运输和交通,扩展了人类活动的空间和范围,而随之兴起的汽车工业一直助推人类文明的进步。如今,汽车市场上出现了新的角色——新能源汽车和无人驾驶汽车。新能源汽车已

图1.3　卡尔·本茨制造出世界上第一辆三轮汽车

经不再使用汽油了,新的动力来源清洁而高效;无人驾驶汽车中"驾车人"消失了,取而代之的是模拟人脑"思考"的智能处理器。

(5)资源配置创新

资源配置创新是指在组织或企业内部重新分配、管理和利用资源的方法,以实现提高效率、降低成本、提高绩效和创造更大价值的过程。资源包括人力资源、财务资源、物资资源、技术资源等。资源配置创新旨在优化资源的利用,以满足组织的战略目标和适应不断变化的环境。资源配置创新可以帮助组织更好地应对市场变化、提高竞争力、降低成本和提高绩效。它是一个战略性的方法,有助于组织更好地适应不断变化的环境,实现长期成功。这也可能包括数字化和技术工具的应用,以提高资源管理的效率。

拓展阅读

在经济活跃度非常高的浙江宁波有这样一家企业,名叫"生意帮"。该企业没有自身的生产车间,没有自己的技术工人,但是它拥有专业的工程师,并将宁波当地所有生产制造企业的生产线信息全部纳入它的生产信息平台中,这个生产信息平台能够查询到地区内哪条生产线处于工作状态,哪条又处于空闲状态。当企业接到一项生产订单,专业工程师针对订单进行生产流程的拆解,将其拆解为若干子任务,并通过生产信息平台分派给当前空闲的生产线。这种创新型的资源配置方式极大地提高了生产资料的利用效率,将微观层面的小型企业链接起来的数字化平台推动了地域宏观层面的总体经济效益的提升。

浙江宁波的企业"生意帮"

1.1.2.2 不同性质的创新

创新可以横跨多个学科,经济管理、组织理论、战略管理以及营销等许多领域都可以从各自的角度出发去做各种创新,为"创新"赋予各种内涵。创新是多维度的,既复杂又因事而异。创新可以是从无到有的过程,也可以是在原有的物质文化基础上,进行新理念、新模式、新方法的改进。我们把前者称为"突破性创新",把后者称为"渐进性创新"。

(1)突破性创新

突破性创新又称为破坏性创新、革命性创新、颠覆式创新。突破性创新运用与之前完全不同的科学技术与经营方式,以创新的产品、生产方式以及竞争形态对市场与产业做出翻天覆地的改变。突破性创新建立在一整套不同的科学原理和技术手段之上,开启新的市场和潜在应用,突破性创新利用突破性、破坏性的方法产生突破性的创新成果,这种成果很有可能为现存企业带来巨大的难题,也很有可能暂时不能满足企业主流用户的需求,但它却常常是新兴企业成功进入市场的基础,很有可能导致整个产业的重新洗牌。总结起来,可以从技术、组织、市场不同视角来理解突破性创新。

1)技术视角 突破性技术不是沿着由技术规范所指明的技术轨道发展,而是另辟蹊径,打破了原来的路径依赖,使得以往的技术累积过程中断,开辟新的技术轨道,往往会带来全新的技术发展空间。比如,在当前的"双碳"目标下,低碳技术将迎来大规模发展,传统技术被加速替代,而在低碳技术大发展的过程中,氢能和储能技术是未来实现清洁用能的关键支柱,未来可能会大规模普及电解水制氢、电化学储能、低碳发电技术,包括生物质发电、核电、水电、陆上风电、海上风电和光伏发电等,而以上技术的突破性成果将会对社会各类能源高依赖行业产生深刻影响。

📖 拓展阅读

西安交通大学团队的储氢技术

氢能作为清洁的新型能源,其制备、储运和应用各环节都是科学界和工业界的研究热点。有机液体储氢材料因为其突出的性能特点在集中式和分布式氢能应用的储氢环节中都表现出了优良的适用性。特别是十二氢-N-乙基咔唑和N-乙基咔唑组成的可逆储放氢系统,是目前较为理想的有机液体储氢材料。而该储氢系统的催化脱氢过程存在着脱氢效率低、催化剂贵金属用量高等问题,制约着其实际应用。

西安交大方涛团队储氢技术产学研

针对上述问题,西安交通大学化工学院方涛教授绿色过程技术研究室在前序研究的基础上,设计了一种简便温和的"一锅法",还原制备得到了一系列不同配比的还原氧化石墨烯负载的双金属 Pd-Cu/RGO 合金催化剂,其中 $Pd_{1.2}Cu/RGO$ 催化剂首次在 453 K 下达到了脱氢终产物 N-乙基咔唑 100% 的选择性,同时贵金属 Pd 的用量相对于该反应中常用的商业催化剂和其他课题组已报道的催化剂降低了 60% 以上。

该研究成果以"还原氧化石墨烯负载的双金属 Pd-Cu 纳米粒子的组分控制合成用于十二氢-N-乙基咔唑的脱氢"（Component controlled synthesis of bimetallic PdCu nanoparticles supported on reduced graphene oxide for dehydrogenation of dodecahydro-N-ethylcarbazole）为题在国际著名学术期刊《应用催化 B 环境》（Applied Catalysis B-Environmental, IF = 11. 698）上发表。论文第一作者为化工学院博士生王斌，通讯作者为方涛教授和姜召副教授，西安交通大学化工学院为唯一通信单位。

该研究工作得到了国家自然科学基金、中国博士后特别资助与面上基金、陕西省自然科学基础研究计划、中央高校基本科研业务费等项目的资助，以及西安交通大学分析测试共享中心和化工学院分析测试中心的仪器支持[1]。

研究成果的市场转化同样精彩。

2009 年，王斌从山东老家考入西安交通大学化工学院，师从方涛教授。彼时，全球探索未来能源的潮流方兴未艾。有机液态储氢技术，就是用液态的有机物作为载体来储存氢气，使用时再释放出氢气。氢能储运和基础设施建设不足是氢能产业发展的瓶颈。该技术的核心有两点——储氢和放氢。储氢相对容易，最难的是放氢。很多时候存进去的氢气没办法释放，即使放也只能放一点。"有点像咱们的手机充满了电，但只能用 30%。"王斌说。

10 余年间，高效催化剂开发、连续性工艺验证等难题被一一攻克，方涛教授团队获得 30 多项授权专利，建立了一套拥有完全自主知识产权的有机液态储氢—运氢—供氢整体解决方案，各项技术性能指标处于国际领先地位。

2021 年 12 月，氢易能源落户西咸新区沣东新城的研发基地，发展驶入"快车道"。

"我国氢能分布不均，只有解决了储运问题，氢能应用才有望大规模普及。"王斌说，"我们的技术具备储氢密度高、放氢能耗低、材料成本低且可循环使用等优点，实现了氢气常温常压、大规模、低成本储运，市场前景广阔。"氢易能源搭建起涵盖储放氢催化剂开发、有机氢载体生产、储放氢装置制造等领域的全链条研发平台，形成了独有的新型氢气供应体系。

除了技术方面的持续迭代外，氢易能源的商业化步伐也在不断加快。氢易能源已与国家电投集团、中国海工、鹏飞集团、舜华新能源、海德利森等多家氢能产业链企业建立起合作关系，规划的多个商业示范项目将在今年落地。海上风电、工业副产等多种形式产出的氢气均可与有机液态储氢技术结合，以安全、低成本的形式储运至应用地。

1　西安交大科研人员在有机液体储氢领域取得新进展[EB/OL][2019-04-25]. https://clet. xjtu. edu. cn/info/1016/4288. htm[2024-04-12].

在方涛看来，陕西在氢能产业发展上具有得天独厚的优势。产业链上游，榆林氢产量巨大，下游在西咸新区等地布局有氢能汽车制造、加氢站运营、燃料电池技术开发等相关企业。

产业链正在加速布局。2022年8月，陕西省发展改革委出台《陕西省"十四五"氢能产业发展规划》，预计到2025年，将建成投运加氢站100座左右，全产业链规模达1000亿元以上。2023年11月底，西安市首个加氢站落户西咸新区秦汉新城。2023年12月15日，氢易能源获得第八届"创客中国"高校成果转化中小企业创新创业大赛企业组一等奖。

在氢能产业赛道上跑出来的这匹"黑马"，得到来自顶级投资机构和行业企业用真金白银投下的"信任票"。2023年10月，氢易能源完成近亿元A轮融资。在此之前，该公司已获得来自红杉中国种子基金和重塑集团领投的两轮投资。

"我们将继续做好基础研究，提高核心竞争力，不断开拓新市场，深度发掘氢能技术潜力，服务社会，造福人民，助力陕西氢能产业链延链补链强链，为全国氢能产业的高质量发展贡献力量。"王斌说[1]。

2）组织视角 原有的组织结构和价值网络会阻碍突破性创新，而突破性创新最终会使原有的组织价值网络发生变化。历史上著名的组织型突破性创新——福特生产线的发明，使当时的每辆T型汽车组装时间由原来的12小时28分钟缩短至90分钟，生产效率提高了8倍。亨利·福特于1903年创立了福特汽车公司，1908年生产出世界上第一辆T型车，生产之初，汽车工业完全是手工作坊型的，每装配一辆汽车要728个工时，当时汽车的年产量大约12辆，这一速度远不能满足巨大的消费市场的需求，所以使得汽车成为富人的象征。但要让汽车成

福特流水线的创新发明

为大众化的交通工具，关键是提高生产速度和生产效率，降低成本，降低价格。1913年，福特应用创新理念和反向思维逻辑提出在汽车组装中，汽车底盘在传送带上以一定速度从一端向另一端前行，前行中，逐步装上发动机、操控系统、车厢、方向盘、仪表、车灯、车窗玻璃、车轮，一辆完整的车就这样组装成了。这样的生产组织方式被称为流水线，流水线生产组织方式的出现，使每一个生产岗位有了标准化和通用性，这样，一个最普通的体力劳动者的工作效率被提高到了技术工人的水平之上。

3）市场视角 突破性创新有可能创造一个新的市场和产业，使原有的市场格局发生重大变化。

1　陕西日报："氢"风劲吹 陕西竞逐万亿新赛道［EB/OL］［2024-07-23］. https://kjt. shaanxi. gov. cn/kjzx/mtjj/322266. html［2024-07-30］

拓展阅读

1973 年 4 月 3 日,摩托罗拉公司工程师马丁·库珀在纽约曼哈顿街头手持一部外形笨重的手机给同样在研发移动电话的竞争对手——贝尔实验室的尤尔·恩格尔拨通了电话,"我正在用一个真正的移动电话和你通话,一个真正的手提电话!"接通电话的恩格尔听闻后沉默了好长一段时间,才为对方表示祝贺。这部手机是世界上第一台真正意义上的民用手机,这通电话也是世界上第一通移动手机电话。

马丁·库珀
的创新之路

库珀使用的移动通话设备是摩托罗拉 Dyna TAC 8000X 的原型,历史上第一款商用手机开启了一个商机无限的市场。移动电话的问世,突破性地创造出了手机市场,在之后的岁月里,手机市场几乎时时刻刻都在被新技术、新产品迭代着向前发展。直到 2007 年 1 月,手机市场又迎来了另一个重大的突破性创新产品——史蒂夫·乔布斯推出的 iPhone,《时代》杂志把 iPhone 能够覆盖大部分设备面积的多点触控显示屏评为当年的年度发明,2008 年 7 月 iPhone 的 App Store 开业,启动时有 500 个应用程序。而智能手机时代的应用程序同样深刻影响着其他行业的市场布局。电子商务、移动支付、教育教学、制造生产、交通运输,等等,可以说各行各业的市场组织模式都因为智能手机+应用程序而发生了巨大的变化,而基于移动通信的市场格局也正在有条不紊地向前发展,时刻准备着下一次突破性创新。

(2)渐进性创新

渐进性创新又叫连续性创新、可持续性创新、演化性创新。现实中,突破性创新一方面能够为企业甚至整个社会带来深远的发展机会,但另一方面也蕴含着巨大的不确定性和发展风险,因此,许多企业的经营者倾向于采取渐进性创新模式,对现有产品进行相对较小的改变,充分发挥已有技术的潜能,强化现有的成熟型公司的优势,特别强化已有企业的组织能力,但对公司的技术能力、规模等要求较低。因此,渐进性创新可以很好地处理技术与市场之间的关系,有着清晰的市场定位,其所面临的不确定性小,风险低,使企业能够获得稳定的收益。通过满足市场的主体需求,逐步提高产品的技术性能,充分发挥公司现有的技术优势,可以形成企业的核心竞争力。渐进性创新的过程中,同样需要创造性的智慧,相对于颠覆式的创新而言,它是一种生物进化式的创新。每一项重大技术创新都是从点滴的积累开始,逐步提高完善,也许每一次的创新都是细微的,都是不完善的,但是只有通过量的不断积累才能带来质的飞跃。

拓展阅读

小米公司成立之初,将公司创新目标聚焦在"研发最低成本最高性能的手机"上,这个目标无疑是在 iPhone 智能手机这一突破性创新基础上的渐进性创新，"低价高配"的小米手机采用预售的模式迅速收获了大量的"米粉"，但在当时竞争残酷的手机市场上，这样的操作在其他手机品牌厂商的围追堵截下逐渐失去了优势。自此，小米开始将创新的目标投向产品生态链多元发展，生态链供应商们主要的产出是与手机有关的周边产品。2014 年，物联网技术逐步成熟，小米开始主打智能硬件并且正式进入家居市场，小米的渐进性创新思路是对于用户司空见惯的家用商品进行外观、性能等方面的提升，面向年轻、高知的"米粉"用户，打造高颜值、高性价比、互动性强的全生态产品。

小米的渐进性创新

从以上小米公司的创新之路可以看出，相较于突破性创新，渐进性创新在经济社会发展中具有举足轻重的作用，其特点主要表现为：

1）短周期性　每一次的突破性创新之后就会进入连续的短周期的渐进式创新，在市场需求瞬息万变的背景下，短周期快速迭代的创新方式被越来越多的企业所采纳，通过产品的快速迭代能够快速满足市场的需求，对于市场不认可的方案也可以快速纠正。

2）连续性、累加性和递进性　创新推动着企业乃至整个行业不断优化升级，强调创新具有连续性，即在现有的成熟技术的基础上进行升级开发，渐进性创新周期是短暂的，没有足够的时间进行大量的测试验证工作，这种知识技术的重复累加具有显著的效果，它通过代际传递，使得成熟的知识技术得以继承，保证产品主体的可靠性，并以此为基础又创造了新的知识技术。

3）开放性　通过建立创新的生态系统，促进创新资源在系统中的自由配置，创新主客体和资源相互作用，形成共生系统，创新主体综合外部新知识和内部技术积淀推动客体的创新。

4）风险较低且可控性　通过核心技术的不断延展，在原技术轨道上进行升级改进，技术风险容易控制，延伸出的技术可以扩大市场范围。

1.2　人类创新简史

1.2.1　生存创新

纵观人类历史，是一部生活的历史，更是一部创新的历史。先让我们想象一下旧石器时代的某一个傍晚：人们结束了一天的工作，带着石器工具回到家，这个家可能是天然的山洞，可能是人工挖掘的洞穴，一家人围着火堆，烤着肉，香气四溢。在一些技术相对发达的地方，人们甚至已经穿上麻布衣服，吃着用陶器炖煮的肉汤，还有一位能人，用笛子吹奏着悠扬的乐曲。工具、麻布衣服、陶器、笛子这些在我们今日多么平凡无奇的东西，在旧石器时代那漫长的 300 万年里一步步从无到有，成为满足人类欲望和社会需求的创新。而接下来的一万多年里,一个更为绚烂的创新时代即将开启。

新石器时代首先迎来了农业的革命性创新——生存大革命。石器已经被磨制光滑,并且根据功能分门别类,用于清理土地的石斧和石锛,用于收割和除草的石锄和石镰,用于研磨的石磨盘和石磨棒等。当然人们在劳作的过程中也"嫌弃"石器的笨重,于是使用动物的肩胛骨制成骨耜用来翻地。人们又把猎捕来的动物圈养起来,驯化、繁殖,渐渐地成为家畜、家禽;野生的植物经过驯化,基因也有了改变,比如,野生的小麦极易掉籽,这是为了方便风和动物把它们的种子带到其他地方继续繁殖;但是经过人们的栽培,麦粒不再那么容易掉落,由人们来播种,也由人们来收割。散落在世界各地众多新石器时代的农耕文明向我们展示那个时期人们开始了定居生活,走出洞穴、建造房屋。

人类以自身生存的必需需求为出发点,开始农业技术创新。为了减轻劳动强度,创造出犁、耒、耧等农具,并饲养牛、驴等动物来承担重体力劳动;为了治理水患,灌溉农田,人们修筑水利工程;为了提高粮食产量,人们每年收获时都会挑选具有明显优势的种子以备来年的播种。直到今天,人们依然没有停止对种子的优化,利用杂交等技术提升亩产;当然使用肥料是另一个重要的增产方法。

🎓 思政课堂

19 世纪前半期,化肥还没有被发明出来,当时的欧洲为了解决土地肥力下降的问题,习惯从阿根廷、澳大利亚等畜牧业大国进口牲畜骨头作为肥料,但效果并不明显。有些农场主甚至跑到拿破仑时期的古战场寻找人骨来作为肥料,可见当时欧美等国对于肥料需求的迫切。

在这种背景下,许多农学家致力于发现新的肥料。1832 年,一位名叫冯·李比希的德国化学家在其著作《化学在农业和生理学上的应用》中宣称鸟粪对于遏制土壤肥力的降低具有重要的功效。遭人嫌弃的鸟粪为什么会有这种功效呢?原来鸟粪本身含有极高的氮、磷和其他有机物,而农作物的生长恰恰需要氮、磷等有机物。鸟粪价值的发现,仿佛给身处迷雾与危机的欧美国家指出了一条明路。

在得知鸟粪的强大功效之后,欧美等发达国家掀起了一阵"鸟粪热"。1843 年,有消息称,非洲西海岸的伊卡博岛被一层厚达十米的鸟粪所覆盖。这一消息立马引来了大批欧美船只来此哄抢,仅 1844 年的 12 月,就有 400 多艘船只在这个小岛上进行无节制地开采,这个小岛的鸟粪很快就被抢掠一空。

19 世纪"鸟粪热"的兴起正值秘鲁从西班牙手中独立后不久,丰富的鸟粪资源为秘鲁的发展带来了契机。当时鸟粪在秘鲁被称为"白色的金子",秘鲁政府开始大肆开发鸟粪资源,卖往欧美等发达国家。到了 1847 年,鸟粪已经成为秘鲁最为重要的出口产品,鸟粪带来的收入在数十年里都是这个国家的财政支柱,秘鲁正式进入了"鸟粪时代"。

可以说肥料对于农业社会的重要性不亚于石油资源对于工业社会的重要性。当前我国从国家战略层面开展的新能源创新不但是为了当前的资源需求,更重要的是提前应对未来不可再生资源的耗竭。

农业的发展使人们开始了定居的生活方式,安定的生活、充足的食物促进了人口数量的增长,人们为了安全与健康的刚需需求,开始了建筑、医学、火药、武器方面的创新。普通居民的住房需求驱动了建筑的微创新,单就建筑材料来说,最初的天然材料难以承载工业革命以来的城市化进程,人造建筑材料和高效的新建筑工具不断被发明出来,人类建筑得以进入摩天大楼时代。1000多年前我国发明了火药,拉开了火药时代的帷幕,西方列强和日本舰队却在火药这个重大创新的基础上做了微创新,制造了武器,并在200多年前以此攻破了我们的大门。为什么我们民族在火药基础上的微创新是烟花?为什么我们民族没有携这项创新独步全球?这是因为文明社会中的创新既需要道德伦理来约束,也需要利用文化、社会体制和治理方式来界定边界。

1.2.2 交流创新

区别于农业革命,新一轮科技创新在距今约5000年时开启。这个时期的重要发明是数字、文字等信息类技术,交流和娱乐类科技创新活动非常活跃。社会形成了看不见的信息网络,人类的文化得以繁荣和传播。这个时期特别值得一提的是公元前8世纪到公元前1世纪的"轴心时代",在此期间,世界多个地区在哲学、文化、政治体系等多个方面都产生了活跃的原创性思想,并借由书籍这种信息载体流传至今,天文学和数学等古代科学也开始形成体系。这个时期古代中国、古希腊、古印度等地分别构建起核心文化,不断吸纳周边区域而越发壮大,成为今天几大文明板块的基石。这个时期的创新被称为交流大革命。

农业社会的稳定生活方式又带来另一项人类的重要需求——交流与娱乐。首先是文字的发明改变了人类历史进程和社会结构,文字发明前,人是受个人欲望或家庭驱动的孤立个体,受社会影响较小;文字发明后,人的社会性增加,受大人物、思想家的影响变得尤为明显。这也催化了科技创新活动从满足个人需求转向主要满足社会需求。其次由于人们对娱乐活动的需求,娱乐相关技术的开发和使用在人类的科技创新活动中,一直占有较大比例。照相技术以小孔成像原理为基础,一路从卷式感光胶片,发展到彩色胶片,为人们留下了无数美好的定格时光,但数码相机的发明则完全颠覆了胶片市场,如今集成了数码拍照功能的智能手机又占据了相机市场最主要的份额。把声音、图像和故事完美结合的电影技术推动了蓬勃的电影娱乐产业的发展。视听娱乐业的另一项里程碑技术就是电视机的发明,时至今日,我国的电视机制造商占据了世界电视机市场的较大份额。人与人之间的连接,乃是人类的情感最基本的需求。信息的远程通信也经历了最初的烽火警报系统、驿站邮递系统、莫尔斯码和电报系统、电话与无线电广播系统、互联网传播系统,直到今天的万物互联。

人们稳定的生活方式还驱动了另一个群体需求——对远方的渴望,早期的人们可能在远方发现了更多食物,找到了更大的生存空间和希望。人类一步步地连接了部落与部落、村与村、城与城、国与国、大洲与大洋,千万年来积累起了用于物理世界联通的科技成果,进而形成了今天地球上庞大的海陆空交通网络。

1.2.3　效率创新

公元元年之后,全球人口日益密集,商业网络更加发达,不同地区之间的交流也更加密切。比如,我国的原创科技"四大发明",沿着丝绸之路一路向西,并为西方文明添砖加瓦。17 世纪之后,欧洲又开启了一场崭新的颠覆和创新活动。欧洲的科学家和发明家将重心转向提升效率的科技发明,于是纺织机、蒸汽机、内燃机、发电机等大量高效率的机器问世,工业体系初步建立。热力学、电磁学等追求效率的科学与新发明互动,共同大幅度提升了欧洲社会的生产效率。这一波效率革命从发源地扩散到全球,既依靠火车、汽车和飞机所构成的交通网络,也依靠电话、电报、广播、电视和互联网等基于电磁波的信息网络,信息传播的速度与古代科技成就的传播速度相比可谓天壤之别,在不过几百年的时间里,现代科技成就已经基本覆盖了世界各地。

在以上三大创新中,最早的生存创新只有技术没有科学,交流创新和效率创新都是科学家和发明家共同努力的结果,都包含着独特的科学革命和技术革命内涵。对人类而言,最重要的生存、交流和效率这三类创新,是个人欲望和社会需求共同作用的结果。

历史沉淀的所有科技成果,都是社会后续发展的动力。在人类创新的过程中,如果把重大科技创新称为英雄行为,那么不计其数的微创新就是人民行为。重大科技创新成就会促使社会某个部分甚至整体发生系统相变,社会曾经的稳态可能由于重大科技创新而被打破,进而进入下一个稳态。重大科技创新往往能够引发大量的微创新,虽然微创新的意义不那么重大,但是数量巨大,更贴近生活场景,对社会发展的作用不容小觑。如果缺少微创新,重大科技成就将难以充分实现社会服务价值;微创新的积累可能为新一轮的重大科技创新奠定基础。如果缺乏新的重大科技创新成就问世,上一轮重大科技成就的边际回报就会越来越小,经济发展也会逐渐停滞。

人类对超越自我存在着执念般的追求,好奇心和梦想会驱动人类在无明确实用价值的情况下去做一些探究工作,人类的认知方式是引导自身探索活动的明灯,也是限制自身认知突破的桎梏。但每一次认知突破,都会引爆新一轮的科技创新互动。创新是推动人类社会进步的最底层的逻辑。

1.3 创新的本质

1.3.1 创新的底层逻辑

从以上人类创新发展的历程来看,创新是人类生存需求与欲望满足的第一原动力,以下从人作为生物体这一角度深入剖析创新的底层逻辑。

1943 年,薛定谔发表了题为"生命是什么?"的系列演讲,提出生命的第一性原理——生命以负熵为生。熵是热力学的概念,其物理意义体现了系统混乱的程度,熵越大,系统的无序程度越高。熵增是宇宙万物发展的自然倾向,从有序到无序,最终到无序的最大化,达到衰败灭亡,也就是最大熵或熵寂。

根据以上熵的定义,负熵就是有序,那么生命体得以有序生长的决定因素是什么?"所谓负熵(有序),就是能量加信息。"[1] 可以理解能量和信息可以带来有序,带来负熵,而以负熵为生的生物体就可以通过获取能量与信息得以生存与发展。非常容易理解的是,人活着就需要能量,但是不能不加选择地吸收一切能量,人要依靠有条件的能量,有信息内涵的能量。信息是事物的运动状态和变化的反映,是事物之间相互联系和相互作用的表征,信息具有因果关系,从更本质的层面看,信息能够带来有序。

在人们的生存环境中,能量以各种形式存在着,燃料燃烧有能量,电源发电有能量,但这些能量对于人这一生物体来说无法摄入,因此,这些就是没有信息的能量。而人必须补充有信息的能量,比如肉类、蔬菜这些食物本身带来生存所需要的信息,是有信息内涵的能量,长期演化下来,人类也获得了关于食物的更加确定的信息。同时,这些携带信息的食物,也规定了人作为生命的生存和发展方向。而这,就是有序的方向。

1948 年,克劳德·香农借鉴了热力学的概念,把信息中排除了冗余后的平均信息量称为"信息熵"。"信息熵"是信息论的基本概念,描述信息源各可能事件发生的不确定性。简单来理解,当人们面对一件一无所知的事物时,信息熵就大,不确定性就大,熵增的过程意味着无序;但人们一旦开始对这件事物进行解析和学习,随着学习的深入,信息熵降低,不确定性也随之降低,增加负熵的过程就是增加确定性的过程。

至此,就可以理解,人这一生物体的发展和进化,以负熵为生,熵减就是生命进化发展的方向。因此,人想要发展,本质上就有两条路:①应对更多的不确定性,即熵增的状态,使其减少,逐步转化为确定;②放大原有的确定性,即负熵的状态,使其增多,产出更大的确定性。这时就可以从人作为生物体这一本质来回答"创新是什么?""人类为什么要创新?"。

对于人类发展的第一条路——为了应对更多的不确定性,使熵增减少,转化为确定

---

[1] 保罗·戴维斯.生命与新物理学[M].中信出版社,2019.

性,创新最底层、最本质的解释即在于此;与创新相对应的是人类发展的第二条路——放大原有的确定性,使负熵增加,产出更大的确定性,这就是模仿。这样就能理解人类社会两大发展模式:创新和模仿。从人类本身来看,创新和模仿就是处理不确定性和确定性的两种能力。处于成长阶段的人,以创新发展模式为主,将更多的不确定性转化为确定性;而当习得信息、知识、技能以后,形成自己能够反复应用的确定性,随着年龄的增长,人就以模仿发展模式为主,将自己一生所学尽量复制,以扩大确定性。

1.3.2　创新与模仿

生命以负熵为生,人作为生物体追求负熵的能力,就是生命力。人对负熵的追求,也是对确定性的追求,使得生物体从创新和模仿两个方向谋求自身的生存和发展。

创新力是应对和处理不确定性的能力,模仿力是强化和放大确定性的能力。生命体的创新力能够让其具备对不确定性的适应力,尤其在变化的、未知的环境中至关重要,否则集体组织就会由于不适应环境而衰亡。生命体的模仿力能够让其将已经掌握的确定性固化下来,并扩大为最大利益。如果没有模仿力,生物就会变化过度,导致确定性下降,最终在反复折腾中衰亡。在稳定的、已知的环境中,模仿力让有机体的适应力增强。那么创新和模仿对于人或者组织这些有机体来说哪个更重要呢?

人和组织等这些有机体的创新力和模仿力是并存的,并且在其生存和发展过程中始终处于两者的动态平衡中。就有机体自身而言,在其生命周期中,早期阶段创新力占有更大的比重,面对的是从未经历过的未来,需要应对最大的不确定性;但随着有机体的发展而逐步成熟,不确定性也逐步地转化为确定性,这时创新力占比下降,模仿力占比上升。直至有机体走向衰老,创新力趋近于零,完全依靠自身的确定性生存。

就有机体外部环境而言,如果环境充斥着诸多不确定性因素,那么有机体就需要用创新力应对这些不确定性。在我国改革开放 40 多年的历程中,人们也经历着越来越多的不确定性,20 世纪 90 年代国有企业进行大规模的体制改革,四五十岁的中年人本可以依靠自身已有的确定性生活,但改革带来的巨大的不确定性将这类人推向了时代发展的风口浪尖。创新力在这个阶段发挥着不可估量的作用,这类人群中有勇于“下海”者,到中国经济最活跃的地区发展,将不确定性努力转化为自身的确定性;当然也有退缩者,则被变化的时代淘汰。接下来的发展阶段,对外开放持续深入,由西方确定性经验模式复制的一批新型企业如雨后春笋般创立,与这个阶段相适应的就是模仿力的比重增大。再比如,我国坚持走和平与发展的道路,就是希望将冲突与争端带来的最大的不确定性和无序降到最低,将创新力和模仿力持续用于经济发展,增加全人类的福祉。

创新是否总有价值? 利用“生命以负熵为生”这一原理来回答这个问题,能够增加确定性的创新就是有价值的创新,反之,那些没有带来有价值的确定性,甚至由于低水平的改变带来更大不确定性的“创新”就是没有价值的创新。创新的价值也是可度量的,能把多大的不确定性转为多大的确定性体现着创新的价值。例如,理论的创新往往能够开创一个创新的时代,牛顿力学将运动和力的不确定性总结成了确定性的原理,并抽象成经典的力学公式,工业革命、蒸汽机都是由牛顿力学理论带来的巨大价值。

1.3.3 创新的时代

创新与模仿并没有绝对意义上的好坏,它们是生命体对环境的适应策略。当环境相对确定时,应对环境的模式也得到了验证,模仿和复制已经成熟的模式是最佳策略,先进经验会越来越广泛,每件事情都有标杆和最佳标准,每个问题都有最佳答案。每个有机体要做的,是不断逼近这些"模仿对象",争取能够成为他们。

当环境不确定、多变时,生命体需要对变化有所应对,那么改变和创新就成为必要的策略。老一代的经验和传统可能由于不能适应变化而被抛弃,旧观念由于阻碍新发展而被弃之不用。新的探索与发现被提出,新的改变与创造得以实现,开创性的英雄人物在创新中脱颖而出,引领人们创造新的事业、新的模式和新的方向。

用以上的观点来思考当下处于模仿时代还是创新时代,不难发现,我国当前已经走到了创新时代——以创新力应对熵减,增加确定性;但我国当前依然存在着模仿——追求熵减的同时,进行负熵范围的扩大,产生更大的确定性。

首先,当前"世界进入新的动荡变革期"[1],世界格局重塑的过程中世界各国的政治、经济、制度等方面充满了不确定性。面对这种不确定性,我国政府在国际重要场合屡次提出"全人类共同价值""人类命运共同体"等创新性的治理理论,以减少国际冲突、增强多边对话的方式减少熵增。

其次,我国改革开放40多年的成功经验,包括理论创新与实践创新,已经成为确定性的理论基础与实践模式,"一带一路"倡议的提出,就是将我国确定性的成功经验复制到"一带一路"沿途各发展中国家,这些国家无论是管理者还是组织,只需要按照成功经验去做,就能见效。确定性的经验输出能够创造巨大的经济价值和社会价值。

再有,我国经济已经发展到一个新的经济周期,一方面低端制造业逐步迁出我国境内,我国企业跟跑西方先进技术的情况已经越来越少,因此,社会对模仿力的需求逐步下降;另一方面,当前我国多个领域的发展已经处于世界领先的位置,同时,在军事、科技等重要领域,国际大国间正经历着激烈的博弈与竞争,这个不确定性中蕴含着巨大的机会,创新力在这些领域发挥重要的作用。

综上,人、组织以及人类社会等有机体的生存和发展依赖于蕴含信息的能量,将信息熵从大向小直至负熵的转化过程就是将不确定性向确定性转化的过程,创新力在该过程中起决定作用,当创新力获得了越大的确定性时,其价值就越大;而当确定性因素增多

---

[1] 二十大报告 [EB/OL][2022 – 10 – 25]. https://www.gov.cn/xinwen/2022 – 10/25/content_5721685.htm[2024 – 04 – 02].

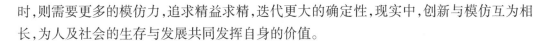

时,则需要更多的模仿力,追求精益求精,迭代更大的确定性,现实中,创新与模仿互为相长,为人及社会的生存与发展共同发挥自身的价值。

1.4　创新驱动个人发展

1.4.1　个人创新力内在机理

创新力是应对不确定性、将其转化为确定性的能力。创新力强的人能够很好地适应时代的变化,能够快速并准确地识别和判断变化所带来的影响,从而应对变化和挑战,做出相应的决策和行动。在人类历史的各个阶段,推动历史车轮滚滚向前的人类群星,不论是思想家、哲学家、科学家、政治家、艺术家,还是其他领域的大师,无一例外都是他们所处时代的创新者,所谓"乱世出英雄""时势造英雄",正是时代的不确定性和变化驱动了这些大师们的创新力,将自身及时代的不确定性最大程度地转化为确定性。因此,就可以理解虽然每个人都具有一定的将不确定性转化为确定性的能力,但这个能力的大小一定因人而异。接下来针对具体的个人来思考,什么是人的创新力? 人的创新力来自哪里? 什么样的人具有强大的创新力? 人能否提升自身的创新力? 如果可以提升,又该如何提升创新力?

人类的创新力应对着不确定性,无论是不确定性还是确定性,都是信息的表达,因此究其根本是人类的内在心智系统在应对和处理着各种信息。世界顶尖认知心理学家史蒂芬·平克在其著作《心智探奇》中指出:心智是一套由计算器官组成的系统,它经自然选择的设计来解决我们祖先在茹毛饮血的生活中所面对的那类问题,比如,理解和操纵物体、动物、植物以及他人。心智的组成部分是模块或心理器官,每个模块都经过专门的设计而成为人与世界互动的"某一个领域的专家",模块的基本逻辑由人类的内在基因所决定,其操作又被自然外部环境所塑造,两方面相互作用来解决漫长的进化历史中我们祖先在游牧采摘生活中遇到的问题。

心智是大脑做的有意识的事情,给人带来心理感受、反应和行动内驱力。人的心智从功能和结构上可以分为两大部分:感性和理性。通常理解,感性偏向感官、情感、情绪的心智;理性偏向理智、逻辑、推理的心智。人处理信息并做出反应,既可以用感性的心智,也可以用理性的心智。感性的心智系统是在更原始的时代和环境下的求存系统,它处理的是更加恶劣、更加严酷,也更加简单的环境和问题,反应迅速而激烈;理性的心智系统是在更近期的时代和环境下的求存系统,它处理的是更加文明、更加舒缓和更加复杂的环境和问题,反应舒缓而理智。如何提升不确定性转化为确定性的概率? 正是人强大的理性心智系统,让人可以将自身所接触的任何信息从不确定变成确定,"生命以熵减为生",人的理性心智系统就是最高级的熵减系统,能处理最大程度的熵增,即不确定性。

1.4.2　个人创新力的核心

理性心智系统的核心能力是逻辑推理,逻辑推理能够让人在巨大信息量的环境下处理纷繁复杂的事情。人通过逻辑推理过程来应对生活、学习、工作中所遇到的事情和问题，处理各种各样的信息，无论是常见的、一般的，还是少见的、特殊的。

人既有的确定性，是在以往的经验中利用归纳类比逻辑推理方法将诸多信息进行分类和序化，如果遇到一个新问题、新现象，也就是当人处于一定不确定性的场景下，最简单的办法就是直接将其与自身既有的认知体系相比较，如果匹配就可以直接得出结论。归纳类比思维是人类理性心智系统针对确定性最高效的处理系统；但是不确定性一旦超出简单的匹配操作，就需要建立更加丰富、更加深刻的逻辑关系，即相关关系，包括因果关系、语义关系、序关系等。人利用自身认知体系进行逻辑推演，应对不确定性的熵增，也就是人利用相关关系的逻辑推演能力进行熵减。

人的创新力体现在自身的理性心智系统的逻辑推理能力，相关关系的演绎思维是人理性心智中处理不确定性的最强有力的系统，也是人的创新力的核心。

创新力是基于人既有确定性的基础上，对不确定性进行逻辑关系判断，并据此进行演绎推理，最终得出确定性结论。人的成长与发展就体现在将不确定性转化为确定性的理性逻辑推理能力的提升上，无论是个人还是人类社会，都遵循着负熵持续提升的趋势，以应对和处理更大的信息量和不确定性。因此可以说，从前的高创新力可能是未来的基本功。

推荐阅读书目

约瑟夫·熊彼特，《经济发展理论》，商务印书馆，2020。

徐则荣，《创新理论大师熊彼特经济思想研究》，首都经济贸易出版社，2006。

混沌学园，《创新力——从思维到能力的企业增长之路》，中信出版社，2021。

董洁林，《人类科技创新简史》，中信出版社，2019。

思考题

1. 人类创新的本质是什么？

2. 创新的价值能否度量？其价值如何体现？

3. 创新的底层逻辑是什么？模仿的底层逻辑又是如何？两者之间的关系是什么？

4. 分析当前的时代特征，指出创新和模仿的方向。

课程报告

1. 撰写课程报告"如何看待模仿与创新"。

2. 撰写课程报告"如何理解跟跑、陪跑、领跑的关系"。

3. 撰写课程报告"梳理人类科技创新的历史——问题和问题解决"。

第 2 章

创新素养与驱动因素

2.1 创新思维

思维是人类最本质的特征,人与动物最大的区别就在于思维。从本质上说,思维是人脑对客观现实间接和概括的反映,是在表象、概念的基础上,通过综合、分析、判断、推理等环节,借助语言来实现的、能够揭示事物本质特征及内部规律的一个理性认识过程。思维模式既是思想、观念、意识、理论等精神产品产生的思维形式,也是从不同方位、角度、层次看待事物的思维方法,对人们日常的言行举止、为人处事,以及发现问题、解决问题起着决定性作用。创新思维就是在人类面对不确定性问题时进行理性推理思考所表现出来的思维模式。

2.1.1 创新思维模型

人类创新力表现在应对和处理不确定性时的理性心智,其底层原理以相关关系的演绎思维为基础。人们日常使用的思维,一般包括物质、时间、空间、纯逻辑四个维度的思维,每个人在这四个维度上的思维有深有浅,表现出来的就是思维能力的不同。

1)物质维度 也叫要素维度。这个维度的创新主要表现在组合思维上,要素和要素之间的关系,部分要素组合成总体,总体又是由各个要素构成,简单理解,就是有关物质结构的思维。组合关系中,总体与部分的关系、部分与部分的关系、同类物质之间能够形成的组合、不同类物质之间能够形成的组合,等等,都是组合思维的思考方向,其重点在于拆解与重构。

2)时间维度 人们的时间观念就是时间逻辑,事物之间的相关关系建立在时间的先后顺序上,这就是时间维度上的进化关系。理性心智系统的时间逻辑模型,包括对时序的认识,比如,过去、现在、将来、之前、之后、同时;也包括对时间这一概念体系的建构,比如,年、月、日、时、分、秒、春、夏、秋、冬。利用时间逻辑,理性推理系统建立起对未来的预测模型,外部世界将会发生什么,而个人自身又该做些什么予以应对。

3)空间维度 包括事物与事物之间的空间关系,事物与整体之间的空间关系,比如,上、下、左、右这类绝对空间关系,也包括远、近这些相对空间关系;再比如,中心点与边缘的关系、路线方向上的序关系等空间范围相关关系。

4）纯逻辑维度　纯逻辑中最简单的就是蕴含关系，即因果关系，可以说这是人类心智基础逻辑模型中的高级思维模型，人类的文明莫不是在追究终极原因、分析因果链的过程中逐步建立的。

普通人在以上四个创新思维上进行思考，囿于眼界、格局，能够触及的范围较小，但创新思维卓越的人本质上就是在这四个维度上的拉伸超出常人，思维跨越大、目光深远，甚至直抵本质。创新思维表现在这四个维度上，其大小与拉伸程度是可以通过训练逐步增强的，因此，大学生在进行创新思维训练时，就可以概括为这四个方向的思维强化与拉伸。

2.1.2　组合思维

组合思维能力是最基本的创新思维，需要揭开表面、拆解要素，经过多维度分析与重点识别后，进行要素重组，获得更有价值的要素组合。哲学家维特根斯坦在其《逻辑哲学论》中有这样的论断：世界是由事件构成，事件又由对象构成，因而对象就是构建世界的基石。在这位著名的哲学家眼中，世界不仅仅是由静态的客观事物构成，还是由动态的事件构成，而对象与对象之间的动态关系组合形成事件，从而构成整个世界，显然这种面向对象的认识论就是组合思维的哲学基础。

组合思维不仅仅是把各个要素重新排列组合那么简单，而是需要清晰的逻辑分析、严谨的要素拆解、深刻的关系洞察、灵活的要素重新组合。熊彼特关于创新函数的定义，正是这种创新的基本形式，组合思维的应用，就是实现"旧要素，新组合"的创新，也是最通用、最常见的创新思维。组合思维的一般过程包括问题定义、问题拆解、价值重组。

（1）问题定义

创新并非盲目创新，而是有目标、有价值的创新，如前所述，是能够将不确定性转化为确定性的创新，解决问题是创新最有价值的目标，而解决问题首先需要认识问题、定义真问题。如果在不确定性的环境下将问题理解错了，方向的定位错了，那么结果就可能朝向不可控的方向发展。

📖 拓展阅读

香港主权问题的定义

　　邓小平同志在面对香港回归这个问题时，一针见血向英方指出真问题所在。1982 年邓小平与撒切尔夫人针对香港回归问题进行谈判，英方的三个应对方案，首先，对其最理想的情况就是，搬出清政府曾签署的三份不平等条约，让我国承认英国对香港的"主权"；其次，退一步把香港主权交还给我国，但作为交换，英国需要保留对香港的长期治理权，即"以主权换治权"；最后，倘若前两点都没能谈下来，就设法让香港自治，这样一来，英国还是能够凭借此前一个半世纪殖民的历史优势,继续在香港牟利。英方先发制人,搬出了《南京条约》等 3 份不平等条约,声称英国管制香港"有凭有据、合法合规",与此同时,英方还强调称,倘若失去英国人的统治,香港不仅会丧失既有的繁荣,还将面临内部暴乱。邓小平同志却回应道:"主权问题不是一个可以讨论的问题,中国在这个问题上没有回旋的余地"。

这个掷地有声的问题定义直接将谈判约束在"香港如何回归"上,而不是就"香港主权"问题再进行讨论。而对于香港回归后的政治经济体制问题,早在 1982 年 1 月,邓小平就已经正式提出了"一国两制"的构想。即一个国家、两种制度,在确保只有一个中国以及国家主体坚持社会主义制度的前提下,让香港、澳门、台湾地区保持原有的资本主义制度长期不变。相应的,香港特区同外国的经济文化关系,以及地区民众的私人财产、房屋土地所有权、外国人与华侨的投资等方方面面,都将一如既往地受到法律保护。"一国两制"制度的伟大创新就建立在对问题精确定义的基础之上,因此,定义问题的本质就是明确目标以及为达成目标需要解决那些子问题。

(2)问题拆解

面对复杂问题,最直观的解决方法是将问题进行拆解,把复杂大问题拆解成可以简单识别并着手解决的小问题。为达成目标问题的解决,解构问题得到最易解决的问题单元,问题单元以能实现、易实现为目标。

拓展阅读

以前述案例浙江宁波的"生意帮"为例。我国具有全世界最全的制造业产业链,从制造业的全产业链来说,在"互联网+"时代,产业链的头尾两端是最早开始信息化的,并且早已实现了互联网化的深度改造。比如,在产业链上游,有大量的大宗原材料的专业平台,大家耳熟能详的有找钢网、找煤网、快塑网等,这些互联网平台围绕原材料的交易做了很多创新,也取得了很好的效果。同样,在产业链的末端,阿里巴巴、京东、拼多多等电商平台包圆了成品的批发零售。制造业产业链的中间环节,也就是工业设计、开模具、打产品(包含冲压、钣金、铸造、注塑等)表面处理(包括电镀、喷漆、喷塑、磷化、氧化、黑化、电泳等)和装配等环节,彼时还没有跟互联网发生化学反应,在全世界范围内都没看到互联网对制造业的中间环节的改造方案。

当时我国制造业的典型业态特征:中间环节品类众多、分工精细,生产方和需求方的联线显得特别困难。比如一个塑料件要镀铜镍铬,得首先弄明白这个塑料件的使用环境,功能性电镀和装饰性电镀是两种完全不同的工艺要求,能做的厂家也不同;这个塑料件的尺寸和规格决定了电镀生产线的种类,小的尺寸适合滚镀,大的尺寸适合挂镀,当然还得找恰好有对应挂具的工厂,这要找的工厂也是不一样的;最后,这个塑料件的交期要求,是散单还是大单,着急与否,就要看电镀厂家的工期是否能够匹配。凡此种种,尽管电镀厂都集中到了电镀园区里，但是一个产品要找到合适的生产线和师傅来生产，还是非常花时间的事情，通常情况是得一家家地去问。对于委托方来说，即使找到对应的生产厂家了，也面临自身不专业所带来的品控问题。一般的工厂或者委托方技术人员配置不齐全、设备配置不齐全是常态。这些特征正是制造业企业的"痛点"。"生意帮"创始人被以上这样的复杂问题所困扰多年，深刻理解制造业的需求。一个产品，是由很多零配件集成起来，再加上软件系统和漂亮的包装成为终端产品。但每一个零配件，又要经过开模具、打产品和表面处理三道工序，随着零配件材料、形状、工艺要求、尺寸等的差别，不同的工序又要在不同的设备和工厂进行生产，这使得任何一件终端产品的制造，都需要几十家上百家工厂的协同生产。产品制造的所有环节必须有一个高效的供应链管理系统。

"生意帮"互联网平台对传统制造业业态进行了一次深刻的改造，这次改造首先就是从解构问题开始的。首先，宁波当地的制造业工厂众多，类型多样，包括模具厂、机加工厂、注塑厂、表面处理厂、装配厂，用户面临的复杂问题的第一个核心问题在于需要花费大量时间一家家地问"这件事你们厂能做吗？"，那就需要首先解决工厂信息问题，这个问题是否能够实现？是否具有价值？事实上，"生意帮"花费一年半的时间，验了12000多家工厂，其中有2400多家模具厂、6500多家机加工厂和注塑厂、2700多家表面处理厂和500多家装配厂，实地考察每一家工厂的绝活、做过的产品、设备、产能、工期、位置、资信等信息，并一一记录在平台上。在完备信息库的基础上，"生意帮"为每一个工厂的老板安装上app（应用程序）平台，给予相应的培训，如何应标接单。这样用户的生产问题上传至平台后，意味着面向12000多家工厂同时提问"这件事你们厂能做吗？"无疑，复杂问题被解构的第一个原子问题是有价值的，也是可实现的。

"生意帮"为制造企业提供了一个敏捷的供应链系统，简单来说这个平台就是一个专业的工业设计、开模具、打产品、表面处理和装配的生产力调度中心，通过互联网平台的管理，12000家工厂好像是一个工厂的12000个生产车间。这个复杂问题的第二个核心问题在于如何让这12000家工厂协同生产？"生意帮"的解决方案是对外承接代工业务，然后再把一个产品代工的订单分解成数十个零部件加工订单，分包给不同的模具厂、五金加工厂、注塑厂、表面处理厂，然后再和某一家装配厂合作进行总装。

第三个核心问题在于如何进行品控？分包给数十个工厂生产的产品质量控制问题也是一个重要环节，为此，"生意帮"全职聘请十几位专家级别的专业工程师，分别有结构工程师、模具工程师、钣金工程师、注塑工程师、表面处理工程师和装配工程师，这些工程师将对平台代工产品提供全流程的品控管理。

"生意帮"互联网平台让宁波的制造业工厂更加高效地协同管理产品生产，专业的工程师队伍让产品品控能力不亚于大型的实体代工厂。数以十万计的小微工厂是宁波最宝贵的财富，"生意帮"互联网平台为制造业小微企业提供的服务模式创新性地进行问题拆解,面向拆解后可控的原子问题进行逐一解决。

（3）价值重组

组合思维的关键在于问题的解构,而问题解构需要聚焦目标,解构原则要始终围绕负责问题解决这一目标展开。创新就发生在问题解构后所得要素之间关系的重塑,要素本身没有变化,但要素间关系变化则可能引起"量不变但质变"的效果。事物之间通过对比体现出来的差异性有助于人们洞察要素的多样化价值,而这些多样化价值能够驱动人们根据新的目标,对要素进行价值重组,产出行之有效的创新方案。

📖 拓展阅读

苏绣是我国苏州地区刺绣产品的总称,为江苏省苏州市民间传统美术。苏绣起源于苏州,是四大名绣之一,2006年经国务院批准列入第一批国家级非物质文化遗产名录。张雪是这项非遗传承人薛金娣的儿子,张雪成为一名苏绣的"绣郎",打破了苏绣"传女不传男"的传统。张雪针对苏绣创新,开始了他的"苏绣的可能性实验"之路,他在自己的创新历程中运用组合创新思维创作出多幅代表作品,多种要素的价值重组为苏绣这一传统技艺增添了无限可能。

张雪苏绣的价值重组创新思维

张雪的作品《星空》展现了太阳系中的九颗行星,是一幅汇聚苏绣丰富针法的创新作品,饱含未来主义色彩。张雪在谈到这幅作品的创作灵感时,提到苏绣传统针法有9大类别、40多种,但是大家平日看到的苏绣作品,用到的不到10种,在整理全部苏绣针法技艺之后,张雪一直在想,除了常用的几种,这些前人发明并传承下来的针法,莫非就要从此束之高阁吗?怎样才能让这些宝贵的文化遗产焕发新的活力呢?带着这些问题,张雪在一个机缘巧合下观看了关于星空的纪录片,一个灵感来了。"看到星球的轨道,好像看到一圈圈银线,立刻觉得,轨道可以用银线以'盘金绣'的针法去表现;看到太阳向周围发散光芒,就像苏绣里面的集套针法,就这样,一个个星球就对应不同针法,逐一表现出来了。"张雪将苏绣的诸多针法表现在这幅《星空》的作品中,获得了江苏省艺博奖金奖。

张雪的另一个由多要素重组创新思维的作品出现在2021年的《国家宝藏》节目中,张雪向观众们展示了一件苏绣代表作品——苏绣团扇。这幅团扇,它采用了双面绣工艺,无论是正面还是背面,扇面上的红凤都栩栩如生;团扇扇面以黑为底色,但却能在灯光下闪耀着金光,这是另一项非遗缂丝技艺,扇骨与扇柄连接处则采用了榫卯结构。一把扇子融合了五种非遗技艺,尽显非遗之精妙。

2.1.3 进化思维

时间维度上的创新思维就是进化思维。任何事物的发展都不是一成不变的,在我国改革开放40多年的进程中,每一个特定历史阶段都呈现出不同特征的变化与活力,进化思维能够帮助人们抓住随时间发展的创新机会,接受变化、认识变化、应对变化。每一次突破性创新来临,势必会打破原来固有的业态,而新业态的建立过程就是一系列渐进性创新产生的过程。站在某个历史节点上,进化思维要求人们懂得"来龙去脉",要动态地看待发展,前瞻性地判断发展方向,具备进化思维的创新者往往更具有战略家的特质,进化思维是能够提升的。

(1)敏锐应对变化

这个世界上唯一不变的就是变化,无论人们主动应对变化,还是被变化推着向前,都无法改变生活在变化,即不确定性之中。但现实中,大多数人往往不喜欢变化,在自己确定性的环境中感受到最大的确定性,如果大家都意识到变化是不可避免的,与其变化来了措手不及,不如主动接受和应对变化。进化创新思维强调"领先一步",只有主动地、敏锐地觉察到变化,并主动接受与应对变化,才能够在变化到来时更加从容,因为主动应对变化的行为就是人自身减少熵增的有效途径。

📖 拓展阅读

阿里巴巴企业核心价值观被称作"六脉神剑",涵盖了企业面向整体目标对所有员工的要求,其中一条叫"拥抱变化",在阿里巴巴企业内部,变化无处不在,并且业务的变化

阿里巴巴应
对变化

与迭代非常快,任何一个业务只有三个月的试水期,如果三个月时间做不出来,就要对其进行调整。调整的方式只有两种,一种是企业认为这个业务前景很好,还要继续做下去,但是把运营该业务的团队砍掉,换另一支团队重新做相同的业务;另一种是运营团队努力并且业绩也做得不错,只是业务没有达到预期目标,企业就会给该团队一个新的业务、新的方向,以及新的要求。

"拥抱变化"对于还没有走出校门的大学生们应当有所启发,大多数大学生希望到"大厂"工作,历练自我以获取丰富的人生经验。如果能够前瞻性地看到自己即将面对的变化,在校期间便针对变化对自身提出适应变化的要求,进而努力提升自我认知与实践能力,便能够更加从容地将变化带来的不确定性转化为自我内化的确定性,这就是教育的意义,也是人生成长的意义。

(2)准确识别变化

进化创新思维要求能够准确地认识变化,包括变化的方向,也就是变化趋势,也包括变化趋势的价值,还包括变化发展所处的阶段。准确识别变化、识别未来的发展趋势,是进化思维的重要体现,这项能力的提升一方面要面向未来,但回望过去也同等重要,提升方法可以概括为"听妈妈讲那过去的故事"。首先,"太阳底下没有新鲜事",也就是说曾经发生的事情在未来大概率还会发生,只是在不同的历史时期呈现的形式不同而已,因

此,对于过去事物发生发展规律的总结与抽象,帮助人们去审视当下的环境,审视自身的优势,制定面向未来的行动方案;其次,对变化规律的把握能力,并不是大多数人生而有之的,一位经验丰富、表述客观的"长者"对于人建构自我进化创新思维模式至关重要,现实中,这位"长者"往往不会从天而降,而是需要个人主动探寻、主动学习。

拓展阅读

马克思主义原理与中国传统文化相结合、与中国具体国情相结合,这三者都可以作为"长者",在校大学生们在学习专业知识的同时,深入理解中国是怎样一步一步地走到今天的,今天的中国是什么样的? 未来中国要成为什么样的? 在这个过程中,中国传统文化发挥了怎样的作用? 马克思主义原理又是怎样指导当下的中国发展的? "长者"将这些成功经验、事物发展规律娓娓道来,作为后辈们创新思维提升的基础储备库去面向未来的不确定性。

毛泽东《论持久战》对问题的精准识别

抗日战争全面爆发后,形势十分严峻。1938 年 5 月,毛泽东发表了《论持久战》,当时,日军侵华已近 7 年,全国性反对日本侵略的民族解放战争正在进行,全国军民为了民族生存进行了浴血奋战。当时日本侵略军已经侵占了华北、华中等地,北平、天津、上海、南京相继沦陷,淞沪会战失败,徐州失守,武汉危急,国内战局一度走向混沌迷离。深受侵略之苦的中国人民的爱国热情像火山一样迸发出来,民族觉醒在当时达到了全新的高度。在当时国际国内大形势下,战争进程会如何发展? 中国能否取得最后的胜利,怎样才能取得胜利? 一时众说纷纭,大致有以下三种看法:一是消极悲观的"亡国论",认为"中国武器不如人,战必败""再战必亡",主张妥协投降;二是盲目乐观的"速胜论",把抗战胜利的希望寄托在外国援助上,认为可以依赖外援迅速结束战争,日本马上会败;三是认为会是一场持久战,但在为何是持久战,如何开展持久战等问题上仍停留在模糊认识阶段。毛泽东从战略高度,系统论述了中日双方存在着相互矛盾的 4 个基本特点,即敌强我弱、敌退步我进步、敌小我大、敌寡助我多助。基于对这些特点的分析,毛泽东认为抗日战争是一场持久战。他说,"只有战略的持久战才是争取最后胜利的唯一途径""抗日战争是持久战,最后胜利是中国的"。毛泽东《论持久战》的创新思维里,正确识别变化的发展趋势、发展阶段,并进行了前瞻性地预测。

(3)前瞻性预测变化

拥抱变化、主动求变,对变化产生的可能结果进行提前布局,是进化创新思维的落脚点,准确地预判出未来不确定性的走向,是增加人们对创新落地笃定感的基础。当个人根据事物的发展规律,在洞察外部环境发展趋势的基础上,进行前瞻性预测,提前布局就是在不确定转化为确定性过程中的熵减行为。

📖 拓展阅读

2019 年 5 月 16 日,美国将我国华为公司列入所谓的"实体清单"。这意味着,没有美国政府的许可下,美国企业不得给华为供货。在半导体和高端器件全球供应链高度关联,你中有我、我中有你的现实背景下,华为面临供应链"断供"风险,这可能使华为无法继续为客户提供最优质产品和服务。

华为前瞻性
地预测变化

就在美国禁令发出的第二天凌晨,华为海思的总裁何庭波发表了一封内部信,称之前为公司的生存打造的"备胎",一夜之间全部"转正",为华为的正常业务保驾护航。而在此之前,华为已经在海思等备胎计划上花费了十多年,投入了巨额的资金。下文是记者对任正非的一段采访。

记者:就在当年 2004 年甚至更早的时候,中美关系一切正常,而且国际供应链一切正常,为什么您会预想假如这个世界不正常怎么办?

任正非:我们曾经是准备用一百亿美金,把这个公司卖给一个美国公司,因为我们大家都知道,我们再发展下去就和美国要碰撞,一定要去碰撞。卖给人家的时候,合同也签订了,所有手续办完了。但是一个星期内美国公司的董事会发生变化,新董事长否决了这项收购。那么好,我们回来再讨论我们还卖不卖,少壮派是激进派,坚决不再卖了,那不再卖,我们就说十年以后我们和美国在山头上遭遇。遭遇的时候我们肯定是输家,我们拼不过他们刺刀,他们爬南坡的时候是带着牛肉、罐头、咖啡在爬坡,我们这边背着干粮爬坡,可能爬到山上我们还不如人家。好,那我们就要有思想准备,备胎计划就出来了。

记者:我们就按照一切惯常的这样的发展,而没有出现中间的这种意外的话,在您的构想中海思的存在应当是一个什么样的情况?

任正非:现在海思有大量的基础理论,这个基础理论也是战略研究院在外面撒胡椒面形成的,它没有基础理论,它咋能走到这个程度?

记者:是不是它们永远不启用,才是一个正常的好的状态?

任正非:一直也在用,没有说不用,只是说现在可能就是他们挺身而出,主要以他们供应为主体,如果说正式断了以后,如果是美国继续恢复供应,他们还是继续少量生产。

记者:您准备怎么去面对未来,也许会长期存在的这个中美贸易冲突?

任正非:这本来就可能长期,我们准备打持久战的,我们没有准备打短期突击战。持久战越打,我们可能会越强大,我们度过磨合阶段,产品切换磨合这个阶段,我们可能就更强大了。

2.1.4　差异思维

创新思维在空间维度的拉伸,就是差异思维。差异思维是破除常规,逆向思考,反对从中、反对主流地向外看,识别边缘空间,从全局视角出发,重构价值链条和差异化优势的思维模式,是洞察空间的能力。与差异创新思维相对应的就是传统思维,传统思维跟从主流认知,这是错误率最低的方向,是减少变化、增加组织稳定性的方法,但这也意味着创新空间的不足,而创新往往产生自主流认知的边缘。差异创新思维强调全局视角,把眼光置于复杂问题的全局,从全局各个局部去观察问题,充分挖掘整个系统中尚未触及的空白地带。

(1)逆向思考模式

逆向思维,也称求异思维,它是对司空见惯的似乎已成定论的事物或观点反过来思考的一种思维方式。敢于"反其道而思之",让思维向对立面的方向发展,从问题的相反面深入地进行探索,树立新思想,创立新形象。

当大家都朝着一个固定的思维方向思考问题,而你却独自朝相反的方向思索,这样的思维方式就叫逆向思维。人们习惯于沿着事物发展的正方向去思考问题并寻求解决办法。其实,对于某些问题,尤其是一些特殊问题,从结论往回推,倒过来思考,从求解回到已知条件,反过去想或许会使问题简单化。

北宋司马光砸缸的故事中,有人落水,常规的思维模式是"救人离水",而司马光面对紧急险情,运用了逆向思维,果断地用石头把缸砸破,"让水离人",救了小伙伴性命。

拓展阅读

1820 年丹麦哥本哈根大学物理教授奥斯特,通过多次实验证明存在电流的磁效应。这一发现传到欧洲大陆后,吸引了许多人参加电磁学的研究。英国物理学家法拉第怀着极大的兴趣重复了奥斯特的实验。果然,只要导线通上电流,导线附近的磁针立即会发生偏转,他深深地被这种奇异现象所吸引。当时,德国古典哲学中的辩证思想已传入英国,法拉第受其影响,认为电和磁之间必然存在联系并且能相互转化。他想既然电能产生磁场,那么磁场也应该能产生电。为了验证这种设想,法拉第从 1821 年开始做磁产生电的实验。无数次实验都失败了,但他坚信,从反向思考问题

电流的磁效应发现——逆向创新思维应用

的方法是正确的,并继续坚持这一思维方式。十年后,法拉第设计了一种新的实验,他把一块条形磁铁插入一只缠着导线的空心圆筒里,结果导线两端连接的电流计上的指针发生了微弱的转动! 电流产生了! 随后,他又设计了各种各样的实验,如两个线圈相对运动,磁作用力的变化同样也能产生电流。法拉第十年不懈的努力并没有白费,1831 年他提出了著名的电磁感应定律,并根据这一定律发明了世界上第一台发电装置。如今,他

的定律正深刻地改变着我们的生活。法拉第成功地发现电磁感应定律,是运用逆向思维方法的一次重大胜利。

与常规思维不同,逆向思维是反过来思考问题,是用绝大多数人没有想到的思维方式去思考问题。运用逆向思维去思考和处理问题,实际上就是以"出奇"去达到"制胜"。因此,逆向思维的结果常常会令人大吃一惊,喜出望外,别有所得。

(2)探寻边缘空间

差异创新思维强调在主流空间内部寻找"缝隙",或者在主流空间边缘"角落"探索。在这些"缝隙"和"角落"中寻找有潜力的价值要素,需要判断这些潜力价值在未来是否能够被放大。

📖 拓展阅读

拼多多探寻边缘市场空间

拼多多公司创立于2015年9月,是国内移动互联网的主流电子商务应用产品,隶属于上海寻梦信息技术有限公司,专注于C2M(customer to manufacturer,从消费者到生产者)拼团购物的第三方社交电商平台。拼多多的宗旨是凝聚更多人的力量,以低价购买更优质的商品、享受更经济、更快乐的购物体验。在交流共享的基础上,形成了拼多多独特的社交网络新思维。

拼团模式的出现为传统电商企业提供了全新的商业模式和营销思路。从目标市场上来看,拼多多针对的目标市场非常明确,即三四线以下的城市;从目标群体上来看,拼多多主要针对的是三四线的消费者以及对价格非常敏感的消费者。首先,三四线城市的人口远远高于一二线城市,消费群体非常庞大。其次,由于经济和交通的限制,三四线城市的人群在最近几年才开始接触网上购物,市场潜力非常大。最后,由于三四线城市的消费水平普遍偏低,购买力较低,商品价格的高低成为了消费者是否购买的主要因素,拼多多采取拼团购买价格优惠的销售策略,正是抓住了这一部分消费者低价购买的消费心理。相对于淘宝、京东这样的电商平台,拼多多凭借"低价引流兑现"异军突起。拼多多特卖模式被称为"长尾经济",平台以超低价物品引流用户,当平台消费者涌入时,就吸引越来越多商户进入平台,这时拼多多便可将广告位卖给商家以获取收益;另一个角度,消费者为了以低价格购买商品,会采取微信链接的方式分享给自己的亲朋好友,这样一来,平台不仅省去了广告宣传的成本,而且会带来一传十、十传百的效应,以此获得更多的利润。

淘宝以丰富的商品种类和众多卖家著称,适合对质量敏感的消费群体;京东则更注重品牌形象和正规渠道,提供较多知名品牌和高质量商品;而拼多多主要提供低价商品,适合对价格敏感的消费群体,以团购为主,商品主要集中在小众品牌和低价商品上。拼多多看到的用户群体位于阿里、京东这两个电商头部企业用户群体边缘,购买力虽低,但数量庞大。拼多多成立仅仅几年就成为电商行业的佼佼者。当前拼多多已进军海外市场,名为Temu。Temu一年时间先后进入了47个国家,依然面向国外对商品价格敏感的消费群体,喊出"像亿万富翁一样购物"的广告语。

另一方面面向国内产业带商家,拼多多成立时通过拼单的创新模式给国内产业带来质变,拼单汇集的海量需求大幅降低了中小商家的生产成本,又让消费者可以买到质优价廉的商品,为生产侧和消费侧都带来了普惠。在对产业带的深耕过程中,拼多多团队积累了深厚供应链能力,因此,Temu可以在一年内推动广州、佛山、深圳、中山、宁波、义乌、湖州以及安徽、河北、山东等100多个产业带火速出海。除此之外,Temu还针对产业带商家的"痛点",推出了全托管模式,为商家打通了"全链路"的跨境通道,弥补了工厂卖家的运营劣势,工厂不用负责跨境的运营、仓储和物流,只需要按需上品,按时发货到国内仓就可以了。

（3）降维颠覆

降维颠覆式创新,简单来说是一种错位的竞争方式。对于大多数突破性创新的产品,在问世之初,其功能往往并不能满足主流消费群体,比如,汽车、手机、计算机,等等,它们一开始只能满足一部分人群的需要。但在随着市场的扩大、技术的进步、生产效率的提升,曾经只能由"贵族"享受的商品,普通大众也能享受,这就意味着商品价格更便宜,但市场份额更大。而降维颠覆式创新也产生于另一种场景,直接瞄准大众,迅速占领市场。

📖 拓展阅读

近年来随着居民收入不断增加,三线以下城市的居民消费能力也大大增强。此外,不少"80后""90后"选择回到生活压力不那么大的三四线城市生活,新的消费理念也由此在当地得到进一步的扩散。小镇青年已经被定位为既有消费能力又有消费意愿的群体,他们通过消费表达诉求、彰显个性,自然也成为消费市场关注的对象。电商龙头企业在三线及以下城市的纷纷布局,构成了下沉市场爆发的第二个关键要素——网络和物流基础设施的完善。网络基础设施的完善并不仅仅指移动网络的覆盖面扩大,更

下沉市场的
颠覆式创新
思维

在于网购渠道的拓宽,电商平台甚至能够快速为品牌带来上亿的新客。之所以取得如此亮眼的成绩,一个原因就在于适应消费升级的大趋势,着眼于市场潜在的消费需求,带动大品牌的下沉,为下沉市场带去原本较为缺失的品牌好货。

下沉市场的爆发,在很大程度上其实揭示了中国消费升级的可持续性。当前,消费的结构性升级显然已经成为我国经济发展的重要驱动力,我国经济结构也早已进入消费驱动发展阶段。下沉市场爆发对我国整体宏观经济健康发展的作用是不言而喻的,甚至可以形容是中国经济增长的新的源头活水。

值得关注的是,国内面向下沉市场的头部品牌创始人都有面向中高端用户的公司任职经验,将这样的确定性模式重新复制于下沉市场,属于颠覆式的降维创新。

2.1.5 破界思维

破界思维能够朝着打破现有表象看到本质、突破原有边界限制的方向思考,是一种高阶的创新力,破界思维打造的创新往往是突破性创新,突破性创新成果打破原有系统的思维局限,开展更大边界的、更有价值的创新。本质上,破界思维是在纯逻辑维度上进行思考拉伸,因此,破界思维首先破的一个是复杂问题内部既定的因果关系逻辑链,重新定义问题、构建新的逻辑链、在新的逻辑链基础上建立新的发展模式、利用新的发展模式建立新的复杂问题解决系统。

在面对复杂问题时,破界思维首先要剔除所有表层的细枝末节,这些只是具有迷惑性的现象,是破界创新思维要打破的东西;打破为了重建,重新界定需要解决的真问题、大问题、本质问题,这个问题解决了,原来的那个旧问题就不再成为问题了。所谓创大事、成大局,往往是破界创新思维驱动下的创新成果。

📖 拓展阅读

云南白药的
破界思维

云南白药创制至今,已有一百多年的历史,凭借神奇的疗效畅销海内外,其处方现今仍然是我国经济知识产权领域的最高机密。但云南白药在这一百多年中并非一帆风顺,在其鼎盛时期,白药散剂一度卖到几千万瓶,但1999年销量却只有数百万瓶,市场急剧萎缩。这其中的原因是,小伤口护理市场上出现了一款更为方便的产品——创可贴,早在1995年时创可贴就已经是小伤口护理市场的第一了,只是这个信息对于当时的云南白药来说,根本一无所知。当时云南白药选了3个产品做市场调查,最后的结果是22人选择创可贴,仅有1人选择云南白药。这个调查结果让云南白药时任领导王明辉非常惊讶,惊讶的是他们竟然把白药最核心的小伤口护理市场不知不觉的情况下丢了,并且更没有想到的是颠覆这个市场的,竟然会是一种卫生材料。在处理小伤口问题上,现代人越来越多使用便捷的创可贴,很少会再用药粉、纱布、胶布的包扎方式,因此,白药的产品形态必须创新。所以云南白药开始制定了一个5年发展战略,核心是快速聚焦产品,尽快把白药的产品线建立起来,把白药的产品族群构架起来。这个战略不能沿用过去计划经济体制下的做法,所以就必须以制度创新为切入点。产品创新的第一步,就是往创可贴这种弹性紧绷的胶布材料里面加一点"白药",外界形容其本质是"邦迪"里面加一点"白药",但白药的百年积淀让这一创新举措在国内打败了强生公司的"邦迪",令云南白药这家古老的中医药企业焕发新生。

如果说第一步的创新蕴含了组合创新思维的话,那么接下来的创新则运用更多的是破界思维,在牙膏里面加一点消炎止血的"白药",该创新成就了云南白药的第二次飞跃,并将云南白药的产品直接跨界到日用化工领域。2005 年,在王明辉的带领之下,云南白药推出云南白药牙膏,正式进军日化领域,牙膏市场是一个完全竞争市场,除了要面对国内中华牙膏、冷酸灵牙膏,还要面对联合利华、宝洁、高露洁这样的外资巨头。但云南白药牙膏内含的云南白药活性成分,具有帮助减轻诸如牙龈出血、牙龈疼痛等牙龈问题的作用,还具有帮助修复黏膜损伤、营养牙龈和改善牙周健康的作用。云南白药牙膏一推向市场,便深入人心,相比较几元一支的牙膏,云南白药牙膏动辄 20 元以上,在高端牙膏市场打开销路,同时也获取了较多的利润。

云南白药牙膏之所以成功,主要原因有三个:第一,云南白药最核心的竞争力就是云南白药这个超级品牌;第二,云南白药牙膏抓住了用户牙龈出血这个"痛点";第三,云南白药牙膏确实有止血的功效。以上这三点对消费者的心智形成和消费习惯养成,起着决定性的作用。

创新思维是一种思考方式,旨在激发新的观点、创意和解决问题的方法。它强调不拘一格、挑战传统、鼓励创造性思考,有助于发现新的机会和解决复杂的问题。

创新思维是一种开放性的思考,不受限于传统思维模式。鼓励放开思维的束缚,允许思考多种可能性。强调多学科合作,促进不同学科和背景的人合作,以汇集不同的观点和知识,从而创造新的思维路径。创新思维以问题为导向,将问题置于首要位置,鼓励提出明确定义的问题,然后寻找创新的解决方案。需要观察和洞察,观察用户、市场和环境,以获取深刻的洞察,发现未满足的需求。创新者使用创造性思维工具和技巧,如头脑风暴、思维导图、逆向思考等,来激发创新思维。

创新思维还要接受失败,失败是创新过程中的学习机会,是探索新领域的一部分。坚持长期主义,创新思维是一个持续的过程,不仅仅是一次性活动。鼓励坚持不懈地追求新的思维方式和创新机会。

创新思维可以在各个领域中应用,包括科学、艺术、教育和社会问题解决。它有助于个人和组织发展新的创意解决方案,从而提高竞争力,创造价值和应对变化。创新思维不仅是解决问题的方法,也是创造新机会的方法,因此对于追求创新和持续改进的人来说非常有价值。

2.2　创新能力与创新方法

2.2.1　创新能力

创新能力是指个人、组织或社会系统在创新过程中发挥的能力和素质,包括创造性思维、创新文化、资源管理、问题解决和实施的能力。创新能力有助于产生新的思想、创新的解决方案,并将这些想法变为实际的成果。创新能力的核心是创造性思维,即产生新的观点、理念和概念的能力。这包括开放性思考、头脑风暴、逆向思考等方法。

创新能力强调问题的识别,提出有创意的解决方案,并找到实施这些解决方案的途径。创新文化鼓励尝试、接受失败、开放沟通和跨部门协作,组织内部的文化和价值观对创新能力产生重大影响。创新还需要我们能够不断学习和适应新的知识、技术和市场动态,以保持创新的竞争力。创新管理能够有效地管理创新过程,包括项目规划、资源分配、风险管理和绩效评估。资源利用是创新的基础,具备有效管理和分配资源的能力,包括资金、技术、人才和时间。创新有时还需要团队合作,能够与不同背景和技能的人合作,促进创新和协同工作。创新能力还包括能够有效地管理变革过程,包括组织结构变更、文化变革和新业务模式的实施。创新能力强调持续改进和反馈循环,以不断提高创新绩效。

创新能力对于个人、组织和社会的发展都至关重要。在个人层面,创新能力有助于提高职业发展和解决问题的能力。在组织层面,创新能力有助于提高竞争力、增加市场份额和实现可持续增长。在社会层面,创新能力推动社会变革和进步,有助于应对全球挑战。因此,培养和发展创新能力被认为是教育和组织发展的关键目标之一。

2.2.2 创新方法

创新行为是有一定方法论的,以下介绍几种常用的提升创新能力的方法和技巧。

2.2.2.1 头脑风暴法

头脑风暴法也称为智力激励法、自由思考法或诸葛亮会议法,通常指一群人开动脑筋,进行自由的、创造性的思考与联想,并各抒己见,在短暂的时间内提出解决问题的大量构想的一种方法。这种方法是一种实用性地、集体创造性地解决问题的方法。

"头脑风暴"的原意是"突发性的精神错乱",用来表示精神病患者处于大脑失常的状态。精神病患者最大的特征是在发病时无视他人的存在,言语与肢体行为随心所欲。这虽然不合乎社会行为礼节的规范,然而从创造思考的启迪与引发的目标来看,摆脱世俗礼教与旧观念的束缚,期望构想能无拘无束地涌现,还是有必要的,这正是头脑风暴法的精义所在。从形式上来看,头脑风暴法是将少数人召集在一起,以会议的形式,对于某一问题进行自由的思考和联想,同时提出各自的设想和提案。

(1)头脑风暴法的基本规则

实施头脑风暴法会议之所以会促使大量新创意的诞生,主要有以下原因:一是在轻松、融洽的气氛中,每个人都能敞开想象,自由联想,各抒己见;二是能够产生互相激励、互相启发的效果。每个人的创意都会引起他人的联想,引起连锁反应,形成有利于解决问题的多种创意;三是在会议讨论时更能激发人的热情,激活思维,开阔思路,易于突破思维定式和旧观念的束缚;四是竞争意识使然。争强好胜的天性,会使与会者积极开动脑筋,发表独到见解和新奇观念。

在使用头脑风暴法解决问题时,为了减少群体内的社交抑制因素,激励新想法的产生,提高群体的创造力,必须遵守以下基本规则。

1)暂缓评价　在头脑风暴会议上,会议主持人和会议参与者对各种意见、方案的正确与否,不要当场作出评价,更不能当场提出批评或指责,参与者着重于对想法进行丰富和拓展。从而产生一种有利的气氛,有助于参与者提出更多的想法。

2)鼓励提出独特的想法　与会者在轻松的氛围下,就像与家人聊天一样,各抒己见,避免人云亦云、随波逐流、思维僵化,有利于提出独特的见解,甚至是异想天开的、荒唐的想法。

3)追求数量　强调所有的活动应该以在给定的时间内获得尽可能多的方案为原则。

4)重视对想法的组合和改进　可以对他人好的想法进行组合、取长补短,进行改进,以形成一个更好的想法,从而达到 1+1>2 的效果。与单纯提出新想法相比,对想法进行组合和改进可以产生出更好、更完整的想法。所以,头脑风暴法能更好地体现集体智慧。

(2)头脑风暴小组成员要求

实施头脑风暴法要组织由 5~10 人参加的小型会议,在实施过程中,对小组成员和主持人的要求如下。

1)头脑风暴小组人数的确定　参加人数以 5~10 人为宜,包含主持人和记录员在内以 6~7 人为最佳。头脑风暴法小组人数的多少取决于主持人风格、小组成员个体的情况等因素。小组人数太多或太少,效果都不太理想。人数过多,则会使某些人没有畅所欲言的机会;过少,则会场面冷清,影响参与者的热情。参与者最好职位相当,对所要解决的问题都感兴趣,但是不必皆属同行。

2)小组中不宜有过多的专家　在进行"头脑风暴"的过程中,如果专家太多,就很难做到"暂缓评价"。权威人士在场必定会对与会者产生"威慑"作用,给与会者的心理造成压力,因此难以形成自由的发言氛围。然而,在实际操作"头脑风暴"的时候,会议参加者往往都是从企业的各个部门汇集而来的各专业领域的专家里手。在这种场合,无论主持人还是参加者,都应注意不要从专业角度发表评论,否则会引起争议,打破暂缓评价的和谐局面,产生不良效果。

3)小组成员最好具有不同的学科背景　如果小组成员背景不同,他们就有可能从不同的层面、不同的方向、不同的角度提出千差万别的观点,从而更有利于获得"头脑风暴"效应。

4)参与者应具备较强的联想思维能力　在进行"头脑风暴"时,组织者应尽可能提供一个有助于把成员注意力高度集中于讨论问题的环境。头脑风暴会议上产生的结果是成员集体创造的成果,是头脑风暴小组成员互相感染激励、互相补充完善的总体效果。

5)头脑风暴小组主持人的确定　只有主持人对整个头脑风暴过程进行适度控制和

协调,才能减少头脑风暴的抑制因素,激励新想法,发挥小组群体的创造力,获得预期的效果。由此可见,头脑风暴小组中的主持人非常重要。

(3)头脑风暴会议实施

头脑风暴会议可分为会前准备、会议过程和创意评价三个阶段。

1)会前准备 确定讨论主题,讨论主题应尽可能具体,最好是实际工作中遇到的亟待解决的问题,目的是进行有效的联想和激发创意;如果可能,应提前对提出初始问题的个人、集体或部门进行访谈调研,了解解决该问题的限制条件、制约因素、阻力与障碍以及任务的最终目标分别是什么;确定参加会议人选,并将这些问题写成问题分析材料,在召开头脑风暴会议之前的几天内,连同会议程序及注意事项一起,发给各位与会人员;举行热身会,在正式进行头脑风暴会议前,召开一个预备会议。这是因为在多数情况下,小组成员缺乏参加头脑风暴会议的经验,同时,要他们做到遵守"延迟评价"原则也比较困难。

2)会议过程 由会议主持人重新叙述议题,要求小组人员讲出与该问题有关的创意或思路;与会者想发言的先举手,由主持人指名开始发表设想,发言力求简单扼要,一句话的设想也可以,注意不要做任何评价;若是头脑风暴法进行到人人山穷水尽的地步,主持人必须使讨论发言再继续一段时间,务必使每人尽力想出妙计;创意收集阶段实质上是与创意激发和生成阶段同时进行的。执行记录任务的是组员,也可以是其他组织成员。

3)创意评价 先确定创意的评价和选取的标准,比较通用的标准有可行性、效用性、经济性、大众性等。在风暴会议之后,要对创意进行评价和选择,以便对要解决的问题,找到最佳解决办法,对设想的评价不要在进行头脑风暴法的同一天进行,最好过几天再进行。

头脑风暴法消除了妨碍自由想象的清规戒律,使小组成员人人平等,在轻松愉悦的氛围中自由联想,有助于新创意的出现;集体讨论能够也满足人们进行社会交往的需要,能大大地提高工作效率,在相同的时间内,可能产生高质量的问题解决方案;在集体中更容易创造出适合创造性思维的环境,成员间相互启发,能产生更多的高质量的创意,充分体现集体的智慧。

但头脑风暴法也有自身的一些局限性。小组成员之间若有矛盾或冲突,就会形成不愉快的气氛,从而抑制了思维的自由性,抑制了新创意的产生。有时因为头脑风暴会议的失控,使头脑风暴会议违背了"暂缓评价"的规则,出现消极的评价,甚至相互批评或谴责,这些必将使人们的创意热情受到"激冷",从而减少产生的创意数量,降低创意质量。小组成员中一些地位较高的人或权威人士,可能会对其他成员施加有形或者无形的压力,使他们很难产生突破性的创意。集体讨论会花费更多时间,因此当要解决的事情很紧急时,集体创意方法可能并不适用。

但通常头脑风暴法作为一种令人愉悦的活动,通常被参与者欣然接受。另外,人们还对头脑风暴法进行了改进,从而出现了一些头脑风暴法的变型。总体上说,头脑风暴法适合于解决那些相对比较简单,并被严格确定的问题,如研究产品名称、广告口号、销售方法、产品的多样化等。因此,头脑风暴法对于解决简单的发明问题是有效的。但在更加复杂的发明问题中,使用这种方法不可能立即猜想出解决方案,不是一种能快速"收敛"到发明结果的方法。

2.2.2.2 六顶思考帽法

(1)六顶思考帽法的定义

在不确定性环境中,人们过往的经验行不通时,当然不能局限于止步不前而是要继续开疆拓土,需要用问题"能够成为什么"替代"是什么",六顶思考帽法是解决这个问题的一个有效方法。在六顶思考帽法中每一顶帽子指示了一种规则,帽子可以轻易地戴上或者摘下,同时可以让周围的人看见,因此,选择帽子作为思考方向的象征性标记。

六顶思考帽代表了六种思考方向,分别是白色、红色、黑色、黄色、绿色和蓝色。其中,白色思考帽代表中立而客观,戴上白色思考帽,人们思考的是关注客观的事实和数据;红色思考帽代表情绪、直觉和感情、感性的看法;黑色思考帽代表冷静和严肃,意味着小心和谨慎,它指出的是观点的危险所在;黄色思考帽代表阳光和价值,是乐观、充满希望的思考;绿色思考帽,绿色是草地和蔬菜的颜色,代表丰富、肥沃和生机,绿色思考帽指向的是创造性和新观点;蓝色思考帽,蓝色是冷色,也是高高在上的天空的颜色,蓝色思考帽是对思考过程和其他思考帽的控制与组织。

六顶思考帽法的作用主要表现在四个方面:①效力,通过运用六顶思考帽法,团队中所有人的智慧、经验和知识都得到了充分的运用,每个人都朝着同一个方向努力;②节约时间,在水平思考中,每一时刻的思考者都向同一个方向看齐,所有的观点都平行排列出来,不需要对最后一个人的看法作出回应,只需要最后排列出你的观点,最后讨论的问题很快得到了全面考察,由此可以节约大量时间;③消除自我,人们总是倾向于在思考中维护自我,冲突和对立的思考加重了自我的问题,而六顶思考帽可以使思考者在每一顶帽子下面进行出色的思考,由此得出对事物的客观评价;④一个时间做一件事情,六顶思考帽的方法要求同一时间内只做同一件事情。不同的颜色将彼此区分开来,一个时间用一种颜色,到了最后所有颜色的效果都会达到。

(2)六顶思考帽法的过程

六顶思考帽法在以创新为目标的会议中应用步骤一般是:陈述问题(白帽);提出解决问题的方案(绿帽);评估该方案的优点(黄帽);列举该方案的缺点(黑帽);对该方案进行直觉判断(红帽);总结陈述,作出决策(蓝帽)。在具体会议中,也可以根据实际情况利用其他顺序。为了更好地运用六顶思考帽法,有以下几点要求:

1)纪律 讨论组的成员必须遵循某一时刻指定的某一顶思考帽的思考方法。任何一个成员都不允许随便地说:"这里我要戴上黑色思考帽思考。"否则就意味着又回到争论的模式。只有小组的领导、主席或者主持人才能决定使用什么思考帽。思考帽不能用来描述你想说什么,而是用来指示思考的方向。

2）计时　时间短能促使人们集中精力解决问题,减少了无目的的、盲目讨论的时间,一般而言,每个人讲一分钟左右比较合适。如果在规定时间过后还有很好的意见被提出来,可以延长一点时间。在计时方面,红色思考帽与其他思考帽不一样。红色思考帽只需要很短的时间,因为表达人的情感并不需要很多的解释,人们对感觉的表达应该简单明了。

3）指南　六顶思考帽的序列使用并没有一定的模式,凡在合适的情况都可以使用。一般而言,蓝色思考帽在讨论开始和结束的时候都必须使用。用完蓝色思考帽以后需要接着用红色思考帽。这种情况下,一般是因为讨论组的成员已经对问题有了强烈的感觉,红色思考帽的使用在讨论一开始就有助于把每个人的感受表达出来。但是很多情况下红色思考帽并不适于一开始就使用。例如,如果会议小组中的权威首先表达了他的感觉,那么其他人就会趋于赞成权威。而如果讨论组成员事先没有对问题产生强烈的感觉,也不适宜先用红色思考帽,过早地询问人们对问题的感觉是没有必要的。在进行评估的情况下,有必要先用黄色思考帽,再用黑色思考帽。如果戴上黄色思考帽思考不能发现问题的价值所在,那么讨论就不需要再进行下去。另外,如果在黄色思考帽启示下发现了问题的很多价值,那么再运用黑色思考帽来找出困难和障碍之所在,这时就会被激励着去克服困难。

（3）六顶思考帽法与创新思维

六顶思考帽法激发人们的创新思维表现在以下四个方面:

1）培养不同的思考方式　人的思维有一些障碍和误区,很多都是由习惯性思维造成的。这种思考方式第一个好处就是能克服习惯性思维,培养不同的思考方式。例如有的人生性比较谨慎,比较保守,考虑任何问题都会从最坏的可能性着手,这样形成习惯性思维的话,他看任何问题都将是灰色的。六顶思考帽法就是要培养一种积极向上的创新的思维方式,这个思考方式是培养出来的,不是天生的。

2）引导注意力　不同的人思考的方向会不同。六顶思考帽法是一个集体性的思维,它最大的好处是引导注意力,使集体的思考注意力集中到同一个方向。

3）便于思考　众人都朝一个方向思考,想的都是一件事情,这样既便于思考,也便于交流。因为一开始就是在一个方向上努力,所以关键是怎样在这个方向上把问题看深看透。

4）计划性思考,而非反应性思考　这完全是一个主动的、按照计划有所安排的思考,而不是碰到一件事后的突然反应。所以说,这种思考方式更适合于为了某一个事实或事件而进行群体性、小组性或集体性的思考。

2.2.2.3　TRIZ技术发明创新方法

（1）TRIZ的概念

TRIZ理论是苏联的阿奇舒勒及其领导的一批研究人员,自1946年开始,花费大量人力物力,在分析研究了世界各国250万件专利的基础上,所提出的发明问题解决理论,由其俄文名称翻译为"发明问题解决理论",利用英文音标缩写为"TRIZ",英文语义上翻译为"theory of inventive problem solving",缩写为 TIPS,其意义为发明问题的解决理论。阿奇舒勒开始就坚信发明问题的基本原理是客观存在的,这些原理不仅能被确认也能被整理而形成一种理论,掌握该理论的人不仅能提高发明的成功率、缩短发明的周期,也可使发明问题具有可预见性。

TRIZ 属于苏联的国家机密,在军事、工业、航空航天等领域均发挥了巨大作用,成为创新的"点金术",让西方发达国家一直望尘莫及。如今 TRIZ 正成为许多现代企业创新的独门暗器,TRIZ 可以轻易解决那些"看似不可能解决的问题"并形成专利,提升企业的核心竞争力,从跟随者快速成长为行业的技术领跑者,让创新就像做算术题一样轻松简单。

TRIZ 的核心是技术进化原理。按这一原理,技术系统一直处于进化之中,解决矛盾是其进化的推动力。它们大致可以分为三类:TRIZ 的理论基础、分析工具和知识数据库。其中,TRIZ 的理论基础对于产品的创新具有重要的指导作用;分析工具是 TRIZ 用来解决矛盾的具体方法或模式,它们使 TRIZ 理论能够得以在实际中应用,其中包括矛盾矩阵、物-场分析、ARIZ(algorithm for inventive-problem solving,发明问题解决算法)等;而知识数据库则是 TRIZ 理论解决矛盾的精髓,其中包括矛盾矩阵,39 个工程参数和 40 条发明原理、76 个标准解决方法,等等。

（2）TRIZ 理论的基本内容

1）8 大技术系统进化法则

①S 曲线法则:S 曲线进化模式是针对技术系统进化过程的生命周期,也是最通用的进化模式。曲线进化模式指出技术系统存在生命周期现象,所有技术系统都会经历诞生、成长、成熟、退出四个阶段。

②提高理想度法则:因为每个系统完成的功能在产生有用效果的同时必然会产生有害效果,所以从强化有用功能、减少有害功能的角度来看,所有系统都有可能被进一步理想化。另一方面,系统的不断理想化也是系统存在的最基本、最有力的保障,因为只有这样才能满足系统用户的需求。因此,法则指出,在所有进化过程中,技术系统总是朝着更理想化的方向发展,即系统进化必然伴随着理想性的增加。

③子系统的不均衡进化法则:系统内部各个子系统不均衡进化法则说明了一个基本事实,即系统的每个组件和每个子系统的进化都有自己的 S 曲线,这些 S 曲线不可能完全相同,当系统的不同组件或子系统沿着自己的进化模式演进时,其发展通常是不平衡的,即系统进化总是存在短板问题。

④动态性和可控性进化法则:该法则认为,在技术体系的进化中,总是试图实现更高的可变性和灵活性,以增加可控性,从而更好地适应不断变化的环境,满足各种不同的需求,达到进化的目的。

⑤向超系统进化法则:提高系统集成度,从而简化或迁移到超级系统,该进化法则说明在进化的过程中,技术系统总是趋向于结构复杂,即增加系统组件的数量,改善系统功能的特性,然后逐渐简化,使用结构稍简单的系统来实现相同或更好的功能。

⑥子系统协调性进化法则:该法则指出,在技术系统进化的过程中,系统组件之间的匹配和不匹配会交替出现,技术系统的发展应该会使各子系统更加协调、和谐,但在某些情况下切换到不协调的进化也是可能的、可行的。

⑦向微观级和增加场应用的进化法则:该法则表示技术系统从宏观系统到微观系统总是趋向于进化,法则中经常用到更好用场和强化场的功能。

⑧减少人工介入的进化法则:该法则指出技术系统的进化总是倾向于提高系统的自动化度,以减少人为干预。

2)IFR 最终理想解 TRIZ 理论在解决问题之初,首先抛开各种客观限制条件,通过理想化来定义问题的最终理想解(ideal final result,IFR),以明确理想解所在的方向和位置,保证在问题解决过程中沿着此目标前进并获得最终理想解,从而避免了传统创新涉及方法中缺乏目标的弊端,提升了创新设计的效率。如果将创造性解决问题的方法比作通向胜利的桥梁,那么最终理想解就是这座桥梁的桥墩。最终理想解有四个特点:保持了原系统的优点;消除了原系统的不足;没有使系统变得更复杂;没有引入新的缺陷等。

3)40 个发明原理 TRIZ 发明创新体系中包含 40 个发明原理,具体由表 2.1 给出。这些原理在具体的产品发明中应用广泛。

表 2.1 TRIZ 的 40 个发明原理

编号	名称	编号	名称	编号	名称	编号	名称
01	分割原理	02	抽取原理	03	局部特性原理	04	不对称原理
05	组合原理	06	多功能原理	07	嵌套原理	08	反重力原理
09	预先反作用原理	10	预先作用原理	11	预置防范原理	12	等势原理
13	逆向运用原理	14	曲面化原理	15	动态化原理	16	不足或过度作用原理
17	多维化原理	18	振动原理	19	周期性作用原理	20	有效连续作用原理
21	急速作用原理	22	变害为益原理	23	反馈原理	24	中介原理
25	自服务原理	26	复制原理	27	一次性用品替代原理	28	机械系统替代原理
29	气压和液压结构原理	30	柔性壳体或薄膜结构替代原理	31	多孔物质原理	32	变换颜色原理
33	同质化原理	34	自弃与再生原理	35	物理参数变化原理	36	相变原理
37	热膨胀原理	38	强氧化作用原理	39	惰性介质原理	40	复合物质原理

比如,利用预先反作用原理,预先给物体施加反作用,以补偿过量的或不想要的压力。例如:现实中,为了防止某种疾病大面积蔓延,接种疫苗;为了防止因路面不平等原因造成的汽车颠簸问题,给汽车装上减震器;为了减少汽车构件之间的摩擦力,预先加入润滑装置;等等。

利用分割原理将系统分为独立的子系统或部分,以简化或加速操作。例如:火车不是从头至尾一个大的固定的结构,而是将一个一个车厢分离,每个车厢承担自己的"职责",同时在火车行驶过程中,可灵活应对转弯、换方向等问题;圆珠笔的笔芯和笔套、电风扇的叶片、浇水水管系统的每段连接;等等。

利用抽取原理,去除或隔离不需要的部分,以简化系统或提高效率。例如:石油加工中提炼分离油渣,可以得到质量更高的石油;电脑键盘与鼠标虽然都是计算机的输入设备,但因输入方式不同,从而被抽取成两种不同功能的工具;火箭在冲出大气层过程中解体分离,每个部分都被抽取得到的功能赋予一定的"使命",当它们完成自身"使命"后逐一分离。

利用局部质量原理,通过改进系统的某个部分来提高整体性能。例如:锤子的一侧扁平而锋利增加切削功能,而另一侧用去敲击锤砸等应用场景;电钻钻头有各种形态,对应各种功能,螺旋式钻头有些能够快速拧螺丝,有些可以打孔,有些还可以打磨物体表面。

利用非对称原理,非对称设计可以获得所需的功能或效果。例如:眼镜两个镜片的度数根据眼睛具体需要矫正的程度而不同;衣服上的拉链需要两边"犬牙交互"不对称,才可能咬合完成拉链功能。

利用组合原理,将多个单独的功能或部件组合在一起,以创造新的功能或提高效率。例如:现在的智能手机中的微信应用,将众多功能以小程序插件式的方式置于微信应用内部,使得众多功能只需要一个入口。

利用多元性原理,设计具有多种功能的系统或产品。例如:集各种应用于一体的瑞士军刀,集打印、复印、传真于一体的打印机等。

利用嵌套原理,将部件嵌套在一起以节省空间或便于携带。例如:墨水、笔芯、笔套的套装,智能手机内置天线,雨伞的伞柄等。

利用质量补偿原理,通过补偿效应来提高系统的性能或效率。例如:气垫船的使用,液压千斤顶,潜艇通过排放水实现升浮等。

以上的例子展示了 TRIZ 理论中的发明原理在不同领域中的应用,当然还有更多原理的更多运用,不再一一举例。

4)39 个通用参数和矛盾矩阵 在对专利的研究中,阿奇舒勒发现,仅有 39 项工程参数(见表 2.2)在彼此相对改善和恶化,而这些专利都是在不同的领域上解决这些工程参数的冲突与矛盾。这些矛盾不断地出现,又不断地被解决。由此他总结出了解决冲突和矛盾的 40 个创新原理。之后,将这些冲突与冲突解决原理组成一个由 39 个改善参数与 39 个恶化参数构成的矩阵,矩阵的横轴表示希望得到改善的参数,纵轴表示某技术特性改善引起恶化的参数,横纵轴各参数交叉处的数字表示用来解决系统矛盾时所使用创新原理的编号。这就是著名的技术矛盾矩阵。阿奇舒勒矛盾矩阵(见图 2.1)为问题解决者提供了一个可以根据系统中产生矛盾的两个工程参数,从矩阵表中直接查找化解该矛盾的发明原理来解决问题。

表 2.2　TRIZ 的 39 个通用参数

编号	名称	编号	名称	编号	名称
1	运动物体的质量	14	强度	27	可靠性
2	静止物体的质量	15	运动物体的作用时间	28	测试精度
3	运动物体的尺寸	16	静止物体的作用时间	29	制造精度
4	静止物体的尺寸	17	温度	30	作用于物体的有害因素
5	运动物体的面积	18	光照强度	31	物体产生的有害因素
6	静止物体的面积	19	运动物体的能量	32	可制造性
7	运动物体的体积	20	静止物体的能量	33	可操作性
8	静止物体的体积	21	功率	34	可维修性
9	速度	22	能量损失	35	适应性及多用性
10	力	23	物质损失	36	系统的复杂性
11	应力或压力	24	信息损失	37	控制和测量的复杂性
12	形状	25	时间损失	38	自动化程度
13	稳定性	26	物质或事物的数量	39	生产率

比如,遇到一个问题:想让桌子很大(因为桌子越大越能多放东西),但是桌子越大就越重(对承载桌子的物体的压力较大),这是"静止物体的尺寸"和"静止物体的质量"之间的矛盾,是一对技术矛盾。用矛盾矩阵表示时,先从竖列中,找到"静止物体的尺寸"(编号 4),再从横行中找到"静止物体的质量"(编号 2),两两交叉的格子,有 35、28、40、29 这几个数字,它们是 40 个发明原理中的编号,分别是原理 35 改变特性原理、28 机械系统替代原理、10 复合材料原理、29 气压和液压结构原理。那么就意味着,如果想解决桌

子尺寸变大与桌子质量之间矛盾这一问题的话,就可以从液压原理入手,发明创新液压升降多用途桌子,桌子由中间一根立柱支撑,立柱中间有液压系统,按动液压操纵杆,可根据需要任意调节课桌的高低,下面则由四只爪形脚支持,保持桌子的稳定性。

改善的参数		恶化的参数						
		1	2	…	12	…	38	39
		运动物体的重要	静止物体的重量	…	形状	…	自动化程度	生产率
1	运动物体的重量	+	−	…	10,14,35,40	…	26,35,18,19	35,3,24,37
2	静止物体的重量	−	+	…	13,10,29,14	…	2,26,35	1,28,15,35
…	…	…	…	+	…	…	…	…
12	形状	8,10,29,40	15,10,26,3	…	+	…	15,1,32	17,26,34,10
…	…	…	…	…	…	…	…	…
38	自动化程序	28,26,18,35	26,26,35,10	…	15,32,1,13	…	+	5,12,35,36
39	生产率	35,26,24,37	28,27,15,3	…	14,10,34,40	…	5,12,35,26	+

图 2.1　39 个常用参数的矛盾矩阵部分举例

5)物理矛盾和分离原理　当一个技术系统的工程参数具有相反的需求,就出现了物理矛盾。比如说,要求系统的某个参数既要出现又不存在,或既要高又要低,或既要大又要小,等等。相对于技术矛盾,物理矛盾是一种更尖锐的矛盾,创新中需要加以解决。物理矛盾所存在的子系统就是系统的关键子系统,系统或关键子系统应该具有为满足某个需求的参数特性,但另一个需求要求系统或关键子系统又不能具有这样的参数特性。分离原理是阿奇舒勒针对物理矛盾的解决而提出的,分离方法共有 11 种,归纳概括为四大分离原理,分别是空间分离、时间分离、条件分离和整体与部分分离等。表 2.3 给出了分离原理与发明原理之间的对应关系。

表 2.3　分离原理与发明原理的对应关系

分离原理	发明原理
时间分离	1,2,3,4,7,17
空间分离	9,10,11,15,34
条件分离	3,17,19,31,32,40
整体与部分分离	1,5,12,31,33

比如,利用时间分离原理解决物理冲突的实例在生活中随处可见。

在十字路口,去往不同方向的汽车都要通过相同区域,但是,它们不能同时通过这一区域,否则就会造成交通拥堵,甚至引发交通事故。红绿灯的发明就可以使去往不同方向的汽车在不同时间通过相同的区域。

下雨的时候,人们总希望伞能够尽量大一些,以便能够更好遮挡风雨,但是在不下雨的时候,人们又希望伞能够尽量小一点,以便随身携带,折叠伞就很好地解决了这个矛盾。

再比如,利用空间分离原理来解决物理冲突的例子比比皆是。

立交桥全称立体交叉桥,在交叉道路交汇处建立的横跨另一条路的桥,主要是为了避免多方向车辆在交汇处互相干扰,使路口通行不受影响,更不用受红绿灯处停顿导致堵车的干扰。其原理基础是空间维数变化原理,即通过立体交叉形成多层,减少或消除原平面上不同方向或类型的车辆冲突。

与此有着异曲同工之妙的另一创新,立体停车场利用空间资源,利用立体传送等机械原理把车辆进行立体停放,节约土地并最大化利用的新型停车方式。立体停车场最大的优势就在于其能够充分利用城市空间,被称为城市空间的"节能者"。

6)物质-场模型分析　除了冲突矛盾矩阵和物理分离原理可以分别解决技术冲突和物理冲突外,TRIZ中还创建了物质-场分析用来解决以上两类工具都不能解决的其他问题。每一个技术系统都可由许多功能不同的子系统所组成,因此,每一个系统都有它的子系统,而每个子系统都可以再进一步地细分,直到分子、原子、质子与电子等微观层次。无论大系统、子系统,还是微观层次,都具有功能,所有的功能都可分解为2种物质和1种场(即二元素组成)。

在物质-场模型的定义中,物质是指某种物体或过程,可以是整个系统,也可以是系统内的子系统或单个的物体,甚至可以是环境,取决于实际情况;场是指完成某种功能所需的手法或手段,通常是一些能量形式,比如,磁场、重力场、电能、热能、化学能、声能、光能等。物质-场分析是TRIZ理论中的一种分析工具,用于建立与已存在的系统或新技术系统问题相联系的功能模型。

物质-场分析法是从物质和场两个角度分别分析与构造最小的模型,集中反映了技术系统的结构属性,提出了一些解决问题主要矛盾的变换原理和工具,并按照一定的程序进行。物质-场分析模型中包含物质 S1、S2 以及场 F 共 3 种基本元素。TRIZ 认为这三者同时具备的条件下才能解决发明问题,TRIZ 中 4 类物质-场模型如图 2.2 所示,其中的具体含义由表 2.4 给出。

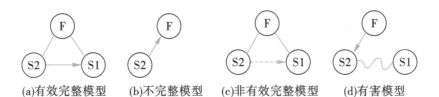

(a)有效完整模型　　(b)不完整模型　　(c)非有效完整模型　　(d)有害模型

图2.2　物质–场模型的分类

表2.4　物质–场模型的含义

分类	含义
有效完整模型	两物质、场者均在,且三者产生了期望得到的效应
不完整模型	两物质、场三者不同时存在
非有效完整模型	两物质、场均在,但三者不能有效实现期望效应
有害模型	两物质、场均在,但三者产生了与期望相反的效应

其中,S 为物质,S1 是一种需要改变、加工、位移、发现、控制、实现等的目标、对象,S2 是实现必要作用的工具,F 为场,表示能量、力,是实现两个物质间的相互作用、联系和影响的能量。

有效完整模型中实现功能的 3 个元素齐全,并且能够有效实现功能;不完整模型中实现功能的 3 个元素不齐全,可能缺场,也可能缺少物质(工具),其标准解法为,对不完整模型,应针对所缺少的元素给予引入物质或引入场,使形成有效完整的物质–场模型,从而得以实现功能。非有效完整模型,3 个元素齐全,但功能未有效实现或实现得不足,标准解法为,增加物质 S3 或增加另一个场 F2 来强化有用效应,S3 可以是现有物质,也可以是 S1、S2 的变异,也可以是环境或者通过分解环境而获得的物质。有害模型中 3 个元素齐全,但是产生了有害的效应,需要消除这些有害效应,标准解法为,增加另一物质 S3 来阻止有害效应的产生,或者增加另一个场 F2 来平衡产生有害效应的场。

比如,穿着普通鞋子在冰面上行走的人,因为得不到冰面足够的摩擦力,所以容易滑倒。其中冰面是物质 S1,鞋子是物质 S2,它们之间相互作用的联系是摩擦力场 F,当前就构成了一个非有效完整模型,功能未有效实现,那么可以在这个模型中增加物质 S3,使得 S2+S3 共同作用于 S1,使摩擦力场 F 增大,实现不滑倒的目标。现实中,人们会将鞋底增加防滑成分,或者直接换上钉鞋以增加鞋底与冰面的摩擦力,而钉鞋也被迁移到跑步的场景中,能够依靠鞋底摩擦力增加的前提条件,实现跑步速度的提升,以及安全性的提升。

再比如,高速公路上如何提高司机对路标的可视性,路标的明亮度对于汽车司机的安全行驶至关重要,在路标表面涂上高分子涂层,当汽车大灯光照耀时,由于高分子涂层增加了路标的反射光,从而提高了路标对司机的可视性。这个应用模型与上述钉鞋增加冰面行走摩擦力的模型一致,也就是说无论在何领域何场景下,模型不变,这样创新活动就有方法论可循,增加了创新的成功概率。

7)76个标准解法 阿奇舒勒于1985年创立标准解法,共有76个,分成5级,各级中解法的先后顺序也反映了技术系统必然的进化过程和进化方向,标准解法可以将标准问题在一两步中快速进行解决,标准解法是阿奇舒勒后期进行 TRIZ 理论研究的最重要的课题。76个标准解是阿奇舒勒在物质–场模型的基础上提出的。为对应每一种模型,在解决实际问题时,就能按照76个标准解的内容来针对性地解决5种物质–场模型问题,是 TRIZ 高级理论的精华。表2.5给出了76个标准解法及所适用的范围。

表2.5 76个标准解法及所适用的范围

类别	类别名称	标准解内容	适用范围
第一类	建立和拆解物质–场模型	2个子系统 13个标准解	适用于不完整或有害作用的物质–场模型
第二类	完善物质–场模型	4个子系统 23个标准解	适用于有用但不足的物质–场模型
第三类	转换到超系统或微观级别	2个子系统 6个标准解	适用于有用但不足的物质–场模型
第四类	用于检测和测量的标准解	5个子系统 17个标准解	检测或测量问题
第五类	简化和改善策略	5个子系统 17个标准解	对系统进行简化和改善

8)发明问题解决算法(ARIZ) 按照 TRIZ 对发明问题的五级分类,一般较为简单的一到三级发明问题运用创新原理或者发明问题标准解法就可以解决,而那些复杂的非标准发明问题,如四、五级的问题,往往需要应用 ARIZ 做系统的分析和求解。而 ARIZ 的主要思路是将非标准问题通过各种方法进行变化,转化为标准问题,然后应用标准解法来获得解决方案。ARIZ 是发明问题解决过程中应遵循的理论方法和步骤,ARIZ 是基于技术系统进化法则的一套完整问题解决的程序,是针对非标准问题而提出的一套解决算法。ARIZ 的理论基础由以下3条原则构成:①ARIZ 是通过确定和解决引起问题的技术矛盾;②问题解决者一旦采用了 ARIZ 来解决问题,其惯性思维因素必须被加以控制;③ARIZ 也不断地获得广泛的、最新的知识基础的支持。

ARIZ 最初由阿奇舒勒于1977年提出,随后经过多次完善才形成比较完善的理论体系,ARIZ 算法主要包含6个模块:情境分析,构建问题模型;基于物场分析法的问题模型分析;定义最终理想解与物理矛盾;物理矛盾解决;如果矛盾不能解决,调整或者重新构建初始问题模型;解决方案分析与评价。

首先是将系统中存在的问题最小化,原则是在系统能够实现其必要机能的前提下,尽可能不改变或少改变系统。其次是定义系统的技术矛盾,并为矛盾建立"问题模型";然后分析该问题模型,定义问题所包含的时间和空间,利用物-场分析法分析系统中所包含的资源。接下来,定义系统的最终理想解,通常为了获取系统的理想解,需要从宏观和微观级上分别定义系统中所包含的物理矛盾,即系统本身可能产生对立的两个物理特性,例如:冷-热、导电-绝缘、透明-不透明等。因此,下一步需要定义系统内的物理矛盾并消除矛盾。矛盾的消除需要最大限度地利用系统内的资源并借助物理学、化学、几何学等工程学原理。作为一种规则,经过分析原理的应用后如问题仍无解,则认为初始问题定义有误,需调整初始问题模型,或者对问题进行重新定义。

比如以下问题:摩擦焊接是连接两块金属最简单的方法。将一块金属固定并将另一块对着它旋转,当两块金属接触时接触部分会产生大量的热,金属开始熔化,再加以一定的压力两块金属就能够焊在一起。一家工厂要用每节10米的铸铁管建成一条通道,这些铸铁管要通过摩擦焊接的方法连接起来。但要想使这么大的铁管旋转起来需要建造非常大的机器,并要经过几个车间。

解决该问题的过程如下:

①最小化问题——对已有设备不做大的改变而实现铸铁管的摩擦焊接;②系统矛盾——管子要旋转以便焊接,管子又不应该旋转以免使用大型设备;③问题模型——改变现有系统中的某个构成要素,在保证不旋转待焊接管子的前提下实现摩擦焊接;④对立领域和资源分析——对立领域为管子的旋转,而容易改变的要素是两根管子的接触部分理想解,即只旋转管子的接触部分;⑤物理矛盾——管子的整体性限制了只旋转管子的接触部分;⑥物理矛盾的消除及问题的解决对策——用一个短的管子插在两个长管之间,旋转短的管子,同时将管子压在一起直到焊好为止。

ARIZ算法具有优秀的易操作性、系统性、实用性以及易流程化等特性,尤其对于那些问题情境复杂,矛盾不明显的非标准发明问题,它显得更加有效和可行。在经历了不断完善和发展的过程后,目前ARIZ已成为发明问题解决理论TRIZ的重要支撑和高级工具。

(9)科学原理知识库　科学原理,尤其是科学效应和现象的应用,对发明问题的解决具有超乎想象的、强有力的帮助。效应是各领域的定律,它涵盖了多学科领域的原理,可以使物体或系统实现某种功能的"能量"和"作用力"。阿奇舒勒及其同事经过对250余万份全世界高水平发明专利的研究,将高难度的问题归纳为要实现30个功能,并把一些常用的"科学效应和现象"与"应用这些效应可以实现的功能"联系起来。这样,发明者可以首先根据物场模型决定需要实现的基本功能,然后通过需要实现的功能很容易地找到与之对应的科学效应或科学现象,再根据这些科学效应或现象,产生解决问题的思路。

表2.6 "30个功能"与"100个科学效应和现象"之间的对应关系(部分举例)

功能代码	实现的功能	TRIZ推荐的科学效应与现象	科学效应和现象的序号
F1	测量温度	热膨胀	E75
		热双金属片	E76
		珀耳帖效应(潘第效应)	E67
		汤姆孙效应	E80
		热电效应	E71
		热电子发射	E72
		热辐射	E73
		电阻	E33
		热敏性物质	E74
		居里效应(居里点)	E60
		巴克豪森效应	E3
		霍普金森效应	E55
F2	降低温度	一级相变	E94
		二级相变	E36
		焦耳-汤姆孙效应	E58
		珀耳帖效应(潘第效应)	E67
		汤姆孙效应	E80
		热电现象	E71
		热电子发射	E72

TRIZ理论的基本内容体系以自然科学作为基础,以辩证法、系统论、认识论为指引,以协同科学与思维科学为支撑,是一个结构较为完整、融汇了交叉学科知识的系统创新理论。对于处于学习和创新思维活跃的大学生们来说,TRIZ理论是一种创新方法论,现实中,由TRIZ理论体系驱动的理工科学科创新研究工作非常普遍,大学生在组队参加创新创业类竞赛的过程中,可采用六顶思考帽法、头脑风暴法与TRIZ理论对自己的创新成果进行解析与讨论。

2.3　创新的内部驱动因素

2.3.1　人格驱动创新

人格特征是认知、情绪和行为紧密联系的综合体或"心理-行为"结构,要培养这种内在心理和外显行为表里一致的结构,不仅要从内在思想观念入手进行认知教育,而且要从外在行为方式入手进行行为训练,在实践的过程中体验情绪,加深认知、改善认知,进而调节和控制自己的行为。忽视了情感、意志这些把"知"转化为"行"的中间环节的体验,往往会造成知行矛盾的后果。对于大学生而言,人格要素已经具备了一定水平,由最初的互不相关发展到和谐统一状态,人格的整合永远不会停止,而且随着环境的变化而不断发生变化。当前新时代所需要的人格成分首先抛弃已落后于社会发展需要的旧有人格成分,把新时期倡导的、传统文化中固有的有益的人格成分,按照新时代的要求进行调整和融合,实现生理与心理的统一、思想与行为的统一,知识、能力、品德的协调。

2.3.1.1　兴趣与好奇心

好奇心是创新的前提。抓住好奇心,就是要抓住生活、学习、社会中的许多新奇的事物和现象,并持续关注。

首先,关心、了解社会、科技等周围事物的变化。大学生应关注丰富多彩的日常生活,关心、了解社会中发生的科技、经济等方面的变化,及时抓住自己的美妙遐想和创意灵感,在遐想产生的一刹那将其记录下来,充分满足自己的好奇心,使之成为现实,为自己的小科研找到素材,将自己投入社会发展的洪流之中,而不是做一个置身事外的看客。

其次,学会发现问题。问题是一切发明与创新的起点,人类科技进步史的大量事实显示:科学的发现、技术的发明、社会的进步都是始于问题的发现。只有发现了问题,才能触动人们的好奇心,从而激发科学探索的兴趣,并导致一系列的科学探索和科学创新;也只有提出了问题,才能找到并抓住制约事物发展的关键点,用有效的技术发明创造,通过科学技术的不断进步来实现人类征服自然、力量扩大的现实。

再次,积极探究问题。发现了问题,还要积极地探究问题,带着发现的问题进行观察、思考,寻求解决问题的方法,自觉培养自我的创新能力和创新人格。

📖 拓展阅读

世界上第一个提出色盲问题的人道尔顿就是因为好奇心而发现了色盲的存在。1766 年,约翰·道尔顿出生在英格兰北部一个小村落。道尔顿研究色盲起源于一件生活小事。相传在一个圣诞节前夕,道尔顿给母亲买了一双棕灰色的袜子作为圣诞节的礼物。当妈妈看到袜子时,觉得袜子的颜色过于鲜艳,就对道尔顿说:"你买的这双樱桃红色的袜子,让我怎么穿呢?"道尔顿感到非常奇怪,袜子明明是棕灰色的,为什么妈妈说是樱桃红色的呢? 疑惑不解的道尔顿拿着袜子又去问弟弟和周围的人,除了弟弟与自己的看法相同以外,其余被问的人都说袜子是樱桃红色的,好奇心驱使道尔顿对这件小事没有轻易地放过,他经过认真的分析比较,发现他和弟弟的色觉与别人不同。原来,自己和弟弟都是色盲。

现在可以查阅到的有关道尔顿对色觉异常认识的最早记录来自《曼彻斯特文学与哲学学会回忆录》,1792 年秋天,道尔顿意外地在烛光下观察到天竺葵花的颜色变化,这种被大多数观察者称为粉色的花在道尔顿看来总是天蓝色的,但是当他在夜晚烛光下看到它时,却变成了强烈的"红色",但这不是真的红色,而是道尔顿眼中的红色——常人眼中的灰黄绿色。随后他以自己为研究对象,仔细分析了自己的色觉问题,并写下了人类第一次正式研究色盲现象的论文《论色盲》。

道尔顿的发现引起了同时代科学家的兴趣,因为他不仅提出了一种遗传性视力异常,而且还提出了一种潜在的解释。即使他没有继续这项工作,他也鼓励那些对颜色和视觉感知有更直接兴趣的人思考他的实验及其对视觉生理学的影响。直到 1802 年,托马斯·杨的一份报告才清楚地描述了三种视网膜受体接收到不同波长的从而产生三原色的概念。

2.3.1.2　自信心

始终相信自己,相信自己的事业,是创新者必备的创新素质,是实现创新立项的信念之源,大学生树立对创新的自信心,消除自卑、坚持自强,扬起创新自信的风帆,树立创业自强的雄心。但这样的自信心并不是每个人生而有之的,需要在自己日常的学习中刻意训练。

首先,创造各种机会,不断地体验成功。认真、投入地对待一件事情,是取得成功的基础;积极地参与到丰富多彩的大学生活中去,是收获成功的途径;不断地提高自己各方面的能力,是不断成功的保障。成功可以帮助个人树立自信,自信可以帮助个人获得成功。

其次,为自己的成功实时、合理地赋予价值。没有价值的行动,即使干得很出色,也不会产生真正的有能感和自信心。因此,当获得成功时,赋予自己的成功合理的价值,可以增强个人的成就感、自豪感和自信心,同时,还要赋予自己的成功一定的发展方向。

2.3.1.3　独立性

能够打破常规,突破思维定式,很多伟大的创新,都是因为敢于打破常规,不循规蹈矩。要创新,就需要有不迷信权威、不轻信传统的精神,需要有坚韧不拔的毅力,不怕失败的勇气和实事求是的科学态度。

大学生还要善于质疑,独立地提出问题、解决问题。这是批判性思维的外在表现,大学生应不拘泥于已有的固定模式或他人的见解,不盲目地肯定一切或者否定一切。勇于提出问题、解决问题是一种探索求知的可贵精神,也是创新的萌芽。对已有的学说和权威、主流的解释,不是简单地接受与信奉,而是持批判和怀疑态度,由质疑进而求异,另辟蹊径,突破传统观念,大胆创立新说。

独立不是一个空泛的词,它的意义涵盖了生活的各个方面,养成生活上的独立习惯是培养独立性最重要的途径。大学生通过生活小事培养自身各种基本生活技能,从外部行为上逐步走向独立,成为自己人生的第一责任人,具有独立性的大学生是一个在思想上、行动上都独立的人。

2.3.1.4　责任心

创新不是一件高不可攀的事情,不能一提起创新,就想起牛顿的万有引力定律、爱因斯坦的相对论、爱迪生的一千多项发明,其实人人都可以创新,人人都能创新。对于大学生而言,新的试验设计、新的解题思路、新的班级活动都是创新,尽管是在窄小的群体范围内体现价值,但依然符合创新的本质;更进一步地,抓住学习中创新的机会,参加大学生创新训练计划、创新创业竞赛,培养个人的创新意识、创新精神和创新能力,并树立正确的创新价值观。创新更需要以天下为己任的责任感,为人们更便利的生活、为社会更进步的发展、为人类谋更大的幸福,明确自己创新行为的意义和价值,抓住自己的新想法、新思路和新理念,并反复实践去实现它。

📖 拓展阅读

大国工匠

中国商飞上海飞机制造有限公司高级技师胡双钱,为了"大飞机"梦想坚守自己的责任,35 年加工了数十万个飞机零件,从未出现过一个次品,令人赞叹。胡双钱没有半点浮夸,他怀抱着"工匠精神",用实干和过硬的技术,实实在在的发明,解决了重大科学技术研发中的一个一个的难题,使得成果的可靠性得到保障,创新性得到提高。为了更好地带领平均年龄不到 30 岁的团队,他自己发明了卓有成效的检验方法,并总结成册在车间推广。终于在 2017 年 3 月,国产大飞机 C919 喷气式客机投入生产,这架大飞机上 80% 的零件是我国第一次设计生产。在 35 年坚守责任的时间里,胡双钱坚信创新是推动行业

大国工匠胡双钱的责任心

发展的力量所在,将前瞻性的思考和工作实践相结合,他用智慧和力量一次又一次的创造纪录,成为人们口中称道的奇迹。

正是由于"胡双钱们"这些榜样的带头支撑作用,我们的祖国才能做到在近年内实现探空入海的探索、实现墨子号的成功发射。每一个成绩的背后,都离不开千千万万的建设者的辛勤劳动和责任坚守。作为年轻一代的大学生们,拥有科学计划目标的指引,凭借自己脚踏实地的努力,一定可以用智慧和坚守解决好自己面对的科研攻关难题,为国家的科学研究事业的建设添砖加瓦。

2.3.1.5 对挫折的耐受力

创新活动是一个艰苦的过程,不仅思维上要突破常规,还要忍受问题未明朗之前漫长的实践和试错。创造性活动常常超越所处的时代和社会,创造者可能遭受社会主流的冷遇、排斥、打击,因此,必须忍受痛苦和经受挫折的考验。大学生在创新过程中应进行自我锤炼、自我激励、自我调节。只有发自内心地主动克服困难才能有效培养坚强的意志品质。要善于把握自己的计划,无论遇到什么困难,目标既定,落实到行动上,言必行,行必果。

2.3.1.6 竞争精神与合作意识

当前的社会充满了竞争,这是由资源的有限性决定的,但是这样的竞争最终还是要被社会个体之间彼此相互合作所替代,这是由人类创新的最终目标——实现全人类共同价值所决定的。竞争精神更大意义上是一种积极向上的人生观,合作意识是在社会迈向更加复杂化的过程中必不可少的时代精神,当今的社会问题越来越复杂,越来越多的创造性事务无法被一个学科专业所解决,无法被单个人独立完成,必须进行学科之间的交叉融合,必须进行多人团队的合作。合作精神在创新活动中所发挥的巨大潜力作用日益彰显。相反,如果失去了团队合作,即使个人具有无限的创造性思维,想把创新思维产生的"火花"实践落地也几乎是不可能的。因此,大学生必须把自我置身于同团体、同他人之间真诚的、信任的、荣辱与共的合作关系之中,从而获得安全感、平衡感和自信感,这是创新人格不可或缺的内在禀赋。

📖 **拓展阅读**

首届世界科学智能大赛颁奖典礼暨上海科学智能青年科学家论坛

2023 年 11 月 30 日,首届世界科学智能大赛颁奖典礼暨上海科学智能青年科学家论坛在复旦大学举行,世界科学智能大赛以解决问题为出发点,采取创新机制,允许自由组队,促进不同学科背景的研究者共同协作,给多个赛道的未来发展带来启迪。担任生命科学赛道评委的复旦大学智能复杂体系基础理论与关键技术实验室副主任张梦翰在接受记者采访时说道:"这次大赛为我们凝练学科交叉提供了新的可能性,让参赛者知道不同学科放在一起可以解决共同的问题。"

上海中心气象台台长、大气科学赛道评审马雷鸣认为,本次大赛对大气科学领域的研究范式将起到推动作用。"它坚定了我们通过人工智能技术推动预报技术变革的信心,而且选手们的工作对于人工智能天气预报现存的物理可解释性难题的解决思路具有很强的启发性。"

"对材料科学智能赛道来说,本次比赛引起了学术界对 AI(人工智能)+材料的广泛关注。"复旦大学化学系教授、博士生导师张凡说道。作为材料科学赛道的评委之一,他介绍,这次参加材料科学赛道的选手非常踊跃,初赛的 81 个有效提交结果之中,有 51 个超过基线模型性能。选手们的性能提升方案从数据扩展、方法改进、特征筛选和融合等多个方面展开,多支队伍都采用模型集成的办法,提高最终的预测精度。"通过这次大赛可以看到,虽然实际材料合成数据有限,即数据量小,但 AI 算法仍然有很大的探索空间以提升材料的合成条件预测精度。"张凡希望借助这次比赛,让学界焦点更多地聚集在材料结构与实际合成之间关系的建立,使用 AI 去揭示新规律,联合先前研究实现新材料发现与合成的精准预测一体化,从而进一步推动科学研究范式的改变。

就读于复旦大学信息科学与工程学院智能科学与技术专业的本科生周溜剑获得本次大赛"星辰学者"特别奖。在他看来,参加大赛"不仅为我未来的学术研究提供新思路,也为我进入科研领域打下坚实基础。"周溜剑说,他参加的量子化学赛道为选手提供超过1000 万的训练数据,是目前世界上最大、最全面的同类型数据库,这意味着选手需要有扎实的 AI 模型开发技术和工程优化能力。来自北京邮电大学人工智能学院的 Pris727 团队喜获大气科学赛道的一等奖。"我们创新性地提出一种多时间序列预测策略的集成气象预报方法,通过知识融合来让预报模型掌握更丰富的时序知识和气象变化规律。"队长徐梦秋说。徐梦秋认为,团队合作对多学科交叉团队来说非常关键。"我们在相同的目标下高效实现优势互补,提升自我技能,丰富知识储备。在协作沟通过程中,我们更好地理解人工智能和气象交叉领域的挑战和机遇,并为未来的研究方向和职业规划铺垫基础。"

2.3.2　价值取向驱动创新

价值取向是人们把某种价值作为行动的准则和追求的目标。它是个体的活动或意识中所渗透的价值指向,是人们实际生活中追求价值的方向。孔子曰:"君子喻于义,小人喻于利。"其本质就是价值取向决定人的行为目的与行为方式。可以说价值取向直接影响个人生活、学习和工作的态度和行为。国家有国家的价值取向,企业有企业的价值取向,个人有个人的价值取向。不同主体的价值取向都是由其存在条件所决定的,就每个个体而言,生活经历、社会地位、生存状态、学历、创新创业经历、人生目标等等都是他特定价值取向形成的条件。一般而言,某个群体具有相对一致的价值取向,科学家的价值取向是发现真理,做理论创新;技术专家的价值取向是通过创新解决实际问题;企业家的价值取向是实现利润最大化;教育家的价值取向是为社会、为人类培养更多人才;大学生的价值取向是高效学习取得更好的成绩学到最有用的知识。但是具体到每一位科学家、技术专家、企业家、教育家、大学生又都有自己的价值取向,具体特定的价值取向,决定具体人的行为准则、行为方式和奋斗目标。

2.3.2.1　价值取向驱动创新的内涵

价值取向驱动的创新,是主体的价值观与价值取向,引导其创新行为,付出艰辛的努力获得创新成果的创新类型。这种类型的创新尤其在基础科学领域仍然流行,在科学家看来,自己认为什么问题或者什么现象值得研究就去研究,哪怕未来证明其没有意义也无关紧要。

拓展阅读

2012 年在浙江省科协的支持下,浙江省科技馆和科技媒体果壳网共同打造了中国版的搞笑诺贝尔奖——菠萝科学奖,口号是"向好奇心致敬",奖项设立的目的是激发公众对科学的兴趣,背后的现实是科学家和公众之间存在着很深的隔阂,科学家在高度细分的专门领域埋头苦干,无暇向公众解释自己的研究,公众也无法理解科学家们的工作,认为他们是一群无聊的怪人。华裔科学家胡立德已经在 2015 年、2016 年和 2019 年三度获奖,胡立德是一名极具话题性的科学家,他在美国长大,在麻省理工学院获得数学博士学位,26 岁时就两次登上《自然》杂志封面,专业是动物运动力学。他获得 2015 年菠萝科学奖的研究课题是"蚊子为什么不会被雨水砸死?",2016 年的研究课题是"苍蝇为什么总在搓手?",2019 年的研究课题是"猫怎么用舌头清洁身体?"。

胡立德刚开始研究"猫怎么用舌头清洁身体?"是因为他的两个孩子,他每天都要为自己和孩子做清洁,想当然联想到动物是怎么做清洁的,为什么它们不会弄脏,也不需要洗澡? 胡立德的每个研究都会找一个在某方面最厉害的动物,那清洁最厉害的就是猫了。猫每天睡十六个小时,剩下的六个小时就在用舌头舔自己。他在研究中进行了测量,人洗一次澡需要十升水,而猫把自己舔干净只需要三汤匙唾液。

他研究了家养的猫、狮子、老虎等六种猫科动物,其中最小的和最大的体重差了 30 倍,研究发现它们的舌头都是像砂纸一样,很粗糙,这是因为上面分布着很多凸起,有点像梳子的齿,但带有一点弧度,朝着同一个方向,也没有那么硬。这些凸起内部有空腔,当猫用舌头舔毛的时候,唾液就从位于突起尖端的小孔直接输送到毛上,所以不会浪费水,清洁效率很高。他的研究成果是模拟猫舌头做的一个梳子,梳起来要比一般的梳子省力,清洁能力也更强,这是他所在实验室的第一个专利。

2019 年,胡立德还获得了美国物理学会颁发的书籍类科学传播奖,六名获奖者里除了他是科学家以外其他人都是记者,这是因为大多数科学家都觉得写一本没有同行会看的书是浪费时间,但他个人的职业目标里面有一项就是要影响年轻人,他只是做了他觉得最有意思的东西。

2.3.2.2 价值取向驱动创新的机制

价值取向驱动创新的机制是指主体的创新视野和判断标准被其价值观和价值取向所规定,并对其创新动机、创新选题、创新思维和创新成果评价起导向作用的过程或行为逻辑。价值取向驱动的创新机制,是由创新主体的价值观和价值取向支配起评价并选择具体的创新目标,同时决定其创新动机和创新意志,激发其创新思维,使其产生新创意、新思路,最终取得创新成果。

　　创新主体的价值取向不是临时起意,不是一时冲动,而是在长期的生活和工作中形成的,价值取向一旦形成就会在各个方面影响创新主体的意识、思维和行动。中国共产党的价值取向在建党那天就已经确定了,那就是有益于人民。在党带领人民革命和建设的历程中,始终强调"不忘初心、牢记使命",这个"初心"和"使命"就是党的价值取向,如今党已过百岁,曾经那个要带着中国人民过好日子的"少年"现已成熟、强大,向全世界发出建立人类命运共同体的号召,党的价值观和价值取向更加宏观、宏大,未来党引领的事业也将更加波澜壮阔。

拓展阅读

　　大学生个人的价值观同样能够驱动创新。2019 年第五届中国国际"互联网+"大学生创新创业大赛职教赛道的金奖作品"小微颗粒播种机——助推脱贫弓箭、助力精准扶贫"(图 2.3),来自兰州职业技术学院。2019 年,时值国家脱贫攻坚战的重要时间段,国家的价值取向是让 14 亿人都吃饱饭,这个小团队的指导老师在介绍项目时这样说道:"项目的研发来自于学生对现代农业的关注。他们大都来自农村,当看到家人在地里辛苦地弯下腰一粒一粒播种时,开始思考在农业机械化的今天,应该要有机器能够代替人力在山地里进行劳作和播种,于是开始了他们的研究。"项目团队共同的、朴素的价值取向驱动来自不同专业、拥有不能专业技能的成员们,他们用自己的青春和智慧让自己种地的父辈们生活更美好。

图 2.3　兰州职业技术学院"小微颗粒播种机——助推脱贫弓箭、助力精准扶贫"作品

团队在进行了无数次讨论、修改、验证，无数次推到再重建模型后，才确定了产品研发的设计方案。从建模、测量、构思到制作、成型，团队经过长时间研发试验，最终成功研发出了适合西北干旱地区作业的小微颗粒播种机，为了让产品实现一机多用，降低农民的成本，项目团队向省内外的农机专家请教，提出了独特的破膜三角设计，分籽管道上面的破膜三角可直接戳破地膜，省去了人工覆土环节，生产效率极大提升；通过调节分籽轮之间的距离，实现行距可调；通过调节分籽管道的长度，实现株距可调；通过更换分籽轮轮芯，适应不同农作物的播种需求，小到油菜、胡萝卜籽，大到黄豆、玉米等农作物种子，很好地实现了一机多用。

价值取向驱动的创新往往会带给创新主体巨大的幸福感，尽管创新的过程充满艰辛，甚至还会遭遇阶段性的失败，但为了自我价值的实现，创新主体都会认为这些艰辛与失败都是值得的。

2.3.3　兴趣驱动创新

如前所述，兴趣是人格的一个维度，但由于对于大学生而言，兴趣是自我能够快速、准确识别的一个人格特征，因此，本部分对于兴趣驱动创新进行更详尽的阐述。

兴趣是每个人都具有的正常心理反映，其具体表现为人们认识某种事务或从事某种活动的心理倾向，是人的行为动机的主要来源之一。兴趣所指向的内容既有物质的也有精神的，既有高尚的也有卑劣的。人的兴趣同时具有稳定性和易变性，兴趣的形成既与人成长和发展阶段有关，又离不开自身社会存在条件的制约。兴趣虽然具有先天遗传因素，但主要还是后天养成的，往往依赖父母、老师以及自己对于未来生存发展的需求和预期发展而来的。广泛的兴趣可能使人拥有较宽的知识面，稳定的兴趣可能使人成为某一领域的专家。培养创新兴趣会让大学生们在创新时代、创新型国家获得更多的发展机会，成为新时代的引领者。

2.3.3.1　兴趣对创新的驱动作用

兴趣是人类的一种自主性功能，处于人的动机的最深水平，它可以驱动人的行为。兴趣是最好的老师，正如孔子所言："知之者不如好之者，好之者不如乐之者。"培养兴趣是学习成功的一个重要因素，也是创新活动的驱动因素。兴趣作为人们认识事物的特殊倾向，不但驱动人们去探索世界，还会支配人们的创新活动，驱动人们去观察和体验特殊事物，思考和求解特殊问题，改变和创新特殊环境，对资源重新再分配，为实现创新创业目标而努力。本质上，兴趣对创新活动的驱动作用，归根结底是一种心理需求的作用，同时也带有价值取向驱动的特征。

2.3.3.2　兴趣驱动创新机制

兴趣驱动创新机制，是指主体在其兴趣驱动之下，针对特殊领域、方面或方向的创新需求进行思考,提出新创意,实现新的创新目标的过程或行为逻辑。主体的特殊兴趣可以是某种自然现象或社会现象,可以是某一个学科或者技术领域,也可以是某一科学问题或者某一技术形态的创新需要,等等。创新目标的选择可以是主体在兴趣驱动之下的自主选择,也可以是主体在众多创新需求之中被动选择自己最感兴趣的一个。不论是哪一种情况,只要创新目标与主体的兴趣一致,其创新动机必然就会得到强化。有了创新目标和创新动机,真正的创新过程就会开启,主体接下来就要针对确定创新目标,通过收集相关资料并参考前人的经验提出实现目标的新创意。经过技术可行性论证和市场效果评估之后,进一步的工作就是产品细节与市场开发。由主体的某一兴趣点到获得新技术创新专利甚至获得市场利益,这就是兴趣驱动创新机制及其作用过程。

2.3.3.3　兴趣驱动创新模式

机制表明的是逻辑,而模式表明的是一种程序、过程及各个环节之间的稳定关系和顺序。兴趣驱动创新模式是创新主体在其兴趣所制定的创新领域、方位或方向上,进行创新目标设定,产生创意思维,进行创意评价,进而开发设计产品,进行商品化生产的创新过程。每个创新主体都有不同的兴趣爱好,个人兴趣爱好的不同必然产生不同的兴趣目标,目标不同,则需要不同的创意思维和相应的创意评价标准,在此基础上进行创新产品的开发和设计,进而实现产品的商品化生产。而产品的商业化生产将反过来检验兴趣目标的设定是否正确,进而再做进一步的调整,这是一个循环且相互作用和影响的过程。

当一个人的兴趣与他的志向结合起来时,就会使他的行为动机达到最大值,不论他的目标是什么,此时的他就离成功不远了。兴趣,同样是创新活动的驱动因素,培养创新兴趣,有了创新动机,就会主动积极地去学习和积累创新知识,并通过不断创新积累经验。有了创新知识和经验,创新能力的形成就是一种必然的结果,有了创新能力,获得创新性成果也指日可待。可以说拥有创新能力的人,就能够获得最大的确定性。

2.4　创新的外部驱动因素

大学生创新行为除了由创新主体内在驱动外,还需要有适宜创新活动发展的外部环境,使创新活动摆脱随机性和运气性,而成为一种理性的活动。

2.4.1　科学驱动创新

科学是系统化的知识及其生产创新的一种社会活动。科学知识能够解释自然、社会、思维和生命现象,并可据此预见相应现象变化发展。科学的价值在于应用,包括解释现象、预见未知、解决社会和市场需求等问题,以及应用科学知识创造新的技术,或者在原有技术形式的基础上进行创新。面对不确定性环境下的熵增,科学能够帮助人们洞见现象本质,技术能够帮助人们设计解决相应问题的应用模型框架,人们对科学技术的探索,程度越深入、范围越广泛,科学和技术在社会中的含量、密度、水平越高,熵减能力越强。因此,科学技术及其创新是创新行为和创新文化中极为重要的组成部分。

科学驱动创新是由科学存在的价值决定的,应用科学的价值由应用的基本理论与原理决定和支配,历史上科学的每一个新发现,不论是科学原理还是科学定律,人们总希望能尽快将其运用到实际的社会生产和生活中,广泛开发并实现其实践价值。当前国际社会的创新行为已经触及现有基础理论的天花板,各国政府都在迫切地渴望基础学科的理论突破,渴望基础学科创新人才的"横空出世"。

研发者针对特定科学知识的某种属性,研究开发其某种新使用价值的可能性,并将这种可能性与某种潜在市场需求相联系从而确定创新目标,进而创造、开发新的功能系统,这就是科学驱动创新的模型。

从近代历史发展来看,对科学技术进行全面的、根本性变革的科技革命发生过三次。

第一次技术革命,也叫工业革命,开始标志是18世纪60年代蒸汽机的发明和使用,首先从棉纺织业开始,到了1840年前后,大机器生产成为工业生产的主要方式。工业革命创造的巨大生产力,使社会面貌发生了翻天覆地的变化,率先完成工业革命的西方资本主义国家逐步确立起对世界的统治。

第二次科技革命得益于法拉第电磁感应定律的发现,由电磁感应定律驱动的第一项重大技术创新成果就是发电机和电动机,1866年,德国人科学家西门子研制成了一台励磁发电样机,在那之后,电灯(1854年)、电话(1876年)、电车(1881年)、电影放映机(1888年)等电器相继被发明并广泛使用。电器开始逐渐代替机器,以蒸汽机为主力的机械化时代自此过去,人类也因此进入了第二次工业革命时代——电气化时代。

近几十年中先后出现了计算机、能源、新材料、空间、生物等新兴技术,引起了第三次科技革命中。第三次科技革命无论在规模、深度与影响上都远远超过前两次。

科学驱动高新技术创新一般有两种类型:一是从新的科学知识出发进行应用开发,从而创造需求、驱动市场;二是利用新科技知识对原有技术进行改进升级,形成新技术、新服务,以此来创造需求、驱动市场。大学生需要认识到科学驱动创新模式的效用,认真领会并将其转化为创新意识和方法,与此同时,自身的创新能力一定会随之得到升华。

2.4.2 政策驱动创新

政策一般有宏观与微观的区分,在市场经济条件下,国家政府部门对企业的绝对性指导已经不存在了,国家或地区经济发展规划的实施只有通过制定各种优惠政策,来引导企业的投资和创新方向。这种政策导向作用,在任何国家都是激励企业技术创新的强大动力。适应宏观政策的企业就容易获得相应利益,甚至获得生存发展的优势;不适应的企业就可能利益受损,甚至失去生存发展的权利。

宏观政策是政府调节市场的主要手段。国家为了保持经济总量的基本平衡,促进经济结构优化,引导国民经济持续、迅速、健康发展,推动社会全面进步而制定具体的实施意见、办法、措施或规定。常见的宏观政策包括经济政策、科技政策、教育政策、民生政策、货币政策、工业政策、农业政策等等,其中工业政策又可以包括不同行业的政策,民生政策又可以包括社保政策、医保政策、住房政策、生育政策、教育政策,等等。与创新创业相关的国家宏观政策还包括财政政策、金融政策、税收政策、行业政策、科技政策、创新创业政策,等等。

国家对社会资源配置所依靠的"看得见的手",常常是通过政策对公众行为的引导和机理作用实现的。我国在经济转型升级阶段实施创新驱动战略,倡导大众创业万众创新,不仅通过舆论引导,更重要的是通过政策激励。政策激励机制是通过一套理性化的制度来反映激励主题和激励客体相互作用的方式。一般来说政策激励机制包括以下几个要素:

1)诱导因素　用于调动范围内成员积极性的各种奖酬资源。各级政府部门或社会组织机构为落实党中央国务院的有关文件精神,对于各行各业的优秀创新成果及其创新主体制定了奖励、荣誉评选和授予政策,对于创业者或创新型企业制定了有关税收减免、信贷支持。

2)行为导向制度　组织对内部成员所期望的努力方向、行为方式和应遵循的价值观的规定。政府在行为导向制度方面,关于数字经济、节能减排、生态环保、新能源等相关激励政策非常丰富。

3)行为幅度制度　对由诱导因素所激发的行为在强度方面的控制规则。只要是有利于国家、组织和个人发展的创新项目及其成果,不论其成果水平、市场效果如何都会受到支持和肯定。

4)行为时空制度　奖酬制度在时间和空间方面的规定。宏观政策使用的时间和空间不仅不会受到任何限制,而且只有进行时没有完成时。

5)行为规划制度　对组织内部成员进行组织同化和对违反行为规范或达不到要求的处罚与教育。凡是有利于实现中国梦、有利于中华民族伟大复兴,即有关国家富强、民族振兴、人民幸福的创新项目及成果都会受到国家各级政府的支持与奖励。

创新与创业在我国最早与大学生产生联系,是联合国教科文组织于 1989 年 11 月在北京召开的"面向 21 世纪教育国际研讨会",会上首次把创新创业教育称为"第三本教育护照"。要把创新创业教育提高到与学术性和职业性教育同等重要的地位。而大学生真正开始参与创新创业类活动,则是 1997 年,清华大学举办了首届"挑战杯"大学生创业计划大赛,这届大赛为创新创业走近高校、走进大学生的学习生涯拉开了序幕。

1998 年 10 月,联合国教科文组织在主题为"21 世纪的高等教育:展望与行动"的世界高等教育大会上指出"21 世纪教育的主旋律是批判性思维与创造力","高等学校,必须将创业技能和创业精神作为高等教育的基本目标",要使毕业生"不仅成为求职者,而且逐渐成为工作岗位的创造者"。1998年12月，我国教育部颁布了《面向21世纪教育振兴行动计划》，在计划中首次提出我国高校要培养创新创业型人才；1999年6月，教育部又颁布《关于深化教育改革全面推进素质教育的决定》，明确提出"高等学校要重视和培养大学生的创新、实践能力以及创业精神，普遍提高大学生的人文素养和科学素质"。可以说上个世纪末已经奠定了新世纪"将是一个依靠创新发展生产力的时代"的发展战略。

2007年，党的十七大报告提出了"提高自主创新能力，建设创新型国家"，指出这是国家发展战略的核心，是提高综合国力的关键，明确要求坚持走中国特色自主创新道路，把增强自主创新能力贯彻到现代化建设各个方面，到2020年，我国的自主创新能力显著增强，科技进步对经济增长的贡献率大幅上升，我国进入创新型国家行列。

2010年，教育部在《关于大力推进高等学校创新创业教育和大学生自主创业工作的意见》中明确提出，创新创业教育是一种新的教育理念与模式。2011年，国务院下发了《关于进一步做好普通高等学校毕业生就业工作的通知》，明确要求要落实和完善创业扶持政策，加强创业教育、创业培训和创业服务，支持高校毕业生自主创业。教育部在"2012年全国高校毕业生就业工作视频会议"上，要求继续把创新创业教育和大学生自主创业作为当年的工作重点，并力争实现新的突破。教育部于2012年颁布了"创业基础"教学大纲。要求各高校创造条件，面向全体学生单独开设"创业基础"必修课，以创业带动就业、促进高校毕业生充分就业。党的十八大提出经济体制改革与经济发展要实施创新驱动发展战略；教育领域要全面实施素质教育，深化综合改革，培养学生的社会责任感、创新精神、实践能力；为实现高质量的就业，要求各级政府贯彻促进就业和鼓励创业的方针，做好高校毕业生为重点的青年就业工作，提升劳动者就业创业能力。

2015年的政府工作报告如此表述：推动大众创业、万众创新，"既可以扩大就业、增加居民收入，又有利于促进社会纵向流动和公平正义。"2015年5月，国务院办公厅下发的《关于深化高等学校创新创业教育改革的实施意见》明确指出："深化高等学校创新创业教育改革，是国家实施创新驱动发展战略、促进经济提质增效的迫切需要，是推动高等教育综合改革、促进高校毕业生更高质量创业就业的重要举措。"该实施意见的发布标志着创业教育已被纳入国家政府的发展战略，引领高校创业教育进入了深化发展关键期，开启了全民化创业教育的新时代。

在国家政策的驱动下，全国高校开展大学生创业教育的初心不仅仅停留在缓解就业压力和拓展就业路径的现实诉求层面，更有意识地聚焦于学生创业精神的塑造、创业意识的培养、创业能力的提升等知识技能教育层面，深层次发掘"内化于心"的精神体验和教育认同。

随着世界格局的深度变革，国家对创新创业者的需求不断加大。习近平总书记在党的二十大报告中指出"科技是第一生产力，人才是第一资源，创新是第一动力"。从这样的论述中不难看出，在当前的经济活动中，大学生作为第一资源，不但要掌握科学技术这第一生产力,还要具备一定的创新意识和创新能力,这也是经济发展的第一动力。这就要求每位大学生要成为具有创新精神的知识劳动者,成为面向知识要素的创业者,成为通过创新创业活动实现自我全面发展的人。

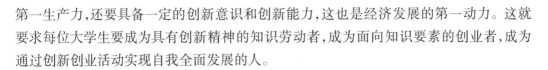

党中央、国务院及各个职能部门颁布的各种政策和法规,为创新创业指明了方向。比如,2023 年 6 月 19 日,财政部、税务总局、工业和信息化部发布了《关于延续和优化新能源汽车车辆购置税减免政策的公告》,公告明确规定了新能源汽车购置税的减免时间、减免金额范围等,为加强和规范管理,工业和信息化部、税务总局通过发布《减免车辆购置税的新能源汽车车型目录》(下文简称“目录”)对享受减免车辆购置税的新能源汽车车型实施管理。目录发布后,购置列入目录的新能源汽车可按规定享受车辆购置税减免政策[1]。接下来,工业和信息化部、财政部、税务总局又于 2023 年 12 月 11 日发布了《关于调整减免车辆购置税新能源汽车产品技术要求的公告》,要求 2024 年 1 月 1 日起,申请进入目录的车型,需符合新能源汽车产品技术要求,包括:①纯电动乘用车 30 分钟最高车速不低于 100 km/h。②纯电动乘用车续驶里程不低于 200 km。③纯电动乘用车动力电池系统的质量能量密度不低于 125 W·h/kg,等等[2]。相关企业只要引入目录中相应技术指标对原有生产体系进行整体改进,就能够让用户享受到优惠政策,势必会收到用户的青睐,经济效益获得更大程度上的保障。同时,从更宏观的角度来看,我国的新能源汽车产业当前已经在一个又一个政策环节推进下形成了完整的产业链,给予汽车企业创新极大的红利支持。

2.4.3 环境驱动创新

环境是主体周围所存在的,并与其发生相互作用的各种事物或关系,创新环境是创新主体周围所存在的,对其创新活动产生影响的各种事物或关系。创新环境通常包括家庭环境、社会环境、文化环境、工作环境、科技环境、市场环境、政治环境和国际环境等,其中最重要的环境因素是制度、文化和工作环境。换一个角度看,创新环境之中既有宏观环境,也有微观环境。微观创新环境,是对具体创新主体的具体创新活动而言的各种直接影响创新目标实现的因素及其相互关系;宏观创新环境,是那些对于创新目的实现起

1　关于延续和优化新能源汽车车辆购置税减免政策的公告[EB/OL][2024.04.28]. https://www.gov.cn/zhengce/zhengceku/202306/content_6887734.htm

2　中华人民共和国工业和信息化部　财政部　税务总局关于调整减免车辆购置税新能源汽车产品技术要求的公告[EB/OL][2024.04.28]. https://www.gov.cn/zhengce/zhengceku/202312/content_6919586.htm

间接作用,但却对其创新成果市场价值的实现起直接作用的因素及其相互关系。

环境对创新活动的激励作用是通过激发创新主体的需要来实现的。宏观层面,1978年,党的十一届三中全会确立了国家全面改革开放的发展方向,40多年来的制度创新、技术创新、市场创新、商业模式创新,等等,全社会各个方面的创新成果的问世,都是在党和国家的指引下取得的。微观层面环境,企业是创新主体,为了获得市场利润并实现其社会价值,众多企业选择持续创新,并鼓励员工进行创新、发明、创造。

大学生创新活动的驱动环境是全国范围内的创新创业类大赛。从20世纪90年代开始的各类大学生创新创业活动极大地激发了大学生们的创新意识和创新动力,从创新创业类比赛中涌现出了众多的创新者和创新作品,本书将在后续的章节对这些竞赛和获奖作品进行详细介绍。

推荐阅读书目

温铁军,《破局乡村振兴——中国式农业农村现代化的11个思考》,重庆出版社,2023。

温铁军,《八次危机》,东方出版社,2022。

厉以宁,黄奇帆,《共同富裕:科学内涵与实现路径》,中信出版社,2021。

汤庆国,《大学生科研技能与创新思维》,北京大学出版社,2024。

思考题

1. 举例说明组合创新思维方法的运用。

2. 好奇心驱动的创新有哪些特点?你在专业学习中对哪些知识和现象产生过好奇?

课程报告

1. 撰写课程报告"××地区大学生创新创业政策梳理"。

2. 撰写课程报告"我国××领域的创新产品梳理"。

创业基本概念

3.1 创业概述

创新是一种解决问题的行为,输出的是问题的解决方案,这个解决方案可以是开创性的,也可以是渐进性的,可以是单一性的,也可以是系列化的。而创业也是解决问题的行为,但创业不是以获取问题解决方案为最终目标的行为,而是要利用这些解决方案继续创造价值的行为。创业的目标在于价值创造。人类的科技创新历程从另一个角度来看也是一部创业史,人类创业活动的产生也是历史的必然,不以人类意志为转移。

同样是面对不确定性向确定性转化的问题,创新重点解决减少熵增的问题,创新活动所处的环境熵增往往较大,利用已知的理论、方法、技术等手段往往无法高效、准确地减少熵增,就需要新的理论、方法和技术开创性地解决熵减问题;创业活动的目标是追求价值创造,因此创业常常走更加稳妥的道路——扩大负熵,将已经成熟的模型、模式进行广域范围的复制,但一旦这样的复制达到阈值后,则很难获得价值创造的增长,此时又进入熵增状态,必须依靠创新来打破"僵局",寻找新的价值增长点。

3.1.1 创业概念

广义的创业指创办事业,泛指一切开创新的事业的活动,包括创办新的企业和组织,并开拓具有创新意义的社会实践活动。创业强调从 0 到 1 的创建过程,也强调从 1 到 100 的提升过程。还有一种微观层面所谓的"创业"活动,指为了一定的经济利益,仅在短时间内从事某种活动,比如,一个大学生在春节放假期间"摆摊"卖春联。以上这两种活动均不在本教材探讨的创业范围之内。

荣斯戴特这样定义创业:创业是一个创造增长的财富的动态过程。财富是由这样一些人创造的,他们承担资产价值、时间承诺或提供产品或服务的风险,他们的产品或服务未必是新的或唯一的,但其价值是由企业家通过获得必要的技能与资源并进行配置来注入的。

斯蒂文森在定义创业时强调创业的过程:创业是一个人——不管是独立的还是在一个组织内部——追踪和捕获机会的过程,这一过程与其当时控制的资源无关。创业过程中有三个方面的重要因素,即察觉机会、追逐机会的意愿及获得成功的信心和可能性。

狭义上的创业是创办新的企业或组织以谋取商业利益的活动。国内的众多学者也为创业下了定义:

创业是一个发现和捕获机会并由此创造出新颖的产品、服务或实现其潜在价值的过程。

创业是指接管和组织一个经济体的某个部分,并以自己可以承受的经济风险通过交易来满足人们的需求,同时创造价值。

创业是一种思考、推理和行动的方式,它为机会所驱动、需要在方法上全盘考虑并拥有和谐的领导能力。

从以上创业的相关概念定义中可以抽取出形容创业的关键词:创办企业或组织、风险、交易、认知与执行力、创造价值、机会、领导力。总结起来可以从四个维度来理解创业。

1)创业是创造的过程　创业创造出某种有价值的新事物,这种新事物必须是有价值的,不仅对创业主体本身,而且对其所面向的目标对象也是有价值的,解决了目标对象的某些需求,目标对象遍布社会的各行各业,因此创业创造出的新事物也会因目标对象不同而异。

2)创业需要创业主体贡献出必要的时间,付出极大的努力　要完成创业全过程,要创造新的有价值的事物,创业主体的努力和勤奋是必须的,同时,还需要对创业过程的全盘把控,更加考验创业主体的认知与执行力。

3)承担必然存在的风险　创业风险可能以多种形式呈现,但总的来说创业风险一般来自财务、精神、社会及家庭。

4)给予创业主体以创业报酬　作为创业主体,追求丰厚的利润是其最重要的回报,更进一步的由此得到的独立自主、个人成就感也都可作为创业主体获得的回报。对于追求利润的创业主体,金钱的回报无疑是最重要的,很多创业者都把金钱的回报视为创业成功与否的第一尺度。

在本教材中所涉及的创业是指创办一个企业或经济组织,以一定的认知去识别创业机会,经过生产、服务、交易等行为创造价值和利润。从企业创办周期的角度来看,创业的主角们常常通过个人的认知和执行力储存一定的资金后,开始自己的创业之路,而当企业发展到一定规模时,他们势必会承担相应的社会责任,通过公益、慈善等渠道反哺社会,这些行为并不以追求经济利润为目标。

因此,创业就是创业个人或创业团队不拘泥于当前资源束缚,寻找和把握各种商业机会,投入已有的知识、技能和社会资本,调动并配置相关资源、创建新企业,为消费者提供产品或服务,具有创新或创造性的、以创造价值为目的的活动过程。

创业离不开创新,为了追求更广泛的用户群体、更高效的生产流通、更丰厚的经济利润,企业必须不断去做各种类型的创新。

创业强调实践,空想无益,实战才能出成果,创业需要高认知,同样需要高执行力,将理念转化为产品和服务,为更多的用户提供价值,从而获得利润回报。

创业是一项自觉行为,创业主体自主选择创业,就意味着将自己的时间、精力都集中在自己的创业事业之上,非自觉不可坚持,非自觉不可成功。

创业的目标是追求利益最大化,并且是持续的利益最大化,不存在不讲利益的创业,也不存在不讲利益的创业者,利益对创业者来说具有巨大的吸引力。

创业的过程充满了风险,包括资金的风险、人员的风险、市场和政策变化的风险,等等,但风险对热爱冒险的人来说有着巨大的吸引力,创业要有足够强大的心理防线和高人一等的认知决策能力,才能化险为夷,有惊无险。

创业的过程又是曲折的,有高光时刻,也有至暗黎明,当前人们耳熟能详的企业家们都经历过创业的起起伏伏,大风大浪磨炼着他们的意志品质,锻造着他们的精神内核,成就着他们的非凡人生。

3.1.2　创业基本要素

创业要素就是创业活动所必须具有的实质或本质、组成部分。创业成功可以说是一系列要素科学组合的结果。创业者可以通过改善这些要素的组合来提高其创业成功的可能性。具体而言,创业究竟应该包括哪些要素,不同的学者有不同的认识,比如,蒂蒙斯认为,创业是机会、资源、团队三大要素的结合;葛建新等人认为人的因素、物的因素、社会因素和组织因素构成了创业的要素。本教材认为创业行为包含以下基本要素:

(1)创业主体

创业主体即创业者,在一般人的认知中,创业是一种风险极大的行为。当前我国经济发展的特征,已经从刚刚改革开放之初的增量经济转变为存量经济,我国拥有全世界最完整的产业链,从另一个角度理解,我国的市场几乎各行各业产能趋于饱和,再加之当前社会对高科技的依赖,因此尤其在一些新兴领域,创业的失败率还是比较高的。但是,如果把创业行为看作是一种熵减行为的话,那么把创业主体将不确定性转化为确定性的能力在创业过程中就显得尤为重要,是创业成功的必要条件。可以借用投资人识别创业主体创业行为成功概率的方法论来概括:宁可为三流机会一流人物的项目投资,决不向一流机会三流人物的项目投资,因此可以得出结论,创业的成功与否还是由创业主体认知、素质、人格、能力等自身因素决定的。创业主体属于创业行为的人的因素。

(2)创业机会

创业机会对于创业主体来说,起到催化剂的作用,好的创业机会往往能够帮助创业主体实现事半功倍的结果,反之,创业机会的方向如果和现实需求有所偏差,则往往会导致失败的创业结果。当创业主体具备创业的基本条件时,只要有市场需求的地方,就可能存在机会,创业主体只有及时、准确地认识并把握住机会,才能增加创业成功的概率。可以说创业是基于机会的市场驱动行为,创业机会实际上是一种亟待满足的市场需求,是发现市场需求、寻求市场先机、通过投资经营创业组织来满足市场需求的活动。

（3）创业组织

当创业主体识别创业机会,认为时机满足,就会创办创业组织,即企业等不同类型的经营主体,将创业机会实践落地,以赚取相应利润。创业组织不仅仅包含创业主体,还包含创业主体之间的关系、为提升创业成功概率而设置的章程与协议、生产资料等资源的分配方式等等。创业组织不是一个静态概念,不是静态的人、物、钱的简单集合体,而是一个动态概念,是人、物、钱的有机流动的经营机制。

（4）创业资源

创业资源包括组织内部的人才与技术、资金、厂房等固定资产,设备等生产资料等,也包括政策法规、市场需求、国内国际局势、经济发展阶段、地区经济利好等组织外部的生存环境。创业资源是创业行为的必备要素,正所谓"巧妇难为无米之炊",创业主体作为"巧妇",创业资源就是"米",把创业资源高效地转化为满足市场需求的价值、把价值最大化,这就创业行为追求的创业成果。

3.1.3　创业与创新的关系

创业是指人们创办一个企业或经济组织,以一定的认知去识别创业机会,经过生产、服务、交易等行为创造价值和利润。以这个定义为标准,我国在改革开放的 40 多年里,人们的创业行为经历了从萌芽到结果的阶段,不同阶段的创业行为为社会积累了巨大的物质财富和精神财富,推动了我国经济的发展和社会的进步。需要继续深入探讨的问题是,创业的过程是否都伴随着创新行为呢? 在不同的历史时期,创业对创新的需求又具有哪些特征呢?

20 世纪 80 年代初,随着包产到户在全国农村推行及国家鼓励沿海地区兴办来料加工厂,一些农村的"能人"开始创办乡镇企业,城市中的无业青年也开始经商,成为第一批创业个体户。随后,国家又出台政策允许各地的国有企业、集体企业实行承包制改革,于是第一批创业者们开始创办或承包企业。

1992 年,邓小平南行发表讲话,对市场经济姓"社"还是姓"资"的问题进行了彻底澄清,随后召开党的十四大确立了社会主义市场经济体制,给迷茫中的创业者吃了定心丸,也掀起了第二次创业潮,由此诞生了第二代创业者。他们主要是体制内的知识分子、技术人员及政府官员等。与第一代创业者相比,他们大多受过良好的教育,具有较高的文化素质,创业的动力主要来自国家政策创新带来的市场机会。这个时期出现了一个非常具有时代特征的词——"下海",这个词体现出了那个时代创业者们激昂澎湃的创业热情。

这一时期,我国的科技发展跟西方发达国家比起来,还是比较滞后的。同时教育和经济的发展水平也极其有限,因此,我们选择了开放市场,以低劳动力成本、低环保成本、低自然资源成本作为代价,依靠加工贸易吸引外方合资合作,换取当时在发达国家濒临淘汰的技术、换代的技术、中低端的技术。当时,这种技术引进对于我国来说,既取得一定的经济效益,又在相关领域积累和提升生产力水平,符合了时代的特征,但属于我们自身的科技创新较少。

与此同时,世界上另一场伟大的科技革命——互联网浪潮正在全球兴起,一批优秀的海外留学生、技术人员回国创业,他们将国外已经发展到一定规模的互联网技术带到国内,同时也带来了国外新的创业模式,比如,风险基金、企业创始人制度、期权制度,等等,彻底颠覆了传统的商业模式,不仅创造了网络运营的新业态,为大众生活开启了以网络信息应用、消费为主的新的生活方式,也深刻改变了国内的商业生态体系,推动形成全新的市场运作规则和竞争秩序。

2001 年,我国加入 WTO,对外开放的市场化步伐迅速加快,包括现代企业制度在内的政策法规等也逐步健全和完善,这为创业者们创业创造了良好条件。这一阶段的创业者表现出更鲜明的机会型创业特点,在国内和国际两个市场寻找机会,既重视开发新产品,也重视创新商业模式以应对瞬息万变的市场需求。他们将以制造业为主的实体经济成功融入全球产业链分工,使我国获得"世界工厂"头衔,经济实现了跨越式高速发展,创造了世界经济发展的奇迹。

党的十八大以来,国家陆续推出如"大众创业,万众创新"等鼓励创新创业的政策,并持续改善创新创业环境。新时代,我国经济正由高速增长阶段转向高质量发展阶段。为此,党的十九大报告提出加快建设创新型国家的战略目标,指明了"2035 年基本实现社会主义现代化,我国经济实力、科技实力大幅跃升,跻身创新型国家前列"的发展方向。

这一阶段的创业者们极具创新意识和全球视野,他们抓住大数据、人工智能、量子信息、物联网等新技术与实体经济深度融合背景下产生的市场机会,投身于国家战略性新兴产业,十分重视对原创技术研发和基础设施建设的投入,善于运用全球研发协同网络,推动产学研紧密联系,努力构建企业创新生态体系,不断推动我国经济发展形成以创新驱动为特征的高质量与可持续发展模式。

通过以上对我国改革开放以来创业历史的梳理,不难得到本节开头提出的两个问题的答案。随着创业进程的推进,创新成分不断增加,同时创新的难度也越来越大。一方面,对于科技创新,由于高科技的创新严重依赖于基础理论的创新,目前有相当一部分的创业者、企业家特别重视理论和技术的研发,他们的企业也保持着蒸蒸日上的活力;另一方面,对于产品创新和商业模式创新,由于创业环境的日渐成熟,同质化的现象比较严重,一种新的产品和模式一经问世,很快就会出现一大批模仿者来抢夺市场,因此,创业者在创新上一定要保持持续的兴奋。

3.1.4 创业和就业的关系

创业,对于一部分人甘之如饴,对于另一部分人却是食之砒霜。从上一节内容可以知道,在我国改革开放 40 多年的发展历程中,创新创业行为一直相随地发展着,创业者、企业家以其执着的精神、强有力的执行力以及所获得的丰厚利润,赢得整个社会的赞誉与追随,"创业"在那些经济周期中是一份令人向往的"职业"。

然而随着近几年国际整体经济增速放缓,相当一部分中小企业的创业者面临经营困难、负债甚至破产的境遇,同时国家对一些行业进行重新调整与规划,民营企业就业群体直接被裁员也比比皆是,加之大国之间的博弈而产生的不确定性对股市等二级市场投资者造成重创,使得一直处于高增长率经济发展环境下的人们显得慌乱、焦虑;相反,体制内就业群体的收入受影响并不太大。现实中,创业者及其员工与体制内就业职工在收入与精神两方面的强烈对比,对社会整体的择业观产生了强烈的影响,在校大学生们更加注重未来职业的稳定性,收入、自身价值实现这些因素都排在工作稳定性之后,想当然地认为创业的不确定因素多,成功概率极低,就业则稳定、工作压力相比于创业要小很多,而对于创业和就业之间的辩证关系却不作更进一步的理性思考,这显然不利于对自身未来的规划。

创业与就业是一项事业的两个方面,创业者把握创业机会,掌控创业行为的全过程,但是"独木难成林""一个好汉三个帮",创业者根本无法独当一面,因此他会将复杂问题拆解,形成更小的、能够由一人或几人完成的子问题,这些子问题可以对应一定数量的就业岗位,创业者招聘前来求职的就业者为其完成各项子任务,最终以产品或服务的形式交付。从创业者的角度来看创业就是创造自己的事业,但从就业者的角度来看创业就是创造就业岗位。政府和社会对创业企业的评价体系中,有一项重要指标就是为多少人缴纳社保,也就是创造多少就业岗位。因此,可以说,没有创业者的创业行为,就不会有就业岗位。当大学生择业时选择了就业,一定要清楚只要存在一个就业岗位,那么一定存在一个创业者提供了这个岗位。

那么对于公务员、事业编制等国家体制内的工作人员,也存在创业者吗?答案是肯定的,提供体制内就业岗位的创业者正是中国共产党。党的领导人日理万机,在国与国之间进行博弈,谈下一个又一个国家层面的战略合作、贸易协议,最宏观层面的创业就是党所从事的事业,对外"开疆拓土",这才有了体制内"稳定"的工作岗位。但对于想在体制内就业的大学生却不能以"稳定"的心态应对这种确定性,这是因为体制内就业岗位,无论是行政编制、国企编制还是事业编制,更需要从业者具有高瞻远瞩的视野、理性敏锐的宏观洞察力以及细致入微的微观感知力。

拓展阅读

驻企服务员

"驻企服务员"这个角色,最初出现在浙江,一些市县的政府为了及时、准确了解企业的需求,将作为机关干部的公务员派驻到企业,一旦确定企业需求,则第一时间安排处理解决问题,打造一流的营商环境,为当地企业高效运营服务。

现在,国内越来越多的市、县开始开展"驻企服务员"工作。比如,安徽省为进一步优化营商环境,激发民营经济活力,推动县域经济高质量发展,坚持高质高效为企业服务。2023 年 6 月,颍上县选派了 21 名县直机关干部到企业开展驻企服务,他们将驻企跟班服务 1 个月时间,一对一担任 21 家重点民营企业服务专员,感受企业发展、了解经营发展、帮助解决问题。深入车间一线、融入生产各个环节、询问企业需求。驻企服务员与企业员工一同工作,并且"只干活不拿工资",他们要在二十多天的时间内,对企业生产经营、市场行情有一定了解。他们在"入职"企业前,都是颍上县政府各职能部门的干部,当他们身处一线,真切感受企业发展的酸甜苦辣咸后,"一对一"跟班服务时就能够很好地站在企业的角度思考问题,提供更加个性化的解决方案。

"驻企服务员"是惠企政策宣讲的"讲解员"、企业纾困解难的"服务员"、营造良好营商环境的"联络员",帮助企业解决实际问题,让企业切实感受到政府的关心,增强归属感和获得感。

大理白族自治州洱源县 2022 年开始将大力提升营商环境作为党委、政府的中心工作,先后选派 7 支驻企服务队、28 名"驻企服务员"进驻重点企业、重点项目开展跟踪服务。"服务员"们用心用情服务企业,有效推动项目落地和建设,在全县优化营商环境、干部队伍作风提升中发挥了示范带动作用。

2023 年,广东省梅州市市直机关工委在全市范围内开展市县两级机关党员驻企体验服务活动,进一步提高精准服务企业的质量和水平,助推全市经济高质量发展。以企业意愿为前提,按照每年不少于 5 批次,每批次不少于 100 家企业要求,每批次在市县两级机关中选派不少于 100 名党员,驻点联系对应的"四上"企业或拟培育"四上"企业("四上"企业是规模以上工业企业、资质等级建筑业企业、限额以上批零住餐企业、规模以上服务业企业等这四类规模以上企业的统称)。一家企业派驻 1 名党员担任"驻企体验服务员",服务时间为 2 个月,力争 3 年内实现有服务需求企业全覆盖。在市级层面,由零投诉机关单位中具有行政审批权限的 28 个单位,推荐若干名机关党员,要求政治素质好、业务能力强、工作作风实,有较强沟通协调能力。"驻企体验服务员"做到"三员四不",当好政策宣传员、问题协调员、政企联络员,不担任企业职务、不增加企业负担、不干预企业生产、不参与企业决策、不领取企业报酬。实行周报、月报制度,"驻企体验服务员"每周报告驻企工作情况,各县(市、区)每月总结驻企服务工作。对于企业反映的问题,属于本单位职责的,提交单位协调解决;不属于本单位职责的,转有关部门协调解决,清单推进、闭环解决。

创业是社会财富创造与积累的主要渠道,当前各地各级政府逐渐将自身从"管理者"转变为"服务员",为企业纾困解忧,全社会共同努力为经济发展努力。

因此,当前经济环境、科技发展环境下的大学生们无论选择创业还是就业,无论是体制外民营企业就业还是体制内编制就业,都要充满朝气,勇于创新,敢于实践,勤于学习,自觉自愿地努力工作,创好自己一生的事业。

3.2　创业者

3.2.1　创业者定义

创业者和企业家的英文词源为"entreprendre",是"去执行"的意思,现在的英文表述均为"entrepreneur"。经济学、管理学、社会学、心理学等众多学科从创业者不同角度展开研究,经济学聚焦于分析成功创业者的共性,目标在于找出其成功的相关因素,力求帮助投资者选择成功的创业者;社会学研究以不同的社会背景开展创业者与创业现象的分析;心理学研究力求通过创业者特质视角来分析创业成功的人的因素;管理学研究通过分析创业者的一系列行为,力求找出创业者与创业组织之间的关系以及创业者在组织中的领导能力。

国内外多学科学者为创业者所下定义有所不同。

创业者是将经济资源从生产率较低的区域转移到生产率较高区域的人,是组织生产和创造新价值过程的领导人。

创业者即创新者,这里创新包括 5 种形态:新产品提供、新生产力方法采用、新市场开辟、新原料运用、新产业组织形成。

创业者是能够辨认市场不均衡所带来的机会,采取行动,从中谋取利润,并且具有正确预期下次不均衡将在何时何地发生的能力的人。

创业者是一位有愿景,会利用机会,有强烈企图心的人,是愿意承担起一项新视野,组织经营团队,筹措所需资金,并且承担全部或大部分风险的人。

创业者主要以盈利和建立、管理业务为职责,主要特征是创新行为。

创业者是冒着社会、心理与财务上的风险,产生新事业,以获取独立与财务报酬的人。

创业者是新创企业的创建者和领导者,而领导是创业过程的核心成分,是创业获得竞争优势和成功的关键。

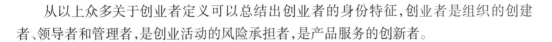

从以上众多关于创业者定义可以总结出创业者的身份特征,创业者是组织的创建者、领导者和管理者,是创业活动的风险承担者,是产品服务的创新者。

3.2.2　创业动机

3.2.2.1　创业动机的定义

创业者在经济发展中发挥着关键作用,他们可以创造就业、推动创新、增加市场竞争力,促进社会经济增长。同时,创业者也面临风险和不确定性,需要应对各种挑战,包括市场竞争、资金问题和管理挑战。因此,创业者通常需要具备坚定的信念和决心,以实现他们的商业目标。每个人都会有一种内在的需求,这种需求力量可以促使个人进行某项特定的活动,我们把这种内在需求称为动机。对于一项创业活动来说,创业动机是激发创业者选择创业的首要环节,并在之后的创业过程中维持创业者的创业活动直到实现创业目标。它是创业者内心的基础驱动力量。

创业动机是个体是否愿意成为创业者,从事创业活动的一种意愿的表现,并且这种意愿会影响创业者对创业机会的识别与评估,创业资源的运用以及创业模式的选择。创业者创业行为背后的驱动力,能够促使具有创业能力及条件的个体进行创业,因此,这个背后的驱动力是区分创业者与潜在创业者的重要因素。创业者组建企业所要达到的最终目标决定了创业者对于商业模式的选择,并决定着创业的成败。从创业过程的角度看,创业动机是个体对创业目标认识与自身的创业意愿或创业心理倾向相结合产生原动力推动、引导行为趋近创业目标的内部心理过程。从创业结果的角度,创业动机是一种激发、引导、维持个体创业行为的内在动力。

3.2.2.2　创业动机的分类

根据创业动机的不同,有的学者将创业者分为艺术型创业者和管理型创业者两种类型。艺术型创业者的创业动机来源于个人对自我的挑战,或者他本身就喜爱创业这种工作和生活方式,他享受着自己做老板的生活;管理型创业者的创业动机更多的来源于提高家庭生活质量或者获得大量的财富和经济利益,他们往往善于构建组织帮助自己获得良好的经济收益,并控制组织良好发展。相比而言,前者更加注重非经济利益,而后者更加重视经济利益。

如果从创业者的创业原因是主动还是被动这个角度去区分,又可以将创业者分为推动型创业者和拉动型创业者。推动型创业者本身并不是一个天生的创业者,他们往往不具有创业者特征,但是由于对现状不满,或者受到其他非创业者特征因素影响而选择被动进行创业,这一类创业者的创业行为被称作“推动型创业”。拉动型创业者往往是在“新创一个企业”或类似想法的吸引下,或者其本身所具有的理想的引导下,抑或是其本身想要通过创业追求自我价值的提升,再或是由于商业机会本身的吸引所主动产生创业行为。此类创业者对于经济利益看得相对较弱。

以上对创业者动机的分类，无论是什么提法，本质上都可以归为机会导向型和生存导向型。对于具体的创业者个体来说，他们的创业动机可能比较复杂，既具有个人的性格色彩，同时也受周围环境的影响，具有地区差异性，不同的年龄、阅历的人创业动机也往往不同。

3.2.2.3 创业动机的维度

创业动机的内涵十分丰富，当近距离接触创业者们，会发现他们的创业动机不尽相同，比如取得个人成就及社会地位，为家庭提供生活保障，对自己的生活享有控制的权力，平衡和灵活地兼顾工作和生活，终生不失业等。许多研究者展开了对创业人群创业动机的调查，调查方法往往基于社会学研究方法，比如扎根理论，与处于不同发展阶段的创业者们深入交流，再经过一系列的分析与整理，最终对创业动机得到结论性的总结，抽象出创业者们的共性。

一般来说，创业者创业动机可分为6个维度：财富需要、逃避需要、独立需要、发展需要、认可需要、成就需要。也有学者认为创业者持续创业的动力主要来源于存在的一系列创业目标，这些目标主要从4个维度来测量，分别是外在报酬、内在报酬、独立与自我控制和家庭保障。外在报酬多数指的是金钱、物质及金融资产等形式用来满足个体物质需要，内在报酬指的是得到认可、自我实现、接受挑战等用来满足个体精神需要，独立与自我控制指的是通过创业活动成为创业者来实现个体独立与自我控制，家庭保障指的是通过创业活动为自己和家庭提供保障。

比如，在我国，不同经济周期中都有科研人员选择创业，其原因有很多：获得经济回报；挑战自我、证明自我、获得更大的个人成就；将研究成果应用于实践，通过转化，为行业、为社会、为国家做贡献；不满足于当前的工作内容或者工作环境，当前正好处于职业晋升的空档期；等等。再比如，当前乡村振兴的背景下，选择到乡村发展民宿的创业者们，从内在驱动角度看，有的想带动身边的农民致富，带动家乡的经济发展；有的有乡土情结，想回到从小生活的地方；有的就想在家里就业，赚些收入。从外部驱动角度来看，有的原来是做相关行业的，像酒店之类的，改作民宿相对容易；有的是趁着地区旅游景点开发的契机而做的选择；有的是因为地区发展有些赞助的政策而选择做民宿的。又比如新生代大学生的创业动机有事业型的动机，实现个人理想、想当企业家、报效祖国、服务社会；有机会型的动机，响应国家"双创"的号召，或者发现了市场上短缺产品或服务；有生活型的动机，赚钱，享受自由自在的工作与生活方式。

无论创业者出于什么原因选择了创业，有一点是毋庸置疑的，大家都是想通过创业达到一个相比于当下让自己更满意的状态，获得一种自我的主观幸福感，我们可以把追求幸福感作为创业动机，也可以把它当作创业成果。"吃得苦中苦，方为人上人"就暗示成功的过程必然是伴随痛苦的。现实中，既有很多事业成功的创业者在痛苦中煎熬挣扎，也有很多创业者成为事业和幸福双丰收的"人生赢家"。

3.2.3　创业精神

3.2.3.1　创业精神的定义

创业精神是指一种积极的思维方式和行为态度,强调创造性思考、创新、冒险和自主性,以追求商业机会、解决问题和实现商业目标。创业精神通常与创业、创新和企业家精神相关联,但它也可以在各种环境和领域中发挥作用,包括组织内部、教育、科学和社会创新。

创业精神的第一个主题是追求环境的趋势和变化,而且往往是尚未被人们注意的趋势和变化。第二个重要的主题是创新。创业精神包含了变革、革新、转换和引入新方法,即新产品、新服务或者是做生意的新方式。第三个主题是增长。创业者追求增长,他们不满足于停留在小规模或现有的规模上,创业者希望他的企业能够尽可能的增长,员工能够拼命工作。因为他们在不断寻找新趋势和机会,不断地创新,不断地推出新产品和新的经营方式。

创业精神具有以下几方面特征:①高度的综合性。创业精神是由多种精神特质综合作用而成的。诸如创新精神、拼搏精神、进取精神、合作精神等等都是形成创业精神的特质精神。②三维整体性。无论是创业精神的产生、形成和内化,还是创业精神的外显、展现和外化,都是由哲学层次的创业思想和创业观念,心理学层次的创业个性和创业意志,行为学层次的创业作风和创业品质三个层面所构成的整体,缺少其中任何一个层面,都无法构成创业精神。③超越历史的先进性。创业精神的最终体现就是开创前无古人的事业,创业精神本身必然具有超越历史的先进性,想前人之不敢想、做前人之不敢做。④鲜明的时代特征。不同时代的人们面对着不同的物质生活和精神生活条件,创业精神的物质基础和精神营养也就各不相同,创业精神的具体内涵也就不同。创业精神对创业实践有重要意义,它是创业理想产生的原动力,是创业成功的重要保证。

3.2.3.2　创业精神与创新精神

创业精神强调创新,两者之间既有联系又有区别。创新精神是一种积极的思维和行为方式,鼓励个人和组织不断寻求新的、创造性的解决方案,以解决问题、创造价值和适应变化。强调创造力、勇气、适应性和持续改进。创新精神强调寻找新的观点、想法和方法,而不仅仅是遵循传统的做事方式。创新需要勇气,因为它通常涉及冒险、不确定性和风险。创新精神鼓励人们敢于尝试新事物。创新精神鼓励开放的思考,不受固有思维模式或偏见的束缚。创新精神鼓励人们主动探索新的领域、观点和机会,而不仅仅是停留在舒适区。创新精神要求适应不断变化的环境,寻找灵活的解决方案。团队合作是创新的关键,因为不同的思维和技能可以相互补充,促进新的思维和创意。创新精神强调不断改进和学习,不仅仅是一次性的创新。以利他为导向,确保创新解决方案真正满足市场需求。

创新精神可以在个人、组织和社会层面产生积极影响。在个人层面,创新精神有助于提高创造力、解决问题的能力,以及在职业生涯中追求新机会。在组织层面,创新精神有助于推动新产品和服务的开发,提高效率,增加竞争力,吸引人才,并实现可持续发展。在社会层面,创新精神推动社会变革和进步,促进可持续发展。因此,创新精神被认为是一个关键的素质,对于个人和组织来说都非常重要。

创业精神相比于创新精神,更加强调一个"实"字,追求创新成果的实践落地,切切实实地解决真实世界的真实问题。

3.2.3.3　就业者的创业精神

创业者具备创业精神,就业者也应当具备创业精神。现在在就业市场上,求职者常常会看到这种情况———一些公司的招聘信息会要求应聘者具有创业精神,尤其对于一些初创企业来说,具有创业精神的员工可能就意味着他能吃苦、能加班、对工资的要求还不是特别高。但创业精神的内涵应该远不止这几个维度,甚至可以说仅仅能吃苦、能加班、不要求高工资,这跟创业精神没有太大联系。

具备创业精神的人首先确实要能吃苦,不怕吃苦,但吃苦要吃到点子上,要吃那些能够扩展自身深度和广度的苦,可以是学习的苦、实践的苦、认知提升的苦、技术精进的苦、问题解决的苦,绝不可以吃重复的苦。

具备创业精神的人还应该专注,工作效率高,聚焦于提升自己的核心竞争力,无论是整体的项目推进,还是日常的零散任务,都能够快速抓住核心要素。

具备创业精神的人自我要求一定是非常高的,简单来说就是自律,要求自己一定要达到某个高度,并且愿意为这个目标付出艰辛。

具备创业精神的人当然少不了创新,对外界新鲜事物极度敏感,快速地自我迭代,自我成长,永远保持自我的创造性。

大学生如果具有以上创业精神,那么就意味着其工作的过程也是自我价值实现的过程,而对于企业来讲,能够招聘到这样的员工,非常难得。

就业者可以具备创业精神,创业者也可能不具备这些创业精神,如果一个创业者仅仅凭最初的一腔热血而缺乏强大精神内核的话,其创业过程很可能带给他的是巨大的压力,甚至是创业失败的结局。但如果有一天创业者成长为企业家,那么他的内在精神就不再仅仅局限于把创业事业做好的层面,他的精神内核中将会增加家国情怀、社会责任、政治修养等这些元素。

3.2.4　成功创业者的特征

3.2.4.1　成功创业者的定义

创业不是一件确定能成功的事情,创业成功的概率在数据上显示并不高,可以说创业成功是一个小概率事件。为了探寻创业成功的因素,不同学科学者从不同角度去研究成功创业,大多数学者聚焦于两个角度,一个是成功创业者本身,另一个是成功新创企业,提炼出十个成功创业标准要素:①盈利性;②企业成长;③公司持续经营;④创业者个人满意度;⑤企业利益相关者满意;⑥创业和生活的平衡;⑦企业产品和服务的有用性;⑧公众认可;⑨对社会的回馈和贡献;⑩创新。这些维度的内容包含了创业经济回报、创业者心理成功和创业社会影响力的相关标准。

总的来说,成功创业包括创业者个人成功维度和创业企业成功维度这两个元维度。其中创业者个人成功维度的标准中,最重要的就是个人满意度、利润、创业与生活的平衡,个人满意度和企业成长是创业者个人成功维度的两极。

成功创业简单理解就是指创业企业可以自给自足经营,或者是已经建立了成熟的盈利模式,预期企业在现实中成长稳定,并可以实现良性发展。自然,成功创业者就是指拥有这样的创业企业的人。

3.2.4.2 成功创业者的素质

以"生命以负熵为生"去理解成功创业者,可以说成功创业者就是能够极大概率地将不确定性转化为确定性的人,他们在创业能力上表现为对各自领域专业知识技能的掌握,每个创业者的能力优势可能各不相同,但在心理特征上,却具有共性。

成功创业者的性格特征具体表现为外表温和,情感内敛,待人和蔼,乐于倾听,遇事冷静,不会随波逐流人云亦云。

成功创业者一般思维敏捷,想常人所不想,善于捕捉商机,点子多;具有远见卓识,视野开阔,大处着眼;大公无私,与人分享,共荣共赢方可大赢。在行为模式上,持之以恒,做别人做不到的事情,有耐心,有毅力;广结善缘,善于沟通,人脉广泛,资源众多;严于律己,律己才能律人,管好自己才能领导众人;终身学习,学习新知识、新技术,才能有新创意、新成果;能屈能伸,在不得志的时候能忍耐,在得志的时候能大干一番。

对成功创业者的研究一般为在一个较长时间段内,选择大范围区域内最成功的创业者,对其进行观察,并归纳出他们共同的基本素质。其基本素质归纳为 19 项:工作效率高;有主动进取心;逻辑思维能力强;富有创造性;判断力强;有较强的自信心;能辅助他人,指导其工作;以身作则,遵守规章制度;善于使用个人权利;善于动员群众力量;善于利用交谈开展工作;关心下级乃至其家庭生活,建立亲密的人际关系;乐观豁达;善于同职工一起并肩苦干;自制力强;主动果断,能在思考后立即决定;客观,能听取各种意见;能进行正确的自我批评;灵活性强,勤俭艰苦。

需要说明的是,成功创业者具备以上的性格与素质特征,但并不是具有以上性格与素质特征的创业者都能够确定性地获得创业成功,因为创业是一个复杂问题,受个人自身素质和外界环境双重影响。

3.2.4.3 成功创业者的能力

创业者的创业能力是其获得创业成功非常重要的因素,这里从认知、实践、评价三个角度来谈这个问题。一般而言,主体的主观认知从实践而来,实践越发展,认知也随之发展,通过实践能够锻炼和提高认知能力。反过来,认知反作用于实践,正确的认知能够指导实践取得成功,错误认知会把人们的实践活动引向歧途。那么该如何检验一种认知是否正确反映了客观事物,需要联结主观与客观的实践来检验。通过实践,把指导自身实践的认知和实践所产生的结果加以对照,从而检验认知是否正确地反映了客观事物。

在创业中认知与实践相互作用,相互促进。创业者创业之初所具备的认知水平和实践能力决定了他一段时间内创业所能达到的高度,而对实践过程和结果的评价能力是创业者认知水平和实践能力进一步提高的基础。评价包括对实践过程的反思和复盘,总结经验、吸取教训、调整方案。在实践和评价的交替过程中,认知水平进一步提升,从而进一步指导实践能力的提升。

具体展开来说,创业者的认知能力对创业起到了促进作用。首先,认知能力的提高,可以通过打造自身以朋友为基础的人际网络,提高创业者个人的社会交往能力,扩大个人的社交网络,可以理解为创业者个人的社会资本,而社会资本又可以增加个体之间的交流,为创业者提供更多的资源,比如资金、人才,等等,能够缓解创业者可能面临的资金约束,同时增加创业收入;其次,认知能力越高的创业者,其信息搜集与整理能力越强,他们通过拓宽信息获取途径和渠道,获得更多的资源和知识,从而促进创业决策。因此,可以说,认知能力对创业决策和创业收益具有正向影响。

创业项目落地的过程中,创业者一方面要有认知,另一个方面还要讲实践,也可以笼统地认为创业者通过实践将认知落地。创业者要有"画饼"的能力,这个"饼"是自身对未来发展的规划,是带有方向性的目标,擅长"画饼"就是要把未来给追随者讲出来,达到相互之间的认可,在自己身边聚集起一起创业的伙伴,这块饼当然也要讲给投资人听,获得认可后,才能融到创业资金;"画饼"是认知层面的问题,接下来,创业者还要有"烙饼"的能力,也就是强有力的执行力,面向那个画出来的"饼",有步骤有计划地实施,直至目标实现,"饼饼能烙熟",事事有着落;对市场敏锐的判断力,洞悉人性,体察不同人群的"痛点",开发出解决这些"痛点"的产品和服务,这一点与其说创业者要擅长捕捉市场信息,倒不如说创业者要时刻怀着利他之心,行利他之事,就不怕产品和服务没有用户;渠道建设能力,连结产品和用户,这是创业者认知能力、实践能力能否变现的关键。

成功创业者的研究总结了创业成功者所具备的能力,按重要程度依次为:财务管理经验与能力;交流与人际关系能力;激励下属的能力;行业及技术知识;领导与管理能力;对下属培养与选择能力;远见与洞察能力;与重要客户建立关系的能力;自我激励与自我突破;创造性;决策与计划能力;组织能力;市场营销能力;向下级授权能力;建立各种关系的能力;个人适应能力;人事管理的水平;工作效率与时间管理水平;形成良好企业文化的能力;技术发展趋势预测能力。

3.2.4.4 成功创业者识别

创业者的个人素质决定了创业团队的发展和企业的经营绩效,企业的经营目标要求创业者不断成长,两者相辅相成,不断相互促进。为了有效确立和甄别创业者赖以成功的个人深层次特征,必须建立创业成功者核心素质构成模型。在核心素质集合中,有些素质特征是显性的,容易识别的;有些素质特征则是隐性的,在短期接触过程中,对于风险投资人来说并不容易识别,所以创业领域的研究者在创业人才核心素质构成模型的基础上,还会开发相适应的核心素质测评工具箱或测评题库,将创业人才的核心素质尽可能有效地测试出来,帮助企业找到合适的人员来完成其经营目标,或者使创业者的相关个人素质作为明确发展和培养的目标。

人是最复杂的,对创业者核心素质的有效测评是一个繁杂的技术支持系统,涉及多种测评工具的应用,恰当有效的素质识别方法是运用多种工具来评定受测对象的核心素质,从而预测他们是否能成为成功的创业者。这是因为不同的工具都是基于特定的理论基础和假设前提,测评的重点也往往局限于单一的素质类型,很难提供一个针对创业者核心素质构成模型全貌的结论。因此,运用多种工具对核心素质进行测评,既可以获得对个体特征全貌的认识,也可使不同的测评工具所得出的结论互相印证。特别是在出现了结论相互矛盾的时候,可以深入分析原因,找出测评过程中出现的偏差因素。但这是一个相当繁杂的工程,涉及心理学、测量学、管理信息系统等多种现代管理理论。

从素质冰山模型可以非常清晰地感知素质是由显性后天习得的知识、技能,隐性天赋的能力和趋向于人格特征的个体特征所组成,在工作中表现为外在的行为、行为的强度和方向直接决定了个人的绩效结果行为更容易度量,这是因为人的行为能够被观察得到,核心素质在相当程度上是可以通过行为推断出来。

比如,北森一体化人才测评体系是当前较为成熟的人才评估与识别系统,主要作用是帮助企业了解员工的个性、能力、动机和价值观等方面,以更好地进行人才选拔和职业规划。首先,测评体系测评员工的个性特征,包括员工的性格、情感、态度、价值观等方面。其次,测评员工的能力素质,包括员工的知识、技能、思维能力、沟通能力等方面。最后,测评员工的动机和价值观。员工的动机和价值观,对工作表现和团队合作产生重要的影响。

再比如,广东科计人才发展研究中心推出面向人生不同阶段和不同人生选择的人才评估系统。在就业角度,以岗位胜任能力/任职资格体系为基础,通过多维度测评,深度洞察个人特点与优势潜能,在员工招聘/晋升时提供更科学、更深入的数据基础。基层的员工从操作技能、专业出发,管理层从执行力、管理能力角度,定岗定策,满足不同岗位员工晋升评估的需求。在创业角度,创业者的心理素质对于创业而言有着举足轻重的关键作用,良好的心理素质是构筑成功创业的基石。什么人适合创业? 在创业团队中,适合承担什么角色? 在创业团队中,每个个体的潜能优势是什么? 这是每一个创业者都需要思考的问题,也是创业团队共同需要思考的问题,借助于人才评估系统,可以较为准确地定位个人选择。

3.2.5 创业压力

由于创业实践本质上属于高风险、高失败率的经济活动,这使得创业者在创业过程中经常遭遇各种经济困境与身心挫折,并由此造成巨大的创业压力。本质上讲,创业压力是创业者在创业过程中,长时间处于高工作需求状态,与低资源供给不匹配时所产生的一种心理状态,创业压力会直接影响创业者在创业过程中的具体行为意愿。创业者的创业压力越大,表明其拥有的创业资源越难以满足完成创业活动的实际需要。创业者的创业动机、创业认知能力都与创业行为存在一定的必然联系,当然创业者对创业压力的认知作用于创业行为的同时,也深刻影响着创业者对创业所持的态度。

创业者在创业活动中面临高风险、不确定性和巨大的工作量,并承担着相当的责任,承受着很大的压力。在高成就动机的驱使下,创业者为了获得更好的业绩而将自己置于高压之下。

那么创业压力对创业行为的影响是正向的,还是负向的呢?解答这个问题,首先要解析压力的不同类型。在学者们对压力的研究之初,便认为压力是有"好坏"之分的。并将压力分为挑战性压力(challenge stressors)与阻碍性压力(hindrance stressors)。挑战性压力,比如,时间压力、工作负荷等,会给个人工作带来积极影响;而阻碍性压力,如资源限制、组织政治等,不利于个体目标的实现。对创业者来说,挑战性压力是其能够克服、对绩效与成长具有积极意义的压力,而阻碍性压力是其难以克服,对目标实现与个人发展具有阻碍作用的压力。

巨大的创业压力往往导致创业者身心俱疲,直接影响其创业行为。同时,个体在面对压力时也会调动自身能量去应对这种挑战,从而达到目标、完成任务。例如:压力可以提高创业者处理信息和执行任务的效率;压力能够推动创业者在困难的条件下更加努力工作,取得高的绩效表现。可以说,挑战性压力正向影响工作绩效。

阻碍性压力涉及角色模糊度、组织政治、工作安全性、情境限制等因素,而个体在面对阻碍性压力时,会认为付出努力与需求满足不相关,因此具有低动机水平,表现为不愿做出努力。面对环境中的限制条件,比如,缺少必要的生产工具等,创业者个体会认为无法通过自己的努力完成任务,从而影响其行动。

不同类型的压力会引起人们不同的情绪反应和行为,人们在应对压力的过程中,会经历评价和应对两个过程。对于一般职业人群,尽管阻碍性压力和挑战性压力都会提升人们的紧张度,但是挑战性压力会促进人们产生积极情绪,对工作表示满意,而阻碍性压力会导致消极情绪和离职行为。但与职场雇员群体相比,创业者群体在个人成就动机、压力承受度方面更高,因此,该群体对阻碍性压力的评价和应对与一般群体不同。

面对外界需求的压力,若个体认为通过付出努力可以满足外界需求,则会产生高动机水平去积极应对压力。一般情况下,创业者倾向于相信自己能够控制自己的命运,而不是受环境控制。因此,创业者在面对一般人认为的情境压力时,在高成就动机下会以积极情绪主动应对,在面对挑战和逆境时常常表现出更多的活力、激情和坚持不懈。

从以上的分析中可以看出,创业者面对压力时,无论是挑战性压力还是阻碍性压力,都会在高成就动机的驱动下去主动应对压力。

接下来,还要解析一个与创业压力相关性较强的概念:创业焦虑。创业焦虑的本质是创业和在处理创业相关活动时,经历的紧张感和担忧的倾向。这种紧张和担忧可能源于创业者个体的性格,也可能源与创业相关的事件。著名企业家任正非曾经这样描述他的创业焦虑"2000 年左右,我经常半夜吓醒。每个月都要发 3 个亿的薪水,真怕哪一天发不出来,怎么办? 创业 30 年,只有痛苦痛苦、还是痛苦。"

长期的压力需要适当的释放,在跟踪访问大量创业者后发现,绝大多数较为成功的创业者都会有自己的兴趣爱好,比如,练习书法、爬山、滑雪、攀岩,让自己从创业的难事、琐事中暂时脱离,享受一下内心的宁静,是释放压力的好办法。

但创业焦虑很难通过"躲一时清净"这种办法来缓解。具体到选择创业的大学毕业生面临的创业焦虑,可以总结为大学毕业生在企业初创及其发展的过程中,不自觉地受到社会情绪的感染,比如,由于榜样号召而把自己幻想成成功者,但在创业中发现现实与幻想存在着巨大落差,经受着现实中来自创业各方面的压力与挫折,如果长时间处于这样困境,并在这种忧虑情绪中无法自拔,会造成焦躁、紧张、悲观甚至出现偏执行为等。适度焦虑于创业有益无害,过度焦虑则属情绪陷阱,要尽力化解。

这里仅仅就大学毕业生初创企业阶段的创业焦虑,分享几个缓解焦虑的方法。

第一,为事业设定现实主义、避免理想主义的目标。缺乏经验或完美主义倾向的创业者容易把愿景和目标混淆起来。对立志创业的年轻人来说,"要做就做最好"固然不错,但在具体实施时却必须面对现实。即便愿景是成为所在市场的 NO.1,第一步仍需解决生存问题。第一位客户、第一个订单、第一笔利润,对于刚起步的创业者来说,足以令人欣慰。

第二,准备充分再创业。人们之所以会感受到压力,最常见的原因是做着不愿意做却不得不做或不擅长却不得不做好的事情。因此,初次创业的大学生尤其要有充分的准备面对创业过程中许多情非得已的妥协、承受和违心的应对。创业成功后的蓝图固然充满诱惑,但从创业到成功从来就没有一条坦途,必须要做好应对一路荆棘的准备。

第三,平常心。俗话说,谋事在人,成事在天,创业成功不仅仰赖创业者以及团队的不懈奋斗,许多时候也仰赖偶然因素。一个每一步都做对了的创业者,最终未必成功;而另一个跌跌撞撞走了许多弯路的创业者,也有可能笑到最后。所以,在决策应对时,不妨以一颗平常心待之,企图心少一分,压力就少一分。

第四,直面并坦然接受挫败。不愿面对挫败是人之常情,因为挫败会降低自尊感、削弱自我评价。但对创业者来说,直面挫败是必修课。

第五,创业不是生活的全部,创业是生活的一部分。尤其对于已经成家的大学毕业创业者们来说,和睦的家庭是创业者在面对压力和危机时最好的社会支持来源。同时,与家人共享天伦之乐也是创业者最好的放松方式,有助于创业者增强信心、体验到幸福。能体验到幸福的人通常不容易过度焦虑。

3.3 创业机会

3.3.1 商机的概念

商机就是个人、群体或组织在环境中发现需求,从而对拟创办的企业产生的初步设想。商机无论大小,从经济意义上讲一定它是能由此产生利润的机会。本质上,商机是需求已经产生,但满足需求的方式在时间、地点、成本、数量、对象上却出现了不平衡的状况。旧的商机消失了,新的商机又会出现。没有商机,就不会有交易活动。

那么商机从哪里来呢?我们可以抬头看天,低头看地,"左顾右盼"看人间,可以说商机无处不在。总的来说,可以用以下的方法去寻找商机。

第一,寻找生活中的"不满意"。生活中有着诸多的"不满意",譬如路途过远、排队太慢、效率不高、选择过少……诸多的"不满意"背后,其实是诸多的诉求和期望,而如何解决这些需求,化"不满"为"满意",正是创业者的创业思路之源。将生活中的不便和不满转化为良好的创业思路,是可信可行的。一旦拥有了这个思维角度,我们会发现,其实生活周边蕴藏了很多创业思路,最初一句小小的"不满意",在有心人眼中或许大有可为。

拓展阅读

"饿了么"的创业故事开始于 2008 年,当时张旭豪和他的几个小伙伴康嘉、汪渊、叶峰、曹文学还都在上海交通大学读研究生,一天晚上,张旭豪和几位舍友在宿舍熬夜时感到饥饿,发现学校食堂已经关闭,这时他产生了创建一个外卖平台的想法,于是,张旭豪和几位同学开始着手创建饿了么,但需要说明的是,那时饿了么还不叫饿了么,叫饭急送。在创业初期,张旭豪和团队成员承包了附近的餐馆,并雇用了一些女生作为接话员,他们通过发放传单来宣传服务,接到订单后,他们便骑着电动车送餐。

到 2009 年 4 月,他们已经开始准备开发网络订餐系统,使餐饮业逐步走向信息化,软件学院的叶峰看好这个创业"突破口"。于是,"饿了么"网络订餐服务平台的创业团队初步形成了。而平台的名字也一直是团队成员们讨论的问题,最终"饿了么"这句学生间的点外卖口头禅最终胜出,以它的亲切顺口成了公司的响亮大名。最初的启动资金全靠几个人东拼西凑,连学费都没能幸免。为了全情投入,张旭豪主动放弃去香港理工大学深造的机会,与康嘉一起选择休学。而叶峰则在 2010 年本科毕业后,放弃了进入微软的机会,和大家一起奋斗创业。为了筹集资金,张旭豪参加了各种创业大赛,并赢得了一些奖金,这些奖金对他们初创公司来说是一笔巨大的帮助。2018年饿了么被阿里巴巴以高达95亿美元的价格收购。当初的一个"不满意"发展到95亿美元收购价格,中间凝聚了张旭豪和各位团队小伙伴的创意和实干。

第二,关注环境变化。环境是不断发展变化的,政策的变更、经济的发展、消费理念的更迭、顾客群体的结构变化等,这些变化均会带来很多机遇,创业者应善于从变化中发现商机。宏观层面,国家整体环境受国家的方针政策、法律法规、社会经济状况、科学技术水平等因素的直接影响,与社会发展趋势相辅相成。

📖 拓展阅读

2021年第七届中国国际"互联网+"大学生创新创业大赛获国家银奖的一个项目,四川大学零碳动力团队利用固态储氢原理将氢原子储存在晶格间隙中,其低压特性使得储氢装置的安全性大幅提升;同时首创 V-Ti-Cr-Fe 四元合金储氢技术实现设备国产化,降低加氢站建设成本近87%,氢能终端使用成本降低30%,参赛时团队已经获得了三项核心专利,十七项相关专利,产品已经在厚普股份中值一客的燃料电池公交车实验平台上安全试运行超过600小时,并与成都上泰、背景格瑞源等公司签订了购买协议。这些年,大赛涌现出众多关于"新能源""绿色低碳"类的好项目,这跟国家政策导向、社会发展大趋势是分不开的。

当然,局部环境的变化中也存在着很多机会。局部环境又称行业环境,做好行业环境分析对新创企业非常重要。创业者们在创业前要详细调查行业现状,获悉行业内的竞争程度及变化趋势,在充分了解人们对行业现有产品或服务的态度后,对比分析自己的优势与核心竞争力,再慎重做出选择。

第三,广泛地关注社会,根植于社会的真实场景。当前大学生就业形势不是特别好,大学生们开始自嘲是否要脱掉身上孔乙己的长衫,大可不必,大学生受过高等教育,知识或技能在身,思想新鲜、血液新鲜,远不是迂腐的孔乙己了,当前只需要脱掉鞋子,真真正正地踩在大地上,扎下根,来了解身边的社会到底是什么样子,到底需要什么,自己到底要做些什么才能让社会变得更好。

与商机相关的案例较多,其中,有的已经成为创业项目,实际落了地,创造了巨额的利润,有的还只是一个机会,还有的在政策鼓励的赛道上逐步孵化。总结一下,什么样的商机才更具备商业价值呢?

首先,应符合社会发展趋势。创业者所要创造的产品或服务需贴合社会发展大趋势,一方面大趋势下聚集着庞大的人群,他们有着共同的需求;另一方面符合社会大趋势的项目具有生命力,能持续兴旺,而不符合社会发展趋势的项目会逐渐衰弱。

其次,要能够解决某个具体的问题。只有解决了具体问题的项目才会持久,具有源源不断的消费群。

再次,应有市场潜力。市场潜力是指具有足够潜在增长空间的正向市场需求,即未来有多少消费者。是否有市场潜力要数据来说话,要进行详细的问卷调查来把握消费者规模。

最后,还要再一次强调,要满足用户的真实需求,所谓真实需求就是确实有人愿意购买这样的产品和服务,而不是创业者拍脑袋想出来的伪需求。

3.3.2 创业机会识别与评价

如何判断一个商机是否具有商业价值呢?从学术界和商业界两个角度看看哪些商机属于好的创业机会。

创业,在本质上是发现和识别创业机会,通过资源整合、创造新颖的产品或服务、实现其潜在价值并且取得竞争优势的过程。可以说,作为一个创业者,识别创业机会是迈向成功的第一步。

创业是从创业者发现、把握、利用适当的创业机会开始的,面对众多的可能的创业机会,创业者就需要进行创业机会的理性辨识。创业机会,即适于创业的商业机会,是指具有吸引力的、较为持久的有利于创业的商业活动空间,创业者可以基于此为客户提供有价值的产品或服务,并同时使创业者自身获益。

蒂蒙斯总结概括了一个评价创业机会的体系,其中涉及八个大类52项指标(见表3.1)。尽管蒂蒙斯也承认,现实中有成千上万适合创业者的特定机会,未必都能与这个评价框架相契合。但这个框架几乎涵盖了需要考虑的内容,是目前包含评价指标比较完全的一个体系。

蒂蒙斯创业机会评价体系的八个大类分别是:行业和市场、经济因素、收获条件、竞争优势、管理团队、致命缺陷问题、个人标准、理想与现实的战略差异,其中的底层逻辑是判断一个创业机会的优劣。

首先看市场,这个创业机会所在的行业是否新兴行业,如果是,市场竞争机势必还不完善;产品对市场的影响力是否大;附加值是否高;顾客是否可以接受;是否愿意为此付费;项目所在市场规模有多大;是否拥有低成本的供货商;将要开发的产品生命是否长久等等。总结来说就是大环境对机会是否友好。

其次看经济方面的因素,从这个角度来看创业机会,用大白话说就是给这个机会算算账,能不能赚钱,能不能持续地赚钱;这个创业项目达到盈亏平衡点所需要的时间是否需要一年半到两年或两年以上;投资回报率是否在25%以上;项目对资金的要求大不大;销售额的年增长率是否高于15%;是否有良好的现金流量(能占有销售额的20%~30%,甚至30%以上);是否能获得持久的毛利(毛利率要达到40%以上);如果能获得持久的税后利润,税后利润率是否超过10%;运营所需要的资金多不多;研发工作对资金要求高不高,等等。这个账算的很细,需要创业者对项目本身有非常深入的理解。

接下来看项目的竞争优势,这个创业项目当前是否已经获得或可以获得对专利所有权的保护;所拥有的专利是否具有某种独占性优势;固定成本和可变成本是否足够低;对成本、价格和销售渠道是否较强的把控;竞争对手是否尚未觉醒,竞争较弱。如果项目自身具有核心竞争力,同时外部环境的竞争力又弱,那想当然的就是不错的。

再下来看管理团队,无论市场再好、项目预期再赚钱,如果没有一个好的管理团队去运营也是难以成功的,创业团队是不是一个优秀管理者的组合,所拥有的行业和技术经验是否达到了本行业内的最高水平,管理团队的正直廉洁程度如何,管理团队是否对自己的弱势有所感知。对创业团队自身是否有深刻的了解,也是考量创业者面对创业机会时是否更理性,更客观。

从创业者自身来看,创业者个人目标与创业活动是否相符合;创业者是否可以做到在有限的风险下实现成功;创业者是否能接受薪水减少等损失;创业者是否只是渴望创业式的生活方式,而不只是为了赚大钱;创业者是否可以承受适当的风险;创业者是否可以很好地处理压力。创业者的内心状态一定程度上影响了创业项目的成败。

然后从理想与现实之间的战略差异来看,理想中的情况是否与现实相吻合,管理团队是不是目前最好的了,所创办的事业是否顺应时代潮流,是否具备灵活的适应能力,能否快速地进行取舍,是否始终在寻找新的机会,是否允许失败,等等。理想是丰满的,现实总是骨感的,创业者对于创业项目的理想与现实之间的差异不能太大。

看收获条件,项目带来的附加价值是否具有较高的战略意义;是否存在现有的或可预料的退出方式;对资本市场环境是否有利,是否可以实现资本的流动。

最后,如果以上一切看起来都比较完美,市场很好、项目很好、团队也靠谱、创业个人也喜欢,但还需要考虑一个维度,就是这个创业项目是否存在致命的缺陷,比如政策不允许、商业模式逻辑不通,等等,当然创业项目的致命缺陷应该是最早被识别的,一般没有致命缺陷的项目才会进入到评估流程中。

利用蒂蒙斯创业机会评价体系去评价一下商机是不是一个好的创业机会,前提是要把自身带入创业者角色,并模拟自己已经有创业团队,这时可能会出现这样的情况,对于张三同学是个好机会,但对于李四同学又不是一个好机会,创业者和创业机会之间也要讲求一定的匹配度。这就需要大学生客观且谨慎地市场调研和深入思考,才能得到自己的答案。

表3.1 蒂蒙斯创业机会评价框架

评估框架	评估指标	评估结果
行业和市场	1. 市场容易识别,可以带来持续收入	
	2. 顾客可以接受产品或服务,愿意为此付费	
	3. 产品的附加值高	
	4. 产品对市场的影响力大	
	5. 将要开发的产品生命长久	
	6. 项目所在的行业是新兴行业,竞争不完善	
	7. 市场规模大,销售潜力达到1000万到10亿元	
	8. 市场成长率在30%~50%	
	9. 现有厂商的生产能力几乎饱和	
	10. 在5年内能占据市场的领导地位,达到20%以上	
	11. 拥有低成本的供货商,具有成本优势	
	满分:<u>110</u> 机会分值:____ 机会比例:_____%	
经济因素	1. 达到盈亏平衡点所需要的时间在1.5~2年,或2年以上	
	2. 盈亏平衡点不会逐渐提高	
	3. 投资回报率在25%以上	
	4. 项目对资金的要求不是很大,能够获得融资	
	5. 销售额的年增长率高于15%	
	6. 有良好的现金流量,能占有销售额的20%~30%,甚至30%以上	
	7. 能获得持久的毛利,毛利率要达到40%以上	
	8. 能获得持久的税后利润,税后利润率要超过10%	
	9. 资产集中程度低	
	10. 运营资金不多,需求量是逐渐增加的	
	11. 研究开发工作对资金的要求不高	
	满分:<u>110</u> 机会分值:____ 机会比例:_____%	
收获条件	1. 项目带来的附加价值具有较高的战略意义	
	2. 存在现有的或可预料的退出方式	
	3. 资本市场环境有利,可以实现资本的流动	
	满分:<u>30</u> 机会分值:____ 机会比例:_____%	

续表 3.1

评估框架	评估指标	评估结果
竞争优势	1. 固定成本和可变成本低	
	2. 对成本、价格和销售的控制较高	
	3. 已经获得或可以获得对专利所有权的保护	
	4. 竞争对手尚未觉醒,竞争较弱	
	5. 拥有专利或具有某种独占性优势	
	6. 拥有发展良好的网络关系,容易获得合同	
	7. 拥有杰出的管理团队	
	满分:70　机会分值:____机会比例:_____%	
管理团队	1. 创业者团队是一个优秀管理者的组合	
	2. 行业和技术经验达到了本行业内的最高水平	
	3. 管理团队的正直廉洁程度能达到最高水准	
	4. 管理团队知道自己缺乏哪些方面的知识	
	满分:40　机会分值:____机会比例:_____%	
致命缺陷问题	不存在任何致命缺点问题	
	满分:10　机会分值:____机会比例:_____%	
个人标准	1. 个人目标与创业活动相符合	
	2. 创业者可以做到在有限的风险下实现成功	
	3. 创业者能接受薪水减少等损失	
	4. 创业者渴望创业式的生活方式,而不只是为了赚大钱	
	5. 创业者可以承受适当的风险	
	6. 创业者在压力下状态依然良好	
	满分:60　机会分值:____机会比例:_____%	
理想与现实的战略差异	1. 理想与现实情况相吻合	
	2. 管理团队已经是最好的	
	3. 在客服服务管理方面有很好的服务理念	
	4. 所创办的事业顺应时代潮流	
	5. 所采取的技术具有突破性,不存在许多替代品或竞争对手	
	6. 具备灵活的适应能力,能快速地进行取舍	
	7. 始终在寻找新的机会	
	8. 定价与市场领先者几乎持平	
	9. 能够获得销售渠道,或已经拥有现成的网络	
	10. 能够允许失败	
	满分:100　机会分值:____机会比例:_____%	

续表3.1

评估框架	评估指标	评估结果
汇总评估 结果	满分:<u>530</u>　机会分值:＿＿机会比例:＿＿%	

3.4　创业团队

3.4.1　创业团队的基本要素

很多成功的企业家都有这样一个共识:宁可选择一个一流的团队来做一件二流三流的事,也不会去选择一个三流的团队来做一件一流的事。在企业的发展过程里,团队是企业的第一核心竞争力,其次才是产品,有好团队才有可能做出好产品。

团队是一个共同体,合理利用共同体中每一个成员的知识和技能协同工作,解决问题,最终达到共同目标。创业团队一般由少数技能互补的创业者组织在一起,为了实现共同的创业目标,实施一个能使他们彼此担负责任的程序,共同为达成高品质的结果而努力。一个创业团队最基本的要素有哪些呢? 行业内判断一个创业团队是否一流的团队,都有哪些标准呢? 一般来说从五个方面来评价创业团队:目标(Purpose)、人(Person)、定位(Position)、权限(Power)和计划(Plan),这就是创业团队需要具备的5个重要的组成要素,简称5P原则。

拓展阅读

雷军因上市公司金山董事长和小米创始人的身份而为人熟知,他在小米公司创业初期找到7个极强合伙人的故事一度被传为佳话。也正是因为雷军在找人阶段正确投入,让小米一直保持强大的生命力。雷军在第一部安卓手机出现时,就强烈感觉到安卓将会有广阔的市场,于是他决定创业做手机,尽管之前没有从事过硬件产业,但他不想错过中国下一个十年的机会。

创业首要的一个任务就是找人。无论什么样的企业,找优秀的人都很困难。解决这个问题只有两种办法:第一,花至少70%的时间找人;第二,把现有的产品和业务做好,展示未来的发展空间和机会,筑巢引凤。小米创立初期,规模小,甚至连产品都没有,如何组建极强的团队? 如何获得对方的信任? 所以在最开始创业的半年间,雷军将80%的时间都花在找人上。雷军虽然是连续创业者,但没有接触过硬件,因此对他来说最难搞定的,就是优秀的硬件工程师。雷军的做法是用Excel表列了很长的名单,然后一个个去谈。

雷军的用人观点是要用最好的人,在核心人才上面,一定要不惜血本去找。这些优秀的人大多有所成,要让他们自己去发现答案,为何要舍去目前的一切和他一起做看似疯狂的事情呢?那时候雷军每天见很多人,跟每个人介绍他是谁谁谁,他做了什么事,他想找什么人,能不能给他一个机会见面谈谈。结果失败的比例很高,即使每天从早上谈到晚上一两点,仍迟迟找不到志同道合的人,对雷军来说是巨大的煎熬。但他相信事在人为,创业者招不到人才,只是因为投入的精力还不够多。为了找到一个非常资深和出色的硬件工程师,他连续打了 90 多个电话。为了说服硬件工程师加入小米,几个合伙人轮流和他交流,当时他没有创业的决心,始终不相信小米模式能盈利,后来雷军开玩笑问他,"你觉得你钱多还是我钱多?"这位硬件工程师说当然是雷军钱多,雷军就对他说"那就说明我比你会挣钱,不如我们俩分工,你就负责产品,我来负责挣钱。"最后这位硬件工程师被雷军"折服"了。

为了找硬件负责人,雷军及他的几个合伙人和候选人谈了两个月,进展非常慢,有的人还找了"经纪人"来谈条件,不仅要高期权而且还要比大公司还好的福利待遇,雷军和合伙人一度接近崩溃。但在中间过程中有一个理想人选,一个星期最多的时候谈五次,每次平均 10 个小时,前后谈了 3 个月,一共谈了十七八次,最后一刻,这个人对于股份"无所谓",雷军比较失望,发现他没有创业精神,不是那种他想要的人。

雷军找人有两个要素:一是要最专业。小米的合伙人都是各管一块,这样能保证整个决策非常快。要能够放心地把业务交给他,他要能实打实做出成绩来。二是要最合适的,主要是指要有创业心态,对所做的事要极度喜欢,有共同的愿景,这样就会有很强的驱动力。

三个月的时间里,雷军和他的合伙人见了超过 100 位做硬件的人选,终于找到了负责硬件的联合创始人周光平博士。第一次见面的时候,本来打算谈 2 个小时,但一见如故,一直谈了 12 个小时。雷军打动周光平博士的最后一锤子推力,就是雷军说必要的时候他可以去柜台卖手机。所以,创始人到底有多想做成一件事情,在聊的过程中对方也在判断。

找人是天底下最难的事情,十有八九都是不顺的。但不能因为怕浪费时间,就不竭尽所能去找。雷军在创业初期每天都花费一半以上的时间用来招募人才,小米的前 100 名员工每名员工入职都是他亲自见面并沟通的。这样招进来的人,都是真正干活的人,想做成一件事情,所以非常有热情,会有一种真刀实枪的行动和执行。

雷军在留住核心人才方面的三个具体做法:

1)打造利益共同体。有竞争力的报酬并不等于重金、高薪,他制定了一套组合方案。邀请任何人加入的时候会给三个选择条件,他们可以随便选择:第一,可以选择和跨国公司一样的报酬;第二,可以选择 2/3 的报酬,然后拿一部分股票;第三,可以选择 1/3 的报酬,然后拿更多的股票。实际情况是:有 20% 的人选择了第一和第三种工资形式,有 80%

的人选择了第二种,小米工资"2/3 的报酬"也是不低的数字,足够员工照顾生活,因为他们持有股票,非常乐意与创业公司一起奋斗,共同成长,战斗力也会很足。而小米初期的员工,每个都投了钱,大家是真正破釜沉舟地愿意去参与创业。所以雷军说当时他每天都"战战兢兢",因为每个员工都可以到办公室去问"雷总,我们公司办得怎么样了?"但也因为这样,大家花自己钱的感觉是不一样的,不会轻松把钱打水漂。

2)将培养真正落到实处。小米团队努力去营造一个中高端人才的环境,将人才培养和引进相结合。创业公司都清楚人才重要,所以很重视内部培训和提升,但是往往做不好。主要问题是没有设置专项的培训费。没有费用预算,人力资源部不会当成专门的事情来做,也没有办法引进好的讲师和好的课程。同时创业公司要落实培训工作,必须有专门的预算和专人负责。唯有如此,才能保证企业有绵绵不断的执行力、创造力。

3)用人要懂得包容。大多创业者找到人以后,会有一个新问题出现。企业在发展,追求的目标总比自身当前能力要高一些,这时创业者就会发现,很多岗位的人都不合适,同时又付不起很高的价钱来请人,只好小马拉大车。雷军本人最开始是做技术的,转换成管理者的过程之中,他最大的一个挑战就是如何学会宽容。在管理者的眼光看来,这个小马一看上去就不合适,但要容忍他现在的能力和他身上一些不完美的东西,然后告诉他应该达到什么样的高度,再通过学习和培训帮助他提升能力。

接下来,利用 5P 原则来评价小米初创团队。

首先,团队要有既定的共同目标,作为团队成员的导航。这个团队的目标很明确,创始人想做一台更好用的手机,于是开始找团队成员。

接下来就是人的问题了,三个及三个以上的人就形成一个群体,当群体有了共同的奋斗目标就形成了团队。这个创业团队显然很强,每位成员在自己的领域都曾经有过实践落地的经验,这一点非常重要,有知识、有学历跟有经验还是有很大区别的,认知有,但没有经过实践的认知还是缺少根基的。

再来说,团队的定位和个人的定位,团队将自己的目标定位在做一台好用的手机上,显然他们的前辈已经有人做出好用的手机了,那就把这台手机的用户定位为大学生,面向大学生做一款又便宜又好用的手机,显然这个团队也做到了。而团队的每一位成员都有自己清晰的位置,有做产品的、有做软件的、有做硬件的,各司其职。

关于权限的问题,创业团队越成熟,领导者的权限相对越小。在实际创业团队中,权限更多地由前期共同商讨的制度来决定,在实际的创业过程中,根据实际情况进行微调。

最后到了创业计划,目标的最终实现需要一系列具体的行动方案。相信这么多年来这个创业团队每一件产品的问世是大家有目共睹的,从一台好用的手机出发,现在产品体系已经形成一个好用的智能家居生态系统,这一切都在团队的创业计划中。

创建创业团队对于创业者和初创企业的成功非常重要。创建创业团队是分工与专业化的需要,在创业初期,一位创业者很难胜任所有工作,包括市场营销、产品开发、财务、法律事务等。创建一个团队可以分工,每个成员可以专注于自己的领域,提高效率。创业需要多元化技能,创业团队通常由具有不同技能和背景的成员组成。这种多元化使团队能够更好地应对各种挑战和任务,提供更全面的解决方案。多个人的观点和创意有助于激发创新和创造力。团队成员可以共同探讨新点子,推动产品和服务的发展。创建创业团队有助于风险分散,创业充满风险,有时会遇到失败。当你有一个团队时,风险得到分散,不必承担所有责任。此外,失败时,团队可以一起学习并重新尝试。

资金和资源需要创建创业团队,支持创业需要资金和资源。一个有实力的团队可以更容易获得投资、合作伙伴和其他关键资源,因为投资者通常更愿意支持具备多人团队的项目。团队成员通常拥有自己的关系和网络,可以帮助创业者建立业务关系、寻找合作伙伴和扩大市场。创业需要建立有效的基础设施,包括财务管理、法律合规性、人力资源等。团队中的成员可以共同负责这些任务。

一个团队可以提供支持和鼓励,帮助创业者度过困难时期,保持高士气。虽然创建创业团队具有诸多优势,但团队的构建和管理也需要谨慎。选择合适的团队成员、定义明确的职责和建立有效的沟通渠道都是至关重要的。创业者应该选择与其愿景和目标相符的合作伙伴,并共同努力实现商业目标。一个强大的创业团队可以为初创企业的成功提供坚实的基础。

3.4.2 创业团队的成员特征与类型

3.4.2.1 创业团队成员特征

创业者在个人知识、能力、心理、成长环境等方面有其自身的局限,可能会对创业活动产生不利的影响,但是可以通过组建创业团队来发挥创业者的优势,弥补彼此的不足,从而形成一个知识、能力、性格、人际关系资源等全面具备的优秀创业团队。

团队中需要不同的角色,发挥不同的作用,每一个角色都是不可缺少的,大家紧紧团结在一起,共同奋斗,努力实现团队的共同目标。

团队需要创新者,创新者负责提供新观点。创新是创业团队生产、发展的源泉,没有创新者,整个团队思维上就会受到局限。

团队需要实干者,实干者计划性强,运筹计划,并将计划落地。没有实干者的团队是没有竞争力的团队。实干是团队变现的唯一途径,实干者是企业发展的基石,通过实干者踏实、切实地落实各项规划,团队才能有实实在在的收获。当然计划的推进还需要一个推进者角色,以保证计划实施的效率,推进者可以说是创业团队的"助推剂"。

凝聚者起到润滑并调节各种关系的作用。团队中的凝聚者可能和协调者由同一个人承担。各种背景的创业者凝聚在一起,常常会出现分歧和争执,这就需要协调者来调节,需要将创业者凝聚在一个目标上,协调者除了要有权力性的领导力之外,还需要有一种个性上的号召力来帮助领导树立个人影响力。

与外界的信息交流者为团队提供信息的支持,创业团队在社会中发展,需要与外部系统进行有效的信息交流,为团队带回及时有效的信息,并向外界宣传团队的成果。

监督者监督决策实施的过程,监督者是创业团队健康成长的"鞭策者"。没有监督者的团队有可能会大起大落,做得好的时候就会大起,做得不好也没有人去挑刺,这样就可能会大落。

团队还需要完美者来关注细节,强调高标准。完美者注重品质、标准。在创业初期,不能过度追求完美,在企业逐步成长的过程中,完美者要发挥作用,完善企业的不足,为未来企业能做大做强打下坚实的基础。"细节决定成败",完美者对企业的发展作用很重要。

最后,团队还需要有专家的角色,能够为团队提供一些指导,可以保证企业扩展业务的深度和广度,为企业的可持续发展提供思路上的指导。现实中的创业团队成员可能一人身兼数个角色,也可能缺少一个两个角色,当然还可能存在各种角色之间的搭配问题。

比如,创新者遇到善于协调的上司,他们之间的关系就可能比较融洽,可创新者遇到实干的上司,就容易产生矛盾,实干者往往按照计划做事,不喜欢变化,而创新者就是为了变化而生的。

再比如,创新者和凝聚者如果作为同事的话应该不会有问题,因为凝聚型的同事擅长协同各种关系,但如果一个创新者遇到另一个创新型的同事,这时两人会围绕各自的立场和观点展开争论,内耗也可能出现。

再比如,完美者如果遇到实干者的同事,彼此间往往很欣赏,但完美者遇到信息者的上司,可能就会产生一些冲突,信息者对于外界的新鲜事物接受很快,而完美者主张只有120%的把握才去做,在要不要采取新的方式方法上可能会存在争议。

因此领导者要了解不同的角色对于团队的贡献以及各种角色的配合关系,要学会用人之长、容人之短,充分尊重角色差异,发挥团队成员的个性特征,找到与角色特征相契合的工作,使整个团队气氛和谐,达到各成员间的优势互补。可以说,优势互补是团队搭建的根基。

3.4.2.2 创业团队类型

按照创业团队组成者的不同来分类,创业团队一般可以分为星状创业团队、网状创业团队和虚拟星状创业团队。

一般在星状创业团队中有一个核心人物,充当领队的角色。这种团队在形成之前,一般是核心人物有了创业的想法,然后根据自己的设想组织创业团队。这些加入创业团队的成员也许是核心人物以前熟悉的人,也许是不熟悉的人,但这些团队成员在企业中更多时候都是核心人物的支持者。星状创业团队的向心力一般都很强,核心人物在组织中的行为对其他个体影响巨大。

网状创业团队的成员一般在创业之前都有密切的关系,比如同学、亲戚、同事、朋友等,大家在交往过程中共同认可某一创业想法,并就创业达成共识以后,开始共同创业。网状创业团队组建时,没有明确的核心任务,大家根据各自的特点进行自发的角色定位。因此,在企业初创期,创业团队各成员基本上扮演的是协作者或者伙伴角色。网状创业团队没有明显的核心任务,在组织决策时,一般采取集体决策的方式,通过大量的沟通和讨论达成一致意见。

虚拟星状创业团队由网状创业团队演化而来,基本上是星状创业团队和网状创业团队的中间状态。这类创业团队中有一个核心人物,但是这个核心人物地位的确立是团队成员协商的结果,因此核心人物从某种意义上说是整个团队的代言人,而不是主导型人物,其在团队中的行为必须充分考虑其他团队成员的意见,不如星状创业团队中的核心人物那样有权威。

3.4.2.3　成功创业团队特征

1)拥有优秀的团队领袖　团队领袖是创新创业团队的灵魂和核心。俗话说"火车跑得快,全靠车头带"。领军人物好比是阿拉伯数学中的 1,有这个 1,带上一个 0,它就是10,带两个 0 就是 100。创新创业成功的事实证明,团队领袖是成功创新创业的关键。优秀的团队领袖有高远的志向、过人的胆识和智慧,有凝聚力和组织管理能力,有博大的胸怀,有敢于胜利的英雄气概。不怕困难,敢于创新,为了企业发展,深谋远虑,趋利避害,不计个人得失,一往无前。许多创新创业团队在很短的时间内就消亡了,很重要的原因就在于团队的领袖不是一个合格的领导者。

2)团队成员与企业发展共命运　团队成员必须对企业长期经营发展充满信心,要对企业经营付出辛苦和汗水,不能因一时利益或困难退出团队,要清醒地认识到创业将会面临的挑战和遇到的困难。这样,团队成员为了成功,才不至于有观望徘徊思想,遇到困难才能破釜沉舟,付出百分百的努力,才能全身心地投入工作中,才能凝聚共识,同心同德,将事业推向成功。当然,为了能形成利益共同体,不能只有语言上的承诺,还要有一定的运作制度。特别是利益上的激励和约束。

3)有一致的企业价值认同及取向　团队成员应该有一致的价值认同取向,全心致力于创造新项目或新企业的价值,认为创造新的价值才是创业活动的主要目标,并认识到唯有项目或企业不断增值,所有参与者才有可能分享到创业的成果和利益。

4)目标清晰且责任明确　创新创业团队要根据发展规划制定科学的发展目标。在设置目标时,要统筹兼顾做到近期目标、中期目标、长期目标准确对接,科学合理。要让团队成员熟知他们工作应该达到的目标。当然,制定的目标要根据情况切实可行,过高或过低都可能会挫伤团队成员的积极性。必要时应在团队目标的前提下,明确细分团队成员的具体目标。让成员清楚自己应该努力的方向和进度。在此基础上。通过建立健全制度和科学的运行机制,明确目标责任,严格考核成员履行职责的情况,实行有效的奖惩办法,确保目标任务落到实处。

5）股权分配合理且富有弹性　平均主义是懒惰的温床,股权分配上的平均主义并不合理,团队成员的股权分配不一定要均等,但必须遵循大家都认可的规则,尽量做到合理、透明与公平。要按照贡献与报酬相符的原则,防止出现某些具有显著贡献的团队成员拥有股权数较低,贡献与报酬不一致的不公平现象。通常创始人与主要贡献者会拥有比较多的股权,一般来说,只要能与他们所创造价值、贡献相匹配,就是一种合理的股权分配。另外,为了今后留住关键人才,也可以留有一定比例的股权,用来奖励以后有显著贡献的创业成员,在利益分配上留有余地,富有弹性。

6）能力互补并相得益彰　优秀创新创业团队成员的能力个个都是很强的,每个人都是某个方面的专才,这些人员的能力通常是不同的。拥有各个层面不同类型的人才,在创业实践中形成"八仙过海各显神通"的局面,形成成员间能力的互补,有助于强化团队成员间的合作,充分发挥团队的整体功能,做到相得益彰。当然,建立优秀的团队并非一蹴而就。在创新创业的过程中,成员也可能因不同的原因出现调整,不断优化,孕育并逐渐形成日臻完善的组合。

7）和谐相处并团结互助　优秀的创新创业团队的所有成员间非常熟悉,他们相互了解兴趣爱好、性格特点,也非常清楚自身的优劣势,对其他成员的长处和短处也一清二楚,能够清醒地认识到团队合作的重要性。和谐团结的团队,才有向心力、凝聚力和战斗力。团队成员要对集体忠诚,彼此以诚相待、和谐相处。在发生冲突的情况下,能够分清是非,以大局为重。主动搞好沟通与协调,及时消除误解,避免大的裂痕产生。有意见分歧是正常的,因为在工作中,辨明是非是负责任的表现。要非常重视建立和维护团队成员之间的相互信任,特别是团队的主要成员,一旦出现信任危机,将会带来严重后果。因此,要特别注重对合作成员人品的了解,观察其是否有诚信,成员的行为和动机是否带有很强的私心等,尽量在创新创业之前将组建团队的风险排除。

8）有持久的创新创业激情　保持持久的创新创业激情,就会拥有昂扬的斗志,这对于保持团队的战斗力非常重要。团队成员能够不时提出可行性与建设性意见,及时发现存在的问题隐患,对于创新创业过程将大有裨益。这是团队成员关心事业发展,尽职尽责的表现。在创新创业的过程中,团队要注意吸收对创新创业项目有热情的人员加入,要让所有成员如企业初创时期那样,时刻保持旺盛的精力和创新创业的热情。让大家清楚地认识到:任何人无论专业水平多么高,如果对事业的信心不足,将无法适应创新创业的需求,消极因素对团队所有成员产生的负面影响可能是致命的。

📋 **推荐阅读书目**

刘润,《底层逻辑——看清这个世界的底牌》,机械工业出版社,2021。

彭青和,《走近挑战杯——全国"挑战杯"大学生课外学术科技作品竞赛哲学社会科学类参赛指南》,北京航空航天大学出版社,2021。

柳青,《创业史》,中国青年出版社,2001。

课程报告

1.撰写课程报告"创业是否一定需要创新"。

2.撰写课程报告"利用蒂蒙斯创业机会评价框架评价×××项目是否可行"。

3.撰写课程报告"你认为创业可能面对的压力是什么？你认为能承受这些压力吗?"。

第 4 章

创业准备

4.1　创业政策

4.1.1　不同领域创业政策

我们国家的制度优势之一是"集中力量办大事",就是在党中央的统一领导下,明确发展的重点、次序、路径、方法,确保发展的系统性、整体性和协同性,既充分发挥市场在资源配置中的决定性作用,又发挥政府的调控作用。因此,创业者选择创业项目时一定要关注国家对这个领域在政策上的态度。本节将以数字经济领域创业政策梳理流程为实例,来学习如何把握不同创业领域的利好政策。

首先,要从宏观角度去把握政策。时间维度上,一个政策鼓励的发展方向一定是相对长远的。比如,党的十八大以来,数字经济经历了从重点推进通信技术的快速发展和迭代演进,向经济社会各领域深度融合发展的过程,标示了数字经济已上升为国家战略。自 2013 年以来,我国政府针对数字经济的不同领域出台了多项规划和指导意见,这些文件主要内容的变化反映了不同时期数字经济发展的主旋律。其中,2016 年国家颁布的文件具有承上启下的特点。此外,国家还专门针对数字经济的专业领域出台相关的扶持政策。

2013 年,《国家发展改革委关于加强和完善国家电子政务工程建设管理的意见》指出,推进电子政务项目与物联网、云计算、大数据等技术相结合,开启了数字治理模式。

2015 年,《国务院关于积极推进"互联网+"行动的指导意见》指出,加快推动互联网与各领域深入融合和创新发展,充分发挥"互联网+"对经济社会发展的重要作用,在各领域探索以互联网平台为手段的新商业模式。

2016 年,中共中央办公厅、国务院办公厅印发《国家信息化发展战略纲要》,以提升信息产业国际竞争力为目标,重点行业布局数字化、网络化、智能化并取得明显进展,形成网络化协同创新体系;G20 杭州峰会通过《G20 数字经济发展与合作倡议》阐述了数字经济的概念、意义和指导原则,明确宽带接入、ICT 投资、创业和数字化转型、电子商务合作、数字包容性、中小微企业发展等数字经济发展与合作的六大关键优先发展领域;国务院发布《"十三五"国家战略性新兴产业发展规划》,指出在持续推进原有互联网、智能制造、信息通信等数字经济相关产业的同时大力发展数字创意产业。

2018 年,国家发展改革委发布《关于发展数字经济稳定并扩大就业的指导意见》,指出推进产业结构和劳动者技能数字化转型,提升数字化、网络化、智能化就业创业服务能力,拓展就业创业新空间,实现更高质量和更充分就业。

2019 年,《国家数字经济创新发展试验区实施方案》确定河北雄安新区、浙江、福建、广东、重庆、四川等地启动国家数字经济创新发展试验区创建工作;中共中央办公厅、国务院办公厅印发《数字乡村发展战略纲要》指出要加快农村信息基础设施建设,加快推进线上线下融合的现代农业,加快完善农村信息服务体系;农业农村部、中央网络安全和信息化委员会办公室印发《数字农业农村发展规划(2019—2025 年)》,建立健全农村数据采集体系,基本建成农村云平台,提升农业数字经济比重,完善乡村数字治理体系;《中共中央国务院关于推进贸易高质量发展的指导意见》指出构建共性技术研发平台,强化制造业创新对贸易的支撑作用,推动数字技术与贸易融合能力,着力扩大知识产权对外许可,积极融入全球创新网络。

2020 年,《国务院关于促进国家高新技术产业开发区高质量发展的若干意见》围绕产业链部署创新链,围绕创新链布局产业链,将国家高新区建设成为创新驱动发展示范区和高质量发展先行区。

2021 年,《新型数据中心发展三年行动计划(2021—2023 年)》指出统筹推进新型数据中心发展,构建以新型数据中心为核心的智能算力生态体系,发挥对数字经济的赋能和驱动作用。

2022 年,《"十四五"数字经济发展规划》要求到 2025 年,数字经济迈向全面扩展期,数字化创新引领发展能力大幅提升,智能化水平明显增强,数字经济治理体系更加完善,我国数字经济竞争力和影响力稳步提升。

2024 年,国家发展改革委办公厅、国家数据局综合司印发《数字经济 2024 年工作要点》,部署 2024 年数字经济工作重点,适度超前布局数字基础设施,提升养老、医疗等社会服务数字化智能化水平。

从以上关于数字经济行业发展政策可以看出以下几点:

第一,数字经济产业是一项需要持续发力、长期建设的事业,政策支持力度不断加大,数字强国战略务实推进。从而创业者进入或从事这个领域创业能够获取一定的政策利好。

第二,当前我国数字经济整体发展态势良好,随着政策的推进,数字经济规模逐年扩大,因此,创业者可以根据自身条件推进自己的创业事业。

接下来,要把握宏观政策贯彻执行层面的地方性政策,或者深入到各行业的具体执行政策。还拿数字经济领域政策来举例。比如,农业领域的数字经济发展方向,落地执行的政策中就有明确的说明,数字经济引领现代农业发展。中国农业聚焦信息进村、农村电商和农村物联网应用等三个领域,依靠政府和社会力量,从完善基础、抓住重点和先行先试出发,以点带面扎实推进农业数字化进程。新一代信息技术广泛应用于农业领域,大大促进智慧农业的发展,农业经济新形态将表现为数字农场、数字渔场、数字牧场、数字林场,促进现代农业实现装备机械化、控制智能化、加工精深化、经营规模化、营销网络化、产业集群化、产品绿色化,等等。再比如,制造业领域的数字经济发展方向,信息技术与制造业融合推动智能制造业发展。在企业的研发、生产、物流、服务等环节应用智能芯片、智能软硬件、无人系统等,有效促进企业智能化升级改造。重点是生产全周期的智能化改造,工业机器人、智能化生产线、无人工厂等将逐步推广,最大程度减少劳动力投入,提高生产设施整体协作效率,提升产品质量一致性。此外,云计算、大数据、人工智能等技术将会广泛应用到研发设计、生产制造、经营管理、销售服务等全流程,实现生产方式数字化;加速个性化定制、网络协同制造、远程运维服务等落地和推广。从政策的具体执行落地角度来看,政策中有非常明确的行业发展方向及发展目标。

总结一下,中央的各类重要会议精神、每晚的新闻联播,对于创业者来说都是重要的宏观创业信息来源,一定要高度重视。对于政策的把握,一是从时间维度把握宏观发展方向,二是从垂直行业维度把握政策落地的细节,当然还要注意的是,国家对于重点发展的行业往往会给予一定的补贴,这就要求创业者密切关注公司注册地的微观优惠政策,对于当地政府网站、主管部门的门户网站发布的信息也要保持高度的敏感。

4.1.2 大学生创业优惠政策

党的二十大报告指出:科学技术是第一生产力,人才是第一资源,创新是第一动力。可以说,这三个方面都跟大学生有着密切的关系,全领域的创新创业将是未来社会发展的主要驱动力,而大学生正是驱动社会发展的主要群体。

自从2015年国家提出"大众创业、万众创新"后,就采取了很多措施帮助大学生创业者。《国务院关于进一步做好新形势下就业创业工作的意见》《国务院办公厅关于发展众创空间推进大众创新创业的指导意见》明确提出:推进实施大学生创业引领计划,鼓励高校开发开设创新创业教育课程,建立健全大学生创业指导服务专门机构,加强大学生创业培训,整合发展国家和省级高校毕业生就业创业基金,为大学生创业提供场所、公共服务和资金支持。

大学生在创业之前,除了要了解国家的一些关于大学生创业的政策性文件外,还要重点关注注册地的省级、市级或者县级的创业扶持政策,各地因实际情况不同,创业政策、创业扶持力度也不尽相同。关于大学生创业方面的优惠政策,无论是国家层面还是地方层面,都体现在资金支持、项目支持、运营支持、培训支持等方面的优惠。

1)资金支持方面 拓宽大学生创业融资渠道,运用财税政策,支持风险投资、创业投资、天使投资等发展;运用市场机制,引导社会资金和金融资本支持创业活动,壮大创业投资规模;设立国家中小企业发展基金和国家新兴产业创业投资引导基金;开展股权众筹融资试点,推动多渠道股权融资,积极探索和规范发展互联网金融,发展新型金融机构和融资服务机构。

完善创新创业资金支持和政策保障体系。各地区、各有关部门要整合发展财政和社会资金,支持高校学生创新创业活动。各高校要优化经费支出结构,多渠道统筹安排资金,支持创新创业教育教学,资助学生创新创业项目。部委属高校应按规定使用中央高校基本科研业务费,积极支持品学兼优且具有较强科研潜质的在校学生开展创新科研工作。

鼓励社会组织、公益团体、企事业单位和个人设立大学生创业风险基金,采用多种形式向自主创业大学生提供资金支持,提高扶持资金使用效益。深入实施新一轮大学生创业引领计划,落实各项扶持政策和服务措施,重点支持大学生到新兴产业创业。有关部门要加快制定有利于互联网创业的扶持政策。

2)项目支持方面 培育创业创新公共平台,总结推广创客空间、创业咖啡、创新工场等新型孵化模式,落实科技企业孵化器、大学科技园的税收优惠政策,对符合条件的众创空间等新型孵化机构适用科技企业孵化器税收优惠政策。有条件的地方可对众创空间的房租、宽带网络、公共软件等给予适当补贴,或者通过盘活商业用房、闲置厂房等资源提供成本较低的场所。

强化公共就业创业服务。为创业者提供项目开发、开业指导、融资服务、跟踪扶持等服务,创新服务内容和方式。健全公共就业创业服务经费保障机制,切实将县级以上公共就业创业服务机构和县级以下基层公共就业创业服务平台经费纳入同级财政预算。将职业介绍补贴和扶持公共就业服务补助合并调整为就业创业服务补贴,支持各地按照精准发力、绩效管理的原则,加强公共就业创业服务能力建设,向社会力量购买基本就业创业服务成果。创新就业创业服务供给模式,提高服务质量和效率。

3)运营支持方面 优化财税政策,强化创业扶持。各级财政统筹安排支持小微企业和创业创新的各类资金,加大对创业创新支持力度,减轻创业者负担。落实扶持小微企业发展的各项税收优惠政策。落实科技企业孵化器、大学科技园、研发费用加计扣除、固定资产加速折旧等税收优惠政策。对符合条件的众创空间等新型孵化机构适用科技企业孵化器税收优惠政策。修订、完善高新技术企业认定办法,完善创业投资企业享受70%应纳税所得额税收抵免政策。落实促进高校毕业生等创业就业税收政策。加大创新产品和服务的采购力度,把政府采购与支持创业发展紧密结合起来。

4)培训支持方面 普及和完善创新创业教育,实现新一轮大学生创业引领计划。将高校、各类研究基地、重点实验室、大学科技园、大学生创业园、创业孵化基地和小微企业创业基地作为创业教育实践平台,完善国家、地方、高校三级创新创业实训教学体系,深入实施大学生创新创业训练计划和创业实践,扩大覆盖面,促进项目落地转化。改革教学和学籍管理制度,设立创新创业奖学金。各地区、各高校要建立健全学生创业指导服务专门机构,做到机构、人员、场地、经费四到位,对自主创业学生实行持续帮扶、全程指导、一站式服务。此外,国务院相关部门,人力资源和社会保障部、科技部、财政部、教育部、税务总局、工商总局等等,出台了一系列的大学生创业扶持政策文件,共青团中央、全国妇联等部门也出台有相关政策文件。正是有了党和政府的高度重视,以及社会各部门的大力支持,我国的大学生创业才迎来了最好的时期,大学生创业也有了坚强的制度保障和支持。

当然随着时间的推移,各级、各地方政府还可能发布不同的政策,这些政策信息主要由以下渠道获取。

首先,创业企业注册地省级、市级或县级的政府网站,政府人力资源和社会保障部门网站,这些网站常常会有一些当地关于大学生创新创业的扶持政策。

比如,在经济活动比较活跃的省份——浙江省,政府官网上发布有众多关于大学生创新创业的地方政策及工作动态。2019 年,浙江杭州通过"加减乘除"实现大学生创新创业"一件事"联办,杭州作为首批全国大学生创业示范基地,于 8 月 20 日率先在全省上线运行,涉及 8 部门 19 项大学生创新创业高频事项全流程网上一站式办理。

又比如,温州市在 2022 年 5 月发布《温州市人民政府办公室关于进一步推进在温高校大学生创新创业的意见》,针对大学生在温州的创新创业行为制定了详尽的任务落实清单,给予扶持与鼓励,其中包括:创建创新创业类金课,构建创新创业导师体系,打造高校创新创业实践基地,落实创新创业减税降费政策,加强大学生创新创业空间供给,落实创新创业普惠金融政策,落实创新创业保护救助政策,完善创新创业成果转化机制等,全方位地为大学生创新创业提供扶持。

其次,在全国大学生创业服务网(http://cy.ncss.org.cn)上也可以找到相关的微观层面政策支持。这个网站服务于中国国际"互联网+"大学生创新创业大赛,参加比赛的项目作品都需要在这个网站上予以申报。除此之外,网站还融合了投融资渠道、产业孵化等信息。

比如,中关村软件孵化园区主要吸纳大数据、云计算、电子信息、新材料、先进装备制造、生物医药、互联网/移动互联网、新型 IT 服务、计算机及通信一体化、5G 产业链、人工智能产业链或芯片、文化创意、特色设计、科技旅游等国家战略性新兴产业领域的创新创业项目入园。入驻条件为参加中国国际"互联网+"大学生创新创业大赛的创业企业团队,或是符合园区产业主导方向的新兴产业领域创新创业项目的高新技术企业。对于符合条件的创业者,可申请免费入驻并享受孵化空间服务体系。

对于以上各项针对大学生创业的优惠政策,都可以看出国家和地方对于有知识、有创意的年轻且理性的创业者们求贤若渴。

4.2 市场分析

4.2.1 市场的概念

创业活动开始之前要对市场有充分的了解。市场,简单来说,就是商品交易的领域。比如我们常常会听到的市场:粮食市场、农村市场、国际市场、菜市场、原油市场、国际能源市场、国内大豆市场、2024 年二手车市场,等等。从这些"市场"的名称来总结一下市场都包含哪些要素。

首先,提到市场,就要有交易的商品,粮食市场交易的就是粮食,花卉市场交易的就是花卉;其次,市场可以有地域范围,农村市场就是面向农村地区的市场,国际市场就是面向整个国际的市场;然后,市场还可以有时间范围。以上各个要素可以任意组合,比如,2023 年农村二手乘用车市场,时间、地域和交易的商品都包括在内了。

市场是有形的,跟人们日常生活关系比较紧密的市场是很容易被看见的,菜市场、小商品市场,这些都是微观层面的市场;还有一些宏观市场,所交易产品并不是日常看得见、摸得着的,但以其他形式存在,比如期货交易市场、金融交易市场,等等。

4.2.2 细分市场

市场是待交易产品或服务的受众集散地,不同市场受众群体的需求特征明显不同,因此市场和受众群体是一一对应的。因此,常常将市场上的顾客划分成若干个顾客群,每一个顾客群构成一个子市场,不同子市场之间,需求存在着明显的差别,这就是市场细分。

下面以普通消费品为例来分析市场细分标准。消费品市场的细分标准可以概括为地理因素、人口统计因素、心理因素和行为因素四个方面,每个方面又包括一系列的细分变量。

按地理因素来细分市场,就是按市场受众群体所在的地理位置、地理环境等变量来细分市场。处在不同地理环境下的消费者,对于同一类产品往往会有不同的需要与偏好。比如,我国地形包括平原、丘陵、山区、沙漠等地带,跨越热带、亚热带、温带、寒带等不同气候区域,防暑降温、御寒保暖之类的消费品就可按不同气候带来划分,在北方,冬天气候寒冷干燥,加湿器很有市场;但在南方,由于空气中湿度大,基本上不存在对加湿器的需求。

按人口统计因素来细分市场,就是根据市场受众群体的年龄、性别、职业、收入、家庭人口、家庭生命周期、民族、宗教、国籍等变量,将市场划分为不同的群体。不同年龄段的消费者,生理、性格、爱好、经济状况都不相同,对消费品的需求也存在着很大的差异,因此,就形成了儿童市场、青年市场、中年市场、老年市场。根据性别可将市场划分为男性市场和女性市场。不少商品在用途上有明显的性别特征,女士是服装、化妆品、节省劳动力的家庭用具、小包装食品等市场的主要购买者;男士则是电子产品、体育用品等市场的主要购买者。不同职业的消费者,由于知识水平、工作条件和生活方式等不同,其消费需求也存在很大差异,比如,教师比较注重书籍、报刊方面的需求,文艺工作者则比较注重美容、服装等方面的需求。

按心理因素来细分市场,就是将市场受众群体按其生活方式、性格、购买动机、态度等变量细分成不同的群体。人们不同的生活方式可以定义不同的细分市场,尤其是服装、化妆品、家具、娱乐等行业,这种细分方法能显示出不同群体对同种商品在心理需求方面的差异性,比如服装行业把成年女性划分为"朴素型""时髦型""男子气质型"等不同类型,必须分别为不同的"她们"设计不同款式、颜色和质料的服装。消费者购买产品追求的利益主要有求实、求廉、求新、求美、求名、求安等,这些都可作为细分的变量。比如,有人购买服装是为了遮体保暖,有人是为了美,有人则为了体现自身的经济实力。

按行为因素来细分市场,就是按照市场受众群体购买或使用某种商品的时间、购买数量、购买频率、对品牌的忠诚度等变量来细分市场。比如,许多产品的消费具有时间性,烟花爆竹的消费主要在春节期间,月饼的消费主要在中秋节以前,旅游景点在旅游旺季生意最兴隆。因此,可以根据消费者产生需要、购买或使用产品的时间进行市场细分,如航空公司、旅行社在寒暑假期间大做广告,实行优惠票价,以吸引师生乘坐飞机外出旅游;商家在酷热的夏季大做空调广告,以有效增加销量;双休日商店的营业额大增,而在元旦、春节期间,销售额则更大等。因此,可根据购买时间进行细分,在适当的时候加大促销力度,采取优惠价格以促进产品的销售。

现实中,为了更有效地进行市场细分,还要注意几个重要的原则。

首先,市场具有动态性。细分市场的标准不是固定不变的,如收入水平、城市大小、交通条件、年龄等,都会随着时间的推移而变化。因此,应树立动态观念,适时进行调整。

其次,细分市场还要注意适用性。市场细分的因素有很多,不同行业在细分市场时采用的细分标准不一定相同,究竟选择哪种标准,应视具体情况加以确定,比如,牙膏可按购买动机细分市场。

最后,还要考虑标准之间的组合。在实际操作中,一个理想的目标市场是有层次或交错地运用上述各种因素的组合来确定的。其中,人口学统计因素包括年龄、性别,心理因素包括性格、生活方式等。比如,手机软件小红书的目标市场就集中在追求品质、精神独立的90后年轻女性群体上。

4.2.3 利基市场

利基市场是在较大的细分市场中具有相似兴趣或需求的一小群顾客所占有的市场空间。大多数初创企业一开始并不会在大市场开展业务,而是通过识别较大市场中新兴的、未被发现的利基市场去发展业务。

利基市场,英文是 Niche Market,指那些高度专门化的需求市场。"Niche"一词来源于法语。法国人信奉天主教,在建造房屋时,常常在外墙上凿出一个不大的神龛,以供放圣母玛利亚。它虽然小,但边界清晰,洞里乾坤。在英语里,它还有一个意思,是悬崖上的石缝,人们在登山时,常常要借助这些微小的缝隙作为支点,一点点向上攀登。因而,后来 Niche 就被引用来形容大市场中非常有前途的缝隙市场。

利基市场和长尾理论密不可分,在长尾模型中,头部的需求虽然充足,但也往往被头部企业所垄断,而模型中后面长长的尾巴,虽然每一种需求都相对较小,但是联合起来,仍然可以和头部市场相匹敌。菲利普·科特勒在其著作《营销管理》一书中为利基下了定义:利基是更窄地确定某些群体,它虽然是一个小市场但它的需求还未被完全满足。可以说,利基市场就是长尾末端的市场需求。那么在创业者眼中理想的利基市场具有什么特征呢?

第一,虽然产品市场小,但地域市场广。"利基"的起点就是选准一个比较小的产品或服务,然后将全部资源集中到这个很小的点上,在局部形成必胜力量,这是"利基"的核心思想;同时,以一个较小的利基产品,占领宽广的地域市场,是"利基"的第二个要素,产品有非常大的市场容量,才能实现规模经济。

第二,"利基"产品要具有持续发展的潜力。要保证"利基"产品进入市场以后,能够建立起较高的壁垒,其他产品无法轻易替代,或是可以通过有针对性的技术研发和专利申请,引导目标顾客的需求方向,引领市场潮流,以延长产品在市场上的领导地位;如果这个"利基"市场的目标客户群体有持续增多的趋势,利基市场可以进一步细分,产品便有可能在这个市场上持续发展。

第三,即使市场小,但差异性大,以至于强大的竞争者对这个小市场不屑一顾。强大竞争者对这个小市场的忽视,从一个侧面也反映出竞争者在这个小领域有其弱点,因此,创业者也可以在强大竞争对手的弱点部位寻找可能发展的空间。换句话说,就是在竞争者还没有满足消费者需求的领域选择市场,进而发展。

第四,创业者所具备的能力和资源恰好与对这个利基市场所需要的优质产品或服务相匹配。这就要求创业者审时度势,不仅要随时测试市场,了解市场的需求,还要清楚自身的能力和资源状况,量力而行。

第五,创业者已在客户中建立了良好的品牌声誉,能够以此抵挡强大竞争者的入侵。

第六,这个利基市场当前最好还没有统治者。

现实中,利基市场都该怎么寻找呢? 一般说来,初创型创业者可以开拓的利基市场可以是大企业留下来的"狭缝地带",很多大企业为了追求规模经济效应,一般采用少品种、大批量的生产方式,这就自然为中小企业留下了很多大企业难以涉及的"狭缝地带";也可以作为大企业的协作型利基伙伴,对于生产复杂产品的大企业来说,不可能使每一道工序都达到规模经济性的要求,大企业为了谋求利润最大化或节省成本,避免"大而全"生产体制的弊端,而去与外部企业进行协作,这种协作关系也提供了相当体量的利基;还可以是自主专利发明驱动的利基市场,运用知识产权来防止大企业染指自己的专利技术向自己的产品市场渗透,在法律制度的保护下形成专利利基市场;等等。

当前我国被称为"世界工厂",有世界上最完整的生产链,在这样的环境下寻找"缝隙"着实不易,但浙江宁波的"生意帮"就在一个生产制造业如此发达的地区依然能找到一个小缝,可以说创新在其中起到了重要的作用。尤其在我国进入到高质量发展的阶段,创业者必须把创新作为日常工作的中心,不断改进产品和开发新产品,在技术、管理、文化、制度等方面都要有创新行动,运用新的数字经济手段、新的链接用户理念来寻找新的利基市场。

4.2.4　市场分析报告

大学生创业可以从参加大学生创新创业比赛开始,从比赛开始的创业,最初往往是从创新开始的,参赛者更注重对知识的学习和创新,大赛也会从教育的维度来评判大学生们是否将所学专业知识应用到了创新之中,是否驱动了科技成果转化;当然还有一个重要的维度就是市场,要判断这个科技创新成果能在什么领域、为什么用户、带来什么价值,前提就是要先了解这个市场现状。也就是要做市场分析。

市场分析是要对产品或服务的市场环境客观地调查、分析、研究,把从市场调查得到的一手资料加以整理,经过分析、综合,得到有价值的结论,并阐明其意义。市场分析是创业者认识市场、了解市场、掌握市场的主要途径。

首先,市场分析目的要明确,具有针对性。市场分析的目的是分析产品或服务的市场环境变化情况,把握市场机会,目的越明确,针对性就越强,市场分析就越能及时解决问题,就越有指导意义。反之,没有针对性,市场分析就失去了生命力。

其次,市场分析要真实可靠,具有纪实性。纪实性是市场分析的主要特点之一。比如,市场分析要先交代市场调查背景,就是讲清楚为什么要调研这个市场,使用什么方法获得了什么资料和数据,都必须强调真实、准确,反映客观实际,用事实说话。方法必须是科学的,资料和数据必须是没有任何虚假歪曲、似是而非、道听途说的成分。简单来说,事实是做好市场分析的基础。

然后,市场分析要揭示规律,具有评析性。市场分析,离不开基本事实和主要现象,但也不能只是事实的叙述和现象的堆砌,而是要通过系统的、全面的对事物发展全过程的调研分析和评论,揭示事物发展的本质和规律性。所以说,市场分析报告的写作既要如实地反映客观情况,又要准确地评析客观现象。

接下来,市场分析要注重调研,具有科学性。市场分析是说明市场调查的情况和结果的,要注明被说明的情况和结果来自何处。"一切结论产生于调查的末尾""没有调查就没有发言权""调查研究好比'十月怀胎',解决问题犹似'一朝分娩'"。说明了如果不对所要解决的问题作周密细致的调查和了解,深入系统的分析和研究,是不可能得到真正符合客观实际的市场分析结果的。

市场分析一般以市场分析报告的形成呈现。市场分析报告一般包括:标题、前言、分析报告主体、结论四个部分。

首先是标题,标题可以很简单,比如《××××年上半年数码家电行业数据洞察报告》,清晰地给出时间、行业,当然有很多市场分析还是针对某个地区的,那么也要将地区包含在标题之内,用一句话概括即可;也有一些标题可以是双标题,既有正题,又有副题,比如《生活潮向美好——××××抖音用户潮流生活洞察报告》,正题揭示市场分析报告的主旨,副题标明进行市场分析的对象、内容等。

接下来是前言部分。市场分析报告一般要有一段导语类的前言,以此来说明此次市场分析的目的、对象、范围、经过情况、收获、基本经验等,这些方面应有侧重点,不必面面俱到。或侧重于市场分析的目的、时间、方法、对象、经过的说明,或侧重于主观情况,或侧重于收获、基本经验,或对用户所关注和市场分析所迫切需要解决的问题作重点说明。如果是几个部门共同调查分析的,还可在导语中写上参加调查分析的单位、人员等。总之,前言应文字精炼,概括性强。

拓展阅读

以《十堰市茶叶消费市场分析与发展建议》(图4.1)的前言部分为例,首先简单概括了茶叶产业对十堰市的重要作用,接下来提出了十堰市在做市场调查分析的当下,发展茶叶产业的必要性,然后就在交代了以上背景的前提下,给出调查单位、调查对象、数据获取、调查目的等信息。

十堰市茶叶消费市场分析与发展建议

贾礼桂,苗华英,王小丽,黄 进,李 评,李靓靓,陈丽潇,陈 祥,许灰辉,秦光明

(十堰市农业科学院,湖北 十堰 442000)

摘要:十堰市作为南水北调工程水源涵养区,发展茶叶产业符合生态环保要求,也符合十堰市"现代新车城 绿色示范市"发展主题。为促进茶叶产业可持续发展,十堰市农业科学院开展茶叶消费市场情况调研,回收465份有效问卷,通过分析茶叶生产、消费者消费习惯和消费行为发现,十堰茶叶消费市场存在产品同质化明显、区域公用品牌打造起步晚、电商平台购买频率低、城乡居民消费支出有差异等问题,提出了可行性、科学性、有效性建议,为湖北省茶叶产业体系和十堰市茶叶产业链开展后续服务工作提供参考,着力用茶叶产业助推乡村产业振兴。

关键词:茶叶;消费市场;分析;发展建议;十堰市

中图分类号:F327 文献标识码:A 文章编号:2097-2083(2022)06-0063-05

图4.1 市场调研报告举例

然后是市场分析报告的主体部分,主要写调查分析的情况、做法、经验或问题。最直观地,就所调查问题的不同角度展开,每个角度作为一个部分,最好加上一个小标题。再来看以上例子的主体部分,调查人员从这三个角度展开调查,同时第三个角度是调查重点,从六个小角度继续深入下去。以上这种报告的书写方式叫作分述式,作多角度、多侧面的分析,反映业务范围宽、概括面广。

当然还可以以层进式的方式展开调查分析,层进式结构主要用来表现对事物逐层深化的认识,概括业务面虽然不广,但可以很深入地挖掘。

最后看结论部分,以上示例中的结论包括两个部分:调查后发现的问题和对未来发展的建议,这是市场分析报告非常典型的写法。这里需要注意的是,如果在主体部分调查人员将调查资料进行详细的分析和挖掘后,其观点也已经阐述清楚,并作出了明确结论,那么就不必再硬加出一条尾巴作为结论,但为加深读者的印象,深化主旨,概括前文,把调查分析后对事物的看法再一次强调,作出结论性简洁收尾也是可以的。

在写完主要事实和分析结论之后,如果还有些问题或情况需要指出,引起读者的思考和探讨,或为了展示事物发展的趋势,指出努力方向,那么就可以对未来做出预测性结语或提出建议性意见,指出可能引起的后果和影响,以一个更广阔的视野来深化主题。

4.3　用户需求

用户需求驱动的创新项目是成功率最高的创新类型之一,因此在各种创新活动中,以需求为导向往往是创新主体的第一选项。对于创新主体,创新本身并不是目的,通过创新实现诸如提升市场竞争力、获得更大的市场利润等目标才是创新的目的。因此以市场需求为导向的创新,最终的创新成果才能够更容易被市场接受,并通过市场交换实现其经济价值和社会价值。

4.3.1　"痛点"的概念

有经验的企业家宁可选择一流的团队来做一个二流、三流的项目,也不愿选择三流的团队来做一个一流的项目。那么如果从创业者自身的角度来看,创业团队及其实力已经确定,项目的选择就显得尤为重要了。项目到底强不强? 有没有竞争力? 能不能持续发展? 这些都不能只靠想象,而是要靠实力说话。

什么是好产品呢? 放眼市场中琳琅满目的产品,就会发现好产品就是那些购买的用户很多,并且用户还可能反复购买的产品,当然这个产品也可以是服务。用户多,用户还会反复使用或购买的产品都算是好产品。需要说明的是用户除了个人用户外,也可以是企业用户。

好产品来源于哪里呢? 首先要解析一个概念——场景,就是对某类用户在某个时间、某个地点在做什么事的描述。比如,使用上述固定格式描述一个场景:一个深夜下班到家的男人,吃到一盘由妻子煮的水饺,孩子也幸福地喊着"爸爸"。

接下来引出另一个概念——需求,刚刚已经定位了用户,也描述了场景,那么需求就是用户在这个场景中期望得到的东西。通常在一个场景中,用户期望得到的东西很多,例如,在以上的场景中那个用户深夜刚刚下班,可能很饿,有吃饭的需求,可能很累,有休息的需求,也可能很想念家人,有倾诉的需求,延伸一下,他可能还想听听音乐、洗洗澡,等等,当然,场景中的其他主体,他的妻子和孩子,也会有各自的需求。

从场景中找到足够多的用户需求后,那就要对这些需求进行分类和排序,比如吃饭、休息属于用户的生理需求,倾诉、听音乐属于情感需求,分类后可以按照马斯洛需求模型进行排序。当用户在场景中的某些需求得不到满足或者得不到充分满足时,就会产生"痛点",而恰恰是这个"痛点"可能触发好产品的产生,这时就需要再结合创业团队的优势来进行产品研发。

以上是从用户到场景,从场景到需求,从需求到"痛点",最终开发出产品的过程。而现实中,往往还存在另一种情况,创业团队研发出的产品可能是用户前所未见、前所未想的东西,在这样的产品出现前,用户根本想不到自己还会有这样的需求,这些产品的出现可以作为里程碑。比如,电子商务、智能手机、马车时代发明的汽车,等等,这些产品关注的是创造需求,而不是仅仅去满足需求。

创造需求引发消费者不能自我发现和识别的需求,以至于消费者自己不能提出这些需求,更不会产生"痛点"。创造需求往往会产生伟大的变革,这就是之前我们提到的突破性创新。

📖 拓展阅读

为进一步加深对"痛点"和产品之间关系的理解,从现实中的产品来提炼其使用的场景,以及用户的需求和"痛点"。对于一类用户,刚刚开始使用钢笔的小学生,也包括使用钢笔一段时间的中学生,这类用户在书写的场景下,可能的需求包括:钢笔如果漂亮一点就好了,钢笔更好用就好了,写错了可以修改就好了,等等,其中关于写错要修改的"痛点"驱动了涂改产品的产生,有些用户使用透明胶带,将刚刚写错的字"粘贴"下来,用来涂改错字;但这样的做法又会产生新的"痛点"——容易把纸粘破,于是又产生了修正贴、修正液,但使用修正液的"痛点"是干的太慢,又出现了五花八门的修正带。可以发现,即使是这种渐进式微创新的小商品也是带着解决用户"痛点"的使命而来的。

大学生带着团队研发的产品参加创新创业类比赛,路演时要把自己的产品讲清楚,其中一个环节就是讲清楚这个产品是谁在什么场景下使用,能解决他在这个场景中的什么"痛点"。而判断好产品的标准还是最初提到的,是否有大量的用户愿意使用这个产品,这些用户是否会反复使用它。无论是用户的"痛点"驱动了产品创新,还是产品创新

研发驱动了用户需求,总之,评判产品到底是不是好产品,最终还是用户说了算。

4.3.2 辨别伪需求

好产品就是解决用户"痛点"、满足用户需求的产品,但在现实的创业中,创业者会被一些看起来很像用户需求的伪需求蒙蔽双眼,意气风发地开启了创业之路,但常常走得并不顺利,为什么呢?原因很简单,就是由伪需求驱动的产品,很大程度上不可能被大量的用户使用,进而反复购买。

伪需求是跟真需求相对应的用户需求,伪需求也可能就是用户需求,只不过在当前阶段它还不足以支撑起一个创业项目。真需求是用户的强需求,是"痛点",而伪需求可能就是弱需求,仅仅就是"痒点",也可能根本就不是需求,根本没有可以聚焦的点。创业者在创业之前往往要做详尽的市场调查,为的就是要抓住用户"痛点",但得到的调查结果有时候可能会带有欺骗性,这种不真实的调查结果,既有可能是用户方面的原因,也有可能是创业者自身的原因。

产生伪需求的原因多种多样。首先,在调查中,用户所反馈的根本就不是需求,而是解决方案。比如这个场景,海岛上的居民由于走路鞋子里面容易进沙子,所以更愿意"赤脚"。如果创业者因此认为"鞋子"在这个场景中并不是用户的"痛点",而赤脚才是用户的本质需求,那么就错误将用户"鞋子进沙子"这个问题的解决方案"赤脚"当作了用户需求,而用户的真需求是:在沙滩上行走时,鞋子能够不进沙子,脚更舒服。

其次,用户常常会因为某种价值取向而隐瞒真需求。比如,在健身房做市场调查时,询问用户"你愿意为了健康每周去健身房吗?"得到的答复很大比例上是"愿意,当然愿意",如果深挖这个需求,那么就会得到更真实的需求:每个人都希望健康,但都不希望太累。

还有,用户的反馈仅仅只针对产品,没有跟"竞品"的比较。比如,当做餐饮的创业者把自己开发的食品拿给用户试吃时,询问用户"这个东西好吃吗?如果上市,你会买吗?"用户大概率会直接回答好吃或不好吃,好吃的话一定会买。但现实中"竞品"可能更好吃,用户更愿意购买。

当然,商业环境中还存在着其他各种各样的伪需求。如果创业者投入大量精力去深挖、对比和判断,然后去经营一个由伪需求驱动的创业项目,投入资金和人员成本,这样的创业项目很大可能会以失败收场。

如何去辨别伪需求,对于创业者来说是必修之课。"黄金圈法则"是商业领域常用来辨别真伪需求的思维工具。黄金圈法则中,使用三个同心圆来描述人的思维模式,从外到内依次是做什么(what)、怎么做(how)、为什么做(why)。黄金圈法则的底层逻辑是,人首先要知道自己想要做什么,这是最外层的思维模式;在此基础上,进而去思考怎么做才更好,处在中间层的人已经知道如何更好地去完成任务和目标;更进一步地,处在最中心圈的人则是以"为什么"为出发点,穿破事物的现象,看到事物的本质,从而做出最佳决策。

利用黄金圈模型来辨别真伪需求,用户说出来的需求是 what,比如,创业者通过问卷调查或者买家评价与反馈所收集到的信息;用户表现出来的需求是 how,即用户在使用产品、选择产品时的动作和结果,它可以对用户的需求进行行动表达上的证伪;用户内心真正的需求是 why,即用户一系列动作背后的原因,为什么要使用该产品而不使用其他产品等。

通过这三个层面,我们可以发现需求、验证需求,进一步挖掘需求,最终识别出用户真正的购买动机,从而找到有效的解决方案。接下来我们利用"需求验证漏斗",一步步筛选出真需求。

首先,在"what"层发现需求。what 层是用户直接评价自己的"痛点",发现可能的机会,但这个机会不一定会形成需求。比如,可以从日常身边的"抱怨"着眼,如果要做零售产品创新,那就可以到电商平台上看同类产品的买家评价。尤其是差评,就是等待你解决的"痛点"。如果买家评价电商平台上买东西经常要找好半天,也找不到自己喜欢的,那么"产品多、筛选难"就是个待解决的"痛点"。但是发现机会,并不代表就要立刻开始寻求解决方案,因为这时的需求可能只是伪需求,或者根本就不具备任何可行性。

接下来,通过观察"how"来验证需求。"how"就是用户行为。用户的直接反馈可能"说谎",但行动不会。比如,用户在 What 层的反馈是"想喝更健康的奶茶",但是在 how 层观察的用户行为是"不会为了更健康而买一杯味道不好的奶茶"。因此,判断需求不能只是听用户怎么说(what),一定要通过看用户怎么做(how)来验证。

如果验证了之后发现用户"言行不一",是不是需求就不存在了呢?也不是,创业者此时就要跳出用户的思维,站在"why"这个层面去挖掘用户的真正需求,开发解决方案。

在"why"层挖掘真实需求。Why 是用户反馈及用户行动背后的原因,找到这个原因,才能最终验证需求是不是真需求,也决定了用户最后是否会为你的解决方案买单。比如,在平板电脑出现前,用户是绝对想不到自己对这款没有键盘的产品有需求,但当它出现后,用户原来还有这样一种真需求:我想要一款使用起来更方便的电脑。

综上,由发现需求到确认需求,要经历"how"层直接验证,同时追溯到"why"层进行分析才能最终确认。

4.4 商业模式

深入市场调研帮助创业者们获取了用户的真实需求,接下来创业者们针对用户的真需求、真"痛点"开发出相应的产品和服务。随着社会不断发展,社会上累积起来越来越多的好产品。但也有越来越多的创业者在创业实践中发现,创业项目仅仅有了好产品还是不够的,还需要一个让用户愿意购买好产品的方法和渠道,到底通过什么途径或方式来实现盈利呢? 这就需要进一步探讨商业模式。

4.4.1 商业模式的定义

商业模式是指实现客户价值最大化,把能使企业运行的内外各要素整合起来,形成一个完整、高效率、具有独特核心竞争力的运行系统,并通过最优实现形式满足客户需求、实现客户价值,同时使系统达成持续盈利目标的整体解决方案。一个企业如何利用自身资源,在一个特定的包含了物流、信息流和资金流的商业流程中,将最终的商品和服务提供给客户,并收回投资、获取利润的解决方案。

商业模式由以下四个要素及其联系构成,一是价值体现,即企业拟为用户创造并传递的价值;二是价值创造方式;三是价值传递方式;四是企业的盈利方式。其中,价值体现是基础,初创企业如果不能发现用户所需要的价值,那就不能为用户创造出他们所需要的价值。价值创造方式和价值传递方式是初创企业将自己的价值构想变现、并为用户传递价值的过程性手段,在为用户创造并传递价值的同时,初创企业也不能忘记自己的盈利方式是什么,否则,初创企业很可能难以实现正的现金流。

商业模式随着时代的发展而发展,并不断创新,原本相差无几的企业,甚至百年老店、全球巨头,有的因为缺乏创新被时代淘汰,有的则抓住机遇主动进行模式创新而创造了一个又一个商业奇迹。需要说明的是,商业模式概念的提出相对较晚,但它存在的历史已经很长了,并在不同阶段的主流商业模式呈现不同的形式。

比如,店铺模式。一般地说,服务业的商业模式要比制造业和零售业的商业模式更为复杂,最古老也是最基本的商业模式就是店铺模式,具体来说,就是在具有潜在消费者群体的地方开设店铺并展示其产品或服务。

又比如,"饵与钩"模式。随着时代的进步,商业模式也变得越来越精巧。"饵与钩"模式也成为"剃刀与刀片"模式、搭售模式,这种模式里,基本产品的出售价格极低,通常处于亏损状态,而与之相关的消耗品或服务的价格则十分昂贵,比如,手机与通话时间、打印机与墨盒等。

进入互联网时代后,普通商业模式在"互联网+"的背景下不断创新,"互联网+店铺"模式,对于一个零售品牌,店铺模式受互联网电商平台冲击比较大,线上售卖占了较大比例,而线下店铺除了依旧承担零售的功能外,当前承载着更多的新产品体验功能;但对于服务业店铺,其价值传递有了互联网的助力则变得更高效。同样地,对于"饵与钩"模式在互联网时代表现也尤为明显,并且方式更加简单,比如视频类网站往往会提供一些供用户免费观看的视频,但对于想观看更多视频的用户则需要缴纳一定的费用。

而互联网时代开启了新技术的飞速发展,由技术带来的商业模式的变革,使得很多企业可以以很低的代价把商品售卖给消费者。

比如"自动售卖机"，一台售卖预处理蔬菜的自动售卖机，放置在地铁口附近，方便下班的用户顺便买回自己想要的蔬菜。显然这样一种商业模式就是店铺模式经过技术化后的新型店铺模式，它依然选择一个人流量大的地段，依然靠赚取蔬菜的差价获得利润，但和传统店铺模式相比大大节省了房租成本与售货员的人工成本。

4.4.2　优化商业模式的途径

创业者们在时代的发展中如何做好商业模式创新呢？从最简单的商业模型入手，一边是产品和服务端，另一边是用户和市场端，中间将产品和用户连接起来的就是渠道，商业模式创新可能发生在这个模型中任意一个意想不到的地方，例如重新定义顾客、提供特别的产品和服务，改变提供产品、服务的路径，改变盈利模式等。

首先，我们来看看如何重新定义顾客，提供特别的产品和服务。顾客需求不断发生变化，企业根据这种变化重新定义顾客，选择新的细分顾客，提供特别的、更新、更快、更好、更全的产品和服务给顾客，可以帮助企业更好地适应顾客需求，获得潜在的利润，从根本上创新企业的商业模式。比如，某民航公司避开了与大航空公司的竞争，作出了特别的顾客定义，抓住了观光度假旅客和中低收入商务旅客的需求，仅仅对顾客提供最基本的服务，在飞机上仅提供一瓶矿泉水，以此来实现降低机票价格，省之于旅客，让利于旅客，创造了一种廉价航空商业模式。

其次，改变提供产品/服务的路径。比如，很多互联网应用都属于这个方面的创新，线上线下模式的外卖团购，由从前用户必须到服务店铺购买餐饮服务，改变为用户线上发出需求请求，商家接单，快递小哥送餐响应，完成用户请求。更进一步地，在一些交通可靠的单位区域内，快递小哥的角色也已经被送货机器人所替代。

再次，通过改变盈利模式来进行商业模式创新。著名的 360 杀毒卫士免费为用户提供杀毒服务，快速收获了几亿深受杀毒"痛点"的网民用户，在大家都还看不懂免费杀毒的背后逻辑时，三六零安全科技股份有限公司已经在 B 端布局了广告、搜索、游戏等其他增值服务作为新的盈利渠道，并且赚得盆满钵满。

当前数字经济发展已经成为国家战略，传统产业和数字技术深度融合，创新出新型商业模式。科技的创新为商业模式的创新带来了无限可能，未来的各种商业模式创新都将会朝着更人性化、更高效地解决人类本质问题的这一目标发展。

4.4.3　商业模式画布

商业模式画布（Business Model Canvas），是亚历山大·奥斯特瓦德在《商业模式新生代》一书中提出的一种用于描述商业模式、可视化商业模式、评估商业模式以及改变商业模式的通用语言。它以一种极其简练的、一张纸的方式将组织的商业模式表现出来。商业画布能够帮助管理者催生创意、降低风险、精准定位目标用户、合理解决问题、正确审视现有业务和发现新业务机会等。

商业模式画布从9个维度(图4.2)来描述产品服务如何创造价值、传递价值、获取价值。创造价值是基于客户需求,提供解决方案;传递价值是通过资源配置、活动安排来交付价值;获取价值是通过一定的盈利模式来持续获取利润。

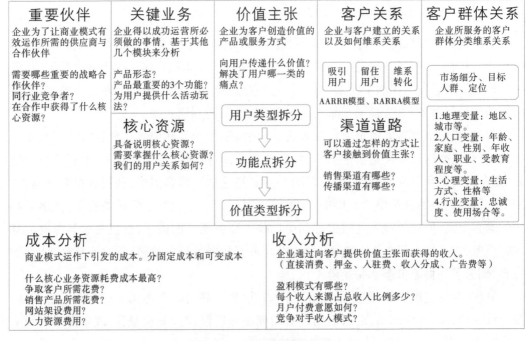

图4.2　商业模式画布构成

(1)客户细分

商业模式的第一要素就是客户细分,无论是哪一种商业模式,都需要先确定自己的细分客户群体。客户是任何一个商业模式的核心,在做细分客户之前要考虑两个问题:我们是在为谁创造价值?谁才是我们最重要的客户?在大致确定了细分客户群后,就需要进一步剖析细分客户群的需求,这个客户群体的需求是否催生了一项新的供给?是否需要为他们建立一个新的分销渠道?是否需要建立一套新的客户关系模型?他们是否愿意为某方面的特殊改进而买单?由他们产生的利润率是否显著不同?

客户细分的类型多样,比如大众市场,大众市场基本不用区分客户群体,像海底捞餐饮这样的服务就是面向大众市场;再比如小众市场,指具体的专门的市场,像喜欢养蜥蜴的爱宠人士就是小众市场;还有一类求同存异的客户群体,这类客户有同样的问题,但是需求有些区别,同样是快递业务,面向终端客户、面向企业、面向政府不同用户可能服务会有一些差异;再有一类就是多元化的客户群体以及多边平台或多边市场,当前常用的电商平台基本上就是这类客户群体。

（2）价值主张

商业模式画布的第二个要素是价值主张，也就是企业为客户创造价值的产品和服务。简单地说，就是客户选择这家产品而放弃另一家的原因，是这家的产品满足了用户的需求。企业要考虑向客户传递怎样的价值？在客户所面对的所有问题中，到底要解决哪一个？需要满足客户的哪些需求？面向不同的客户群体，应该提供什么样的产品和服务组合？

企业利润的获得一定是建立在为客户提供价值的基础上的，因此企业就要提高自身价值主张，可以考虑产品创新，在性能、设计、便利性、实用性等方面提升产品品质，还可以考虑提供定制、保姆式等服务模式，当然也可以在做好产品成本控制的基础上让利给用户。

（3）渠道通路

商业模式画布的第三个要素是渠道通路，也就是企业服务流程中的客户接触点。渠道通路的作用就是使客户更加了解企业的产品和服务，帮助客户评估一家企业的价值主张，同时企业也可以向客户传递自身的价值主张，提供售后支持。企业如何建立渠道通路呢？可以通过做广告等方式提高自身的知名度，使客户更加了解公司的产品和服务；让用户直接参与评估，为客户提供评估企业价值主张的渠道（比如，一些品牌为自己的产品设置线下体验店，提供更多的消费场所，使客户直接购买自己的产品和服务；类似电信营业厅这样的门店，直接解决客户的问题，实现客户的需求，传递自己的价值主张，像餐厅、游乐场都是这样建立渠道通路的）；建立售后服务支持机制，也是一条有效的渠道通路，当前很多著名的企业都有完备售后服务体系。

（4）客户关系

商业模式画布的第四个要素是客户关系，也就是企业和客户建立的关系以及如何维护这段关系。当前常见的客户关系包括：①私人助理型的客户关系，基于人际互动，客户可以与客户代表进行交流并在销售过程中以及购买完成之后获得相应帮助，比如，各类企业客服、导购等；②专门的私人助理，要求为每一个客户指定一个固定的客户经理，这种关系类型包含了为单一客户安排的专门的客户代表，比如，私人医生、保险业务员；③自助式服务，只需要为客户提供一切自助服务所需要的渠道，不存在直接的关系，而是客户自己利用企业提供的自助服务手段获取服务，比如，当下流行的自动售卖机；④自动化服务型的客户关系，将相对复杂的客户自助服务形式与自动化流程相结合，比如，微信广告的定制投放平台；⑤社区型客户关系，可以是在线社区，供用户交流知识，帮助彼此解决问题，利用用户社区与客户/潜在客户建立更为深入的联系，并促进社区成员间的互动，例如，贴吧、豆瓣；⑥与客户共同创造价值型的客户关系，许多企业超越了传统的客户与供应商关系，而倾向于和客户共同创造价值，比如，知乎、大众点评等这类将客户生成内容作为资源的网站。

（5）收入来源

商业模式画布的第五个要素是收入来源，也就是企业为客户提供价值以后获得的收益。收入来源需要思考清楚以下这些问题，究竟何种价值是让客户真正愿意为之买单的？客户目前正在为之买单的价值主张是哪些？客户目前使用的支付方式是什么？客户更愿意使用的支付方式是什么？每一个收益来源对于总体收益贡献的比例是多少？等等。

一般情况下，收入来源主要有以下七种：①资产收费，这是最常见的收入方式，比如，利用房产等固定资产收费；②使用收费，像电话费这样的特定服务收费；③订阅收费，通过重复使用的收入来收费，比如，视频网站会员；④租赁收费，通过将某种资产或商品在固定时间内暂时为他人所有来收费，比如，共享单车；⑤授权收费，将受到保护的知识产权或形象等授权，比如，专利费用、IP 使用费、安卓系统授权、形象代言人；⑥经纪收费，为整合多方利益的中介服务费，比如，房产中介费；⑦广告收费，就是各种广告宣传推广服务费。

（6）关键资源

商业模式画布的第六个要素是关键资源，就是企业为了让商业模式有效运作所需要的核心资源。关键资源的分类主要有以下四种：①物理资源，就是厂房和设备等有形资源；②无形知识性资源，就是品牌、产权、形象，比如，迪士尼的 IP 资源，就是非常可观的无形知识性资源；③人力资源，就是人员，比如，华为的研发人才，腾讯拥有的广大社交用户；④财务资源，就是资金，比如，投资机构的资金注入，企业的现金流。

（7）关键活动

商业模式画布的第七个要素是关键活动，就是企业为了让商业模式有效运作所要执行的关键业务活动。关键活动类型包括：①生产制造，企业的核心是要生产和制造商品，比如，工厂生产的鞋子和衣服；②解决问题，企业为个别用户提供解决方案，比如，设计公司提供的工业、品牌、服装设计服务；③平台/网络，以平台为核心资源的商业模式，其关键业务都是与平台或网络相关的，比如，微博要维护自身的服务器。

（8）关键伙伴

商业模式画布的第八个要素是关键伙伴，就是企业为了让商业模式有效运作所需要的供应商和合作伙伴，合作伙伴的价值主要体现在以下几个方面：①商业模式优化及规模效应，比如，可口可乐的价格多年不涨价，更多归因于其规模生产和对供应商的管控；②降低风险和不确定性，找到规模大、效益好的企业作为合伙伙伴；③特殊资源及业务活动的获得，比如，腾讯与京东的战略合作促进了双方共同利益获得。

合作伙伴的类型，有非竞争者之间的战略同盟，有竞争者之间的战略同盟，有为新业务建立的合资公司，也有基于供应关系的合作伙伴等等。

（9）成本结构

商业模式画布的第九个要素是成本结构,也就是商业模式运作所需要的成本,可以分为固定成本和可变成本。成本结构这个要素需要考虑清楚以下几个问题:企业的商业模式中最重要的固定成本是什么? 最贵的核心资源是什么? 最贵的关键业务是什么? 简单来说,就是为了经营必须付出的成本有哪些。

商业模式画布在商业领域应用十分广泛。下面以海底捞这个餐饮品牌为例,解析如何利用商业模式画布厘清品牌商业模式。

拓展阅读

海底捞的商业模式画面分析

顾客在海底捞的线下门店吃饭时,服务员有热情的服务,饭店有各种美味的食物,每位顾客对这里的食物和服务都非常满意。

先看细分客户,海底捞的线下门店的顾客不分男女老幼,只要可以到门店消费的都可以作为它的客户,可以说海底捞面向的是大众市场。

在探寻海底捞的价值主张时,要回答以下问题:为什么顾客会选择到海底捞吃这顿饭,而放弃了其他饭店呢? 海底捞的价值主张概括起来就是:以人为本,一方面高福利对待员工,让员工甘心乐意为消费者服务;另一方面让顾客感受到"上帝"般的待遇。美味的食物和热情的服务是大多数顾客选择海底捞的原因。

海底捞与用户之间的渠道建设使用最传统的方法,提供足够多的消费场所,供顾客能够方便地选择门店,直接解决用户想要享受美食的需求。同时打造自己品牌的App,提供线下门店预约服务,入驻各大外卖平台,顾客也可以线上下单,由快递小哥送到指定位置。深入了解海底捞后,会发现门店还会建立自己的微信群,定期在群里发送宣传信息等等。

海底捞的客户关系是靠"极致"的服务圈牢消费者,用强大的品牌效应拓展新客户。这里的"极致"包括为一人食顾客摆放陪伴玩偶,为小朋友顾客赠送玩具和加餐,为等待用餐的顾客提供免费美甲服务、免费擦鞋服务、免费带孩子玩服务,等等。

海底捞的关键业务包括火锅门店经营,底料、自热产品、酱料等的产品零售,因此它的收入也相应地来源于火锅门店的餐饮服务、产品零售等。

海底捞最主要的资源首先在于自身非常有竞争力的人力资源,可以说海底捞的服务体系在全国范围内很难找到能够超越的竞争者,另外在于客户看不到的海底捞后端,有其自建的后端供应链,还有"海底捞"这个品牌,也具有相当的价值。同时,海底捞日常关键活动就在于利用整个服务体系为顾客提供良好的、独特的用餐体验。

在关键合作伙伴方面,海底捞的关键合作伙伴首先是各大商场门店,还有后端供应链合作伙伴,包括底料、食材、装修方面,都有其固定的合作伙伴。在战略合作方面,海底捞与可口可乐相互合作,以达双赢。

成本方面,主要包括制送、营销、物流仓储、产品研发、人力、租铺、管理等费用。

4.5 商业计划书

4.5.1 商业计划书的作用

创业者在经过创业团队组建、市场调研、用户需求分析、商业模式设计后,就要将以上所有的准备工作落实到书面上,写一份商业计划书,一方面对接下来的创业活动各种事项进行总体性的安排,另一方面也是吸引投资者以获得资金的基础性文件。

商业计划书是对构建一个企业或运营一个项目基本思想的文档,要全面展示企业和项目目前状况、未来发展潜力以及投入产出计划。商业计划书具有两个最基本的作用。一是为创业者、创业管理团队和企业雇员提供一份清晰的、关于新创企业发展目标和发展战略的说明书;二是为潜在顾客、商业银行和风险投资者提供一份推销新创企业的报告。

在撰写商业计划书的过程中,创业者会对产品服务、市场、财务、管理团队等进行详细分析和调研,这样有助于创业者及早发现问题,进行事前控制,帮助创业者找出影响新创企业成败的关键因素,这是创业者对新创企业进行再认识的一个重要过程。商业计划书发展至今,已经由单纯的面向投资者转变为企业向外部推销宣传自己的工具,也是企业加强对外宣传管理的依据。

商业计划书的作用具体表现在以下几个方面。

第一,帮助创业者整体把握创业思路、明确经营理念。商业计划书是创业者为自己开拓事业而量身定制的一面镜子,在撰写过程中,创业者必须理性分析和全面审视自己的创业计划与思路,明确经营理念,以避免因企业破产或失败而可能导致的巨大损失。另外,在研究和撰写商业计划书的过程中,经常会发现经营机会并不完全与所期望的一样,此时,创业者会根据实际情况采用不同的策略,使创业活动更加可行。只有对创业前景拥有清晰认识,才能更好地开展创业活动。

第二,实现创业计划的融资需求。商业计划书是创业者寻求资金来源的名片,一份准备充分的商业计划书能够帮助新创企业获得商业银行的信任,从而有助于新创企业得到优厚的信贷条件。各类投资者和债权人通过商业计划书能够了解新创企业的产品或服务、管理策略、市场规划、盈利预测等,增进对新创企业产品或服务的类型、市场性质,以及对创业者及其管理团队素质的认同,从而决定是否有必要进行合作。因此,商业计划书对于在新创企业与各类投资者及商业银行之间建立良好的关系具有重要作用,创业者须在新创企业项目启动初期使用创业计划书来激起投资者的兴趣。

第三,宣传本企业,聚集人才。书面的创业计划是新创企业的象征和代表,它使创业者与外部企业的组织及人员得以良好的沟通,是企业进行对外宣传的重要工具。通过一份优秀的计划书,能让投资者看到企业发展潜力,也能吸引志同道合的人一起加入创业团队。

第四,帮助创业者有效管理新创企业。在创业过程中,各种生产要素是分散的,信息是凌乱的,创业者在撰写商业计划书的过程中,可以厘清思路,更好地找到企业运行过程中的连接点,实现资源的有效整合和利用,形成完整、流畅的商业运作计划。商业计划书既展示了企业全部现状及其发展方向,又提供了良好的效益评价体系级及管理监控标准,使创业者在管理企业的过程中对企业发展的每一步都能做出客观的评价,并及时根据具体的经营情况有效管理企业。

4.5.2 商业计划书的分类

(1)根据企业目标

根据创业目标的不同,可以将商业计划书分为个体经营商业计划书和企业商业计划书。个体经营商业计划书的内容构成可相对简要一些,侧重于介绍产品或服务,分析区域内的市场需求、厘清经营思路、确定竞争战略、制订店铺经营发展规划等。它不以融资为主要目的,而是用于帮助自主经营店铺或加盟连锁店铺的创业者科学、理智地投资,提高创业成功的概率。

企业商业计划书重点介绍产品或服务的创新性和团队创业基因。分析产品的优缺点,制订发展规划、商业模式、融资计划等。这既是实现融资目的的需要,也是法律的要求。按照《中华人民共和国证券法》等相关法律规定,企业必须以书面形式披露与企业业务有关的全部重要信息,如果披露不完全或不客观,当投资失败时,风险投资人就有权收回其全部投资并起诉创业者。企业商业计划书的首要作用是用于获得风险投资,因此,其内容构成应该详尽、真实、完备。

(2)根据受理对象

如果根据商业计划书的受理对象分类,则可以将商业计划书分为以下4类。

第一类,为了申请银行贷款而作的商业计划书。如果撰写商业计划书是为了申请到银行贷款,那么在撰写商业计划书时,内容除了要涵盖普通商业计划书的基本内容之外,还要重点介绍以下几点。首先,要说明产品和服务具有良好的市场前景,企业的经营管理制度规范;其次,要明确创业项目具有较高的盈利水平,资金运营是安全的,风险是可控的;再次,强化说明创业者具有较好的还款能力,并制订详细的还款计划。

第二类,为了寻求风险投资而作的商业计划书。寻求风险投资一直是大学生创业者寻求资金援助的最佳途径。在撰写此类商业计划书时,首先要了解风险投资人的重点投资领域,了解风险投资资金的具体内容,最主要的是要让风险投资人通过商业计划书看到创业者的项目具有良好的市场前景。

第三类,为了参加创业计划竞赛而作的商业计划书。大学生创新创业类比赛种类较多,教育部鼓励更多的大学生参与到创新创业中去,重点是培养大学生的创新精神,锻炼大学生发现问题、解决问题的能力。这类商业计划书首先条理要清楚,结构要规范,内容要丰富,产品必须具有良好的创新性,最好有专利技术,市场调查要很翔实,市场分析与预测要精准。当然,从目前创业计划竞赛来看,也受到很多风险投资的关注,因此在撰写此类商业计划书时,也要有良好的市场竞争意识,争取得到风投的支持,从而在创业计划竞赛中得到更多的收获。

第四类,为了自主创业而作的商业计划书。对于自己创业、自己投资的创业者来说,在撰写商业计划书时,可以把自己的所有设想写到计划书里。为了便于实践,这类商业计划书往往会借助各种各样的表格,使创业步骤一目了然,成为创业者今后创业的依据和蓝本。

4.5.3　商业计划书的内容

对于一个创业者来说,商业计划书所反映的是创业项目或企业的现实需要和需求,体现的是创业者及其团队的创业理念和创业目标,表明的是创业项目或企业的发展方向和产品服务的市场潜力等。因此,商业计划书是汇集整个经营团队的思想和智慧而写出的真实想法,对创业项目或企业将来的发展起指导作用。商业计划书一般包括以下内容。

(1)封面

商业计划书的封面包括创办企业的名称、地点、性质,以及创办者的姓名、电话等内容。封面要注重审美和与项目的契合度,原则就是让读者对商业计划书以下内容产生兴趣,进而读下去。接下来,商业计划书中有必须做一个目录,这样使商业计划书更有条理,阅读者查找起来也非常方便。

(2)摘要

商业计划书要有摘要部分,它是商业计划书的第一部分,位于正文之前。摘要浓缩整个商业计划书的精华,是读者了解整个商业计划书最直接的部分。所以,它必须涵盖商业计划书的全部要点,内容要简洁、一目了然,不但要使阅读者在最短的时间内完成评审并做出判断,而且还有进一步了解创业项目或企业的欲望。在摘要中,创业者必须清晰地回答以下问题:企业所处的行业、企业经营的性质和范围是什么? 企业的主要产品是什么? 企业的市场在哪里? 谁是企业的顾客,他们有哪些需求? 企业的合伙人、投资人是谁? 企业的竞争对手是谁? 竞争对手对企业的发展有何影响?

（3）产品或服务介绍

在进行投资项目评估时,投资人最关心的问题之一就是企业的产品、技术或服务能否以及在多大程度上解决现实生活中的问题,或者企业的产品或服务能否帮助顾客节约开支、增加收入。一般而言,这一部分主要围绕以下问题展开:企业的产品/服务能为顾客解决什么问题? 与竞争对手的产品/服务相比,企业的产品/服务具有哪些优劣势? 顾客为什么要选择这个产品服务? 企业为自己的产品/服务采取了哪些保护措施? 企业拥有哪些专利、许可证,或已与申请专利的厂家达成了哪些协议? 企业的产品/服务定价如何保证企业的利润? 企业采取何种方式去改进产品的质量、性能? 企业对开发新产品有哪些计划?

（4）市场分析

这部分是创业计划书中比较重要的内容,也是阅读者比较关注的内容,一般情况下要占据较大的篇幅。市场分析重点要做好以下工作:

一是市场环境分析。市场环境分析主要明确产品/服务市场的现有情况及态势,详细了解竞争对手情况及顾客和供应商特征等。①市场情况分析。通过对目标市场的调查,明确这一市场的规模、增长趋势和特点,确定新创企业在这一市场是否有足够大的发展潜力、发展空间,是否会吸引其他企业大批加入而导致竞争进一步加剧。②竞争情况分析。通过分析竞争对手的现状,包括数量、构成等数据,显示新创企业在这一行业立足的可能性以及通过何种途径闯出立足之地。分析自己的优劣势分别在哪里;如何保持优势和弥补劣势;保持优势的资本是什么。③顾客分析。确定企业产品服务的目标市场顾客,也就是要分析企业的产品/服务会被哪些人所接受,这些人的数量有多少,潜在消费群有多大,这些分析将为企业制订营销计划提供依据。④供应商分析。这里的供应商是指与新创企业有联系的关系单位或长期合作单位,要对其进行实力、信用、价格等方面的评估,在此基础上选择合适的供应商。

二是企业的市场定位、目标市场及市场细分分析。企业必须了解自身和产品,清楚企业的市场定位,知道企业将要达到什么高度,树立一定的目标才能激发自己更好地前进。

三是企业自身的优势、劣势、机会、威胁分析。通过分析企业自身的优势、劣势、机会等,以便企业制定发展策略,也使得商业计划书更具有实践操作性。

四是消费者购买行为分析。明确消费者的主要特点以及他们的购买动机、购买方式和购买渠道,这有利于企业开发相应的产品/服务与制定相应的营销策略。

（5）企业和团队介绍

这部分主要包括企业的目标及形态、经营团队、创建后企业的基本情况等。

企业目标也就是企业的产品/服务领域、目标顾客、企业所要达到的预期目标;企业形态是企业的法律形态,是合伙制? 还是公司制? 或是个体工商户?

企业的经营团队介绍团队的构成,包括成员的年龄、学历、经历、业绩和专业特长等,各自承担的任务,每个成员对自己的客观评价,如何弥补团队中可能存在的不足等。对团队成员的介绍一定要真实、客观,特别要突出各成员在前期市场调查中所做出的成绩,以表明个人和团队的工作能力。创业者的素质和技能是投资者评价创业计划的一个重要维度,因为创业者是新创企业能否在市场竞争中生存的关键。

创建后企业的基本情况,包括名称、法律形式、注册资本、经营场所、资本结构等内容,这些内容旨在使阅读者对成立后的企业有个基本了解。除此之外,还有以下三个方面需要注意:一是明确企业生产目的之后,将各部门的职权划分及负责人基本情况通过一定方式描绘出来,并表明其相互关系,应尽可能明确研发、生产、营销、财务等职能部门的划分及其职权与职责。二是制定企业组织制度、建设企业文化。企业组织制度和企业文化可以规范企业员工的行为,明确相互之间的分工合作关系。三是明确企业人力资源管理和发展计划。人力资源是企业的生存之本,企业要为其提供良好的发展空间,为其能力的发展提供广阔的平台,为其进一步深造提供机会。

(6)营销策略

确定了产品或服务的目标市场和目标顾客之后,创业者就要制订营销计划,营销是企业最富挑战性的环节。一般而言,营销策略主要包括以下内容:营销环境分析;确定目标市场客户;制定产品决策,包括相应的服务策略;制定价格决策;制定销售渠道决策;制订促销计划和广告策略。

(7)生产运作计划

生产运作计划包括以下内容:产品制造和技术设备现状,原材料、工艺、人力及其安排,新产品投产计划,技术提升和设备更新要求,质量控制和质量改进计划等。这些内容主要体现在以下几方面:一是生产资源需求,确定创办企业的相关资源,比如,土地、厂房、设备、技术、管理团队等,并且根据实际情况的改变进行追加或者减少,需要列出拟创企业的生产资源需求计划以及相应的资金需要计划;二是生产活动过程,需要对整个生产流程进行介绍,并明确企业的重点,拟创企业是包揽所有环节还是只从事部分环节,员工是否具备生产所需的技能以及拟创企业是否已经掌握成熟的生产工艺;三是生产目标控制,生产目标不仅包括产量目标,还包括企业为保持竞争优势应达到的质量控制目标和成本控制目标。

(8)财务计划

财务计划是商业计划书中最重要的内容之一,一份好的经营计划概括地提出创业者在筹资过程中需要做的事情,而财务计划是对经营计划的支持和说明。在创业初期,资金的筹措是非常关键的,也是验证创业计划可行性的关键步骤。创业项目的经济效益是衡量投资回报的重要依据,同时还要对企业未来的财务状况做出分析与预测,并提供足够的证据对所做的计划和分析予以支持。财务计划需要花费大量的时间和精力做具体分析,包括现金流量表、资产负债表及损益表等。对于创业企业,现金流量表是投资者最为看重的,因为资产负债表和损益表都是企业创办并经营一段时间后运营情况的反映。

（9）风险与风险管理

创业是一项风险活动,良好的风险管理是创业初期能否成功和创业能否成熟的重要保证。风险管理中包括对风险的度量、评估和应变策略。理想的风险管理,使可以引致最大损失及最可能发生的事情优先处理,而相对风险较低的则押后处理。一般来说,投资者最关心的问题主要有两点:一是创业者的商业创意,产品/服务是否具有唯一性;二是企业的管理层是否能够胜任。因此,创业者在撰写商业技术书时一定要从这两个方面着力分析。

（10）附件

商业计划书最后还要包括一系列支撑材料作为附件,附件内容往往关系到商业计划书是否真实、可信。完备且具有说服力的附件是支持商业计划书观点的重要依据,也是增强投资者信息的重要武器,一般包括:专利及专利授权书、市场调查表和调查报告、获奖证书、订货合同单、支持本团队创业证明等。

4.5.4　撰写商业计划书

要知道在创业实践中,一个风险投资公司往往会收到来自各行各业、数以百计的商业计划书,但能够吸引投资人注意的也只有寥寥数份而已,所以创业者将自己的商业计划以一种什么样的形式呈现就显得尤为重要。

商业计划书的目标是要吸引更多人的参与和支持,因此,商业计划书一方面要强调商业计划书的生命力所在——可信性、可操作性及说服力;另一方面还要做到引人入胜,可以先制造一个悬念或描述一件使阅读者感兴趣的事件,提高阅读者的情绪。下面介绍创业计划书撰写过程中常用的一些基本技巧。

首先,商业计划书要有一个精彩的开头,一个精彩的开头,在创业实践中,能够激发投资人继续阅读下去的兴趣,所以,对整个计划书而言,最重要的是摘要部分,具体到每一章,最重要的也是引言部分,要用简洁的语言对本章所写内容做精彩的概述。

其次,要合理使用理论依据。想要提高商业计划书的可信性,更好地说服阅读者,就要为创业计划书的观点寻找理论依据。在适当的时候使用理论依据可以显示出创业者良好的理论知识储备,以及将理论知识应用于实践的能力,会给阅读者留下非常专业的印象,这是一个事半功倍的办法,但在实践中要防止纯粹的理论堆砌。

再次,要适当举例说明,在商业计划书中加入适当的成功与失败的例子既可以充实内容,又能增强说服力。为了说明自己的产品/服务具有良好的市场发展前景和良好的口碑,可以在商业计划书的附件上多提供一些产品/服务的用户使用情况证明材料。

还要充分利用数字说明问题,撰写商业计划书的目的是指导企业创业实践,必须保证其内容具有高度的可靠性。商业计划书的内容应有理有据,最好任何一个论点都有依据,而数字就是最好的依据。在商业计划书中利用各种绝对数和相对数来进行比较、对照是绝对不可少的,而且要使各种数字都有可靠的出处,因此,建议在创业计划书中尽可能多地注明数据的具体来源。

注意运用图表,使内容视觉化。图表有着强烈的直观效果,并且比较美观,有助于阅读者理解策划的内容。用其进行比较分析、概括归纳、辅助说明等非常有效。尽量用各种图表、实物照片将商业计划书中的内容表示出来,给阅读者以直观的印象。

要做到突出重点,切勿面面俱到。在撰写商业计划书的过程中,过分贪求是要不得的,那样往往使一个创业计划书中包含太多的构想,即目标过多。对于一个善于思考的人来说,就某个问题产生很多的想法是个优点,但如果把这些想法全部纳入商业计划书中,则是一件十分危险的事情。商业计划书中的观点和想法太多,容易分不清创业策划的焦点和主体。同时,商业计划书中对市场规模的描绘不能过于宽泛,企业想做市场规模的时候,一定要想到只有小的地方做好,将来才有拓展的可能。因此,一个优秀的创业策划书撰写人员要把构想浓缩,即使有很好的方案,只要与主题无关,就要删除。

撰写商业计划书时,还要准备若干方案,未雨绸缪。商业计划书没有硬性规定一次只能做一个方案。对于同一个主题,同时做出两个或三个商业计划书也是可以的。当然,有时创业者会过于自信,认为自己的工作是完美无缺的,但从企业的实践角度而言,在对商业计划书进行审查时,一定会有多种意见,所以事先准备替代方案是明智的。有经验的商业计划书撰写者会预测审查者可能提出的反对意见,或者准备第二方案、第三方案。

撰写商业计划书要站在阅读者的角度思考问题,商业计划书的一个重要目的就是要得到投资者的青睐,这就要考虑别人阅读创业计划书的心理,过于自我或者没有经过市场论证的创业计划书不容易打动投资者。

创业者的商业计划书要打动投资者,首先要给投资者留下一个自己对创业企业非常有信心的印象。创业团队在创业计划中应该占有一定的出资比例,如果连创业者自己都不出钱,很难得到投资者的好感。但对于大学生创业者来说,如果利用自己的专业所学进行科技成果创新与转化,经过实践获得一定的商业价值,即使大学生零成本创业,投资者也是非常青睐这类大学生创业者的。

同时,考虑到投资者非常关注商业模式和投资期的问题,在撰写商业计划书时,应对商业模式和投资期有一个明确的介绍。

最后,商业计划书要有效利用版面设计,增强感染力。商业计划书视觉效果的优劣在一定程度上取决于版面设计,因此有效利用版面也是商业计划书撰写的技巧之一。版面设计的内容包括字体、字号、字与字的空隙、行与行的距离、字体的采用以及插图和颜色等。优秀的版面设计能使创业计划书、重点突出、层次分明、严谨而又不失活泼。

4.6 创业资金

4.6.1 融资的不同类型和渠道

资金是企业经济活动的第一推动力,也是持续推动力。企业能否获得稳定的资金来源,及时、足额筹措到生产要素组合所需要的资金,对企业经营和发展都起着至关重要的作用。所谓创业融资,是指创业者为了将某种创意转化为商业现实,根据企业经营策略与发展需要,经过科学的预测和决策,通过不同渠道,采用不同方式向风险投资者或债权人等筹集资本,组织创业启动资本的一种经济行为。

融资有权益融资和债务融资之分。权益融资不同于贷款,不需要进行偿还。权益投资者是企业的部分所有者,通过股权支付获得他们的投资回报。权益融资的后果是稀释了原有投资者对企业的决策初控制权。权益资本主要来源于自有资本、朋友和亲人、风险投资公司。债务融资是指企业通过银行或非银行金融机构贷款、发行债券等方式筹集资金,银行或非银行金融机构成为企业的债权人,并获得该企业还本付息的承诺。

无论何种类型的融资,都有一定渠道。融资渠道是指企业筹集资本来源的方向与通道,体现资本的源泉和流量。创业者想要获得成功,就需要整合各种资源,尽可能地拓宽融资渠道,有效筹集创业资金。创业者或创业企业的融资渠道主要有以下几种。

1)创业者的自我资本积累　创业者的自我资本积累是创业资金的主要来源之一。创业者在初始阶段往往都会用到自我积累的资本,使用自己的资金创业有利于激发创业者的积极性和主动性。但是,创业者自我资本积累一般数量少、增长慢,难以满足企业规模迅速扩大的需要。

2)国家财政投入融资　对于国家或地方的重点建设项目,可以申请国家财政或地方财政投资,即通过国有资本融资。一般情况下,国家会根据政策的需要在财政中安排必要的重点科技项目贷款,支农贷款、扶贫贷款、环境治理贷款等低息或贴息贷款,符合条件的企业可以争取利用这些渠道筹资。

3)银行贷款融资渠道　银行是经营货币资金的企业。银行贷款融资是当前企业融资的主要渠道之一。以贷款是否需要担保来分,银行贷款可以分为信用贷款与抵押贷款;按照期限来分,银行贷款可分为短期贷款、中期贷款、长期贷款;按照资金来源来分,银行贷款可分为政策性银行贷款、商业银行贷款、保险公司贷款等。

4)吸收股份和发行股票融资　吸收股份筹资主要是指组织公司制企业时,向社会法人定向募集股份。少数获得国家有关部门批准的上市公司,则还可以通过发行股票,向社会公众募集股份。发行股票可以筹措社会资金,并且分散企业风险。同时,企业要受到相关部门的监管和公众的监督。

5）发行企业债券融资　企业债券按照偿还期限的不同，可以分为短期和中长期两种；按照能否转换为本企业股票，可以分为单纯债券与可转换债券两种；按照偿还方式的不同，可以分为分期偿还式债券、通知偿还式债券，以及每年提存一部分偿债资金、到期一次偿付式债券三种；按照有无担保，可以分为有担保企业债券和无担保企业债券两种。

6）利用外资融资　利用外资包括利用国际性组织、外国政府、企业与个人的资金。外资的直接投资方式主要有外商独资、合资经营、合作经营、合作开发等。外资的间接投资方式主要有外国商业银行贷款、国际性金融组织贷款、政府间技术经济援助贷款等。

7）租赁融资　租赁融资是指企业作为承租人，根据与出租人签订的租赁合约，付出一定的租金，来获得在规定时期内租赁物的使用权或者经营权的筹资方式。融资租赁以专业性的租赁公司为出租人，租赁公司按照承租企业的要求，由租赁公司向银行贷款，再从国外或者国内购入承租企业选定的新设备，并租赁给承租企业使用。融资租赁方式使承租企业不必依靠贷款筹资，依托有能力与经验的租赁公司便能很方便地获得所需的设备并且减少经营风险。

8）商业信用融资　商业信用是商品经营活动中的临时短期性借贷融资形式。商品赊销、预收贷款、预收服务费以及企业之间的资金拆借等方式都属于商业信用融资。这些企业之间互相提供的信用有时也能直接解决企业资金缺乏的问题。

9）创业风险基金融资　对于高科技企业来说，由于存在高风险、高潜在利润的特点，因而在创业阶段可以通过社会上的创业风险基金融资。风险投资公司负责具体运作创业风险基金，一般只投资于还没有公开上市的企业，投资决策建立在高度专业化和程序化的基础之上。由于风险投资的目的是追求超额回报，当被投资企业增值后，风险投资人会通过上市收购、兼并或其他股权转让方式撤出资本。

天使投资是风险投资的一种比较特殊的形式。天使投资是指个人或机构直接对有发展前途的创业初期的小企业进行权益资本投入，以在体验创业乐趣的同时获得投资增值。天使投资是新创企业早期发展的重要权益资金来源。天使投资者通常是两类人：一类是成功的创业者，他们主要基于自己的经验提携后来者；另一类是企业的高管或者高等院校和科研机构的专业人员，他们拥有丰富的创业知识和洞察力，希望通过自己的资金和专业经验帮助那些正在创业的人，体验创业激情，获得社会荣誉，延续他们的创业梦想，期望获得投资回报，所以被称为天使投资。

对于风险投资，天使轮之后，企业产品可能刚刚上市，也可能还未有太大的利润，风险比较大，就到了 A 轮融资阶段，资金来源一般是专业的风险投资机构。随着企业的发展，经营模式不断成熟，需要更多的资金来支撑运营，推出新业务，拓展新领域，这个阶段就到了 B 轮融资，资金来源可以是 A 轮风险投资机构，也可以是新的风险投资机构。完成了 B 轮融资，企业就步入正轨，产品投入市场并获得可观的利润，但这并不代表企业就不缺钱了，这样就进入了 C 轮，这一轮除了拓展新业务，也有补全商业闭环，准备上市，也就是 IPO,资金来源主要是私募股权投资,有些之前的风投机构也会选择跟投。C 轮融资后可能还有 D 轮等。其实企业每一轮融资的目的就是在不断地持续融资的过程中形成成熟的商业模式,直至拥有持续赚钱的能力。

4.6.2　路演

　　创业者融资之前需要准备好商业计划书,将自己的商业计划详细地以书面形式呈现,一份商业计划书往往几十页,甚至上百页,将厚厚的一本完整的商业计划书发送给投资人,投资人仔细阅读后就会投资吗？事实上,基本上没有哪个投资人有兴趣将商业计划书读完,更不用说投资了。如果商业计划书的摘要部分打动了投资人,他们通常会要求与创业者见面,进一步了解项目情况。这个时候,必须准备进行商业计划书路演。

　　路演相比文字、静态 PPT、表格交互,来得更为真实。一个好的项目通过路演来呈现,能够极大提升融资成功的概率。路演从展现形式来看,包括文字、图片、视频、PPT 演讲、互动回答;从展现内容来看,路演包括项目市场分析、竞争分析、产品和技术介绍、商业模式、团队成员、财务指标、融资计划等。这种多种媒体相结合的信息披露方式,可以让投资者更充分地了解创业项目。商业路演,是当前国内诸多企业实现融资的高速公路。通过路演,实现创业者与投资人的零距离对话、平等交流、专业切磋,促进创业者与投资人充分沟通并加深了解,最终推动融资进程。在融资路演中,一旦获得投资人的青睐,就能帮助企业腾飞。

　　商业计划书不是学术论文,它的阅读者可能是非技术背景但对计划有兴趣的人,可能是团队成员,可能是投资人和合作伙伴,也可能是供应商、顾客、政策机构等,因此,一份好的商业计划书要避免使用过多的专业词汇,应当聚焦于特定的策略、目标、计划和行动。用于路演的商业计划书的篇幅要适当,太简短,容易让人感觉不严肃并对项目的可行性产生怀疑;太冗长,则会被认为太啰唆,表达不清楚。合适的篇幅一般为 15 页左右PPT,包括附件在内。

　　用于路演的商业计划书需要有一个完整的逻辑,整体应采用自顶向下的逻辑,先介绍市场,再介绍项目模式,然后细化项目的竞争和团队情况,最后讲融资计划。这种循序渐进的逻辑,优点在于如果每个环节都清晰,能说服投资者,那么投资者就有耐心读完,进而建立投资人对项目的信心。

　　第一,路演商业计划书的封面,用一句话让人记住项目,封面是商业计划书的门面,要从审美和艺术的角度进行设计,同时兼顾内容的表述。封面的主要内容包括项目名称和一句话简介。

　　第二,项目简介,主要写"痛点"和方案,项目简介主要介绍企业的产品或服务,重点介绍项目解决的"痛点"和方案。如果是一个全新的模式,需要让投资人迅速了解企业的产品/服务到底是什么,否则直接讲盈利模式、市场、竞争,投资人很难看懂。

第三,市场空间和规模,要界定清晰,这一部分主要介绍目标市场和市场规模。清晰界定自己的目标市场非常重要,这几乎是创业者最重要的战略思考之一。很多人写商业计划书都喜欢写万亿市场、千亿市场,其实稍微想一想,这个市场跟你没什么关系。创业者需要想清楚自己的目标市场到底是什么,想清楚怎么计算市场"天花板"才能说服投资人。

第四,介绍商业模式,讲清楚产品模式+运营模式+盈利模式。商业模式的定义差别很大,其中一种定义是:商业模式=产品模式+运营模式+盈利模式。抛开怎么起名字,先来看怎么介绍业务,核心就是回答以下三个问题:企业的产品服务到底是什么? 企业靠什么赚钱? 企业的推广计划是什么?

第五,竞争分析,分析外部竞争条件。要做到以下几点:清晰地介绍竞争对手;找到差异化的方式;认清有能力获得的竞争优势。竞争分析往往不是寻找完全相同的业务,而是寻找解决同类问题的业务。例如煎饼摊的竞争对手不仅是煎饼摊,还包括旁边的包子铺和肯德基早餐,因为解决的问题是一样的。

第六,团队分析,也就是分析团队能力。注意,如果团队有优势的话,一定把亮点提炼出来;如果团队特别优秀的话,建议把这一页放在前面,可以吸引投资者关注。

第七,产品进展,媒体宣传加上用户反馈,主要介绍产品的进展,包括媒体宣传和用户反馈等情况。

第八,融资需求,包括钱和下一步计划,这是商业计划书的最后一个模块,通常这一部分介绍需要融资多少,出让多少比例股份,以及这些钱打算怎么花。通常,对于投资者来说,每轮稀释的股份为 10%~20%,这也是一个融资领域默认的规则。这相当于是一个很简单、明确的业务计划,而且是定量的,如果前后逻辑自洽的话,会给投资者一种准备充足的印象。为了支持刚才提出的雄心勃勃的企业发展策略,创业者需要提出融资需求,整个路演都是为了这一时刻。此时创业者应回答以下问题:需要多少资金来进一步验证你的商业模式? 手上的钱还能花多久? 还要花多少钱? 资金将如何分配? 钱会花在什么方面? 成本是多少? 创业者有多大的信心能够让利润保持在一定范围内?

路演商业计划书撰写原则如下。

首先要放弃专业术语。不要用专业术语来讲述关键问题,坚持用简单的语言表达复杂、专业的问题,尤其是在介绍商业模式、产品、行业等重要环节。

其次要直截了当。讲述任何环节的内容时,都尽量不要使用形容词。过多的修饰语会让创业计划书变得模糊,反而会掩盖其商业价值。

再者,PPT 要简洁大气。简洁不是指页面上的内容越少越好,那是简陋。简洁指的是布局符合逻辑,主次分明。大气是一种感觉,让阅读者不感到压抑,就是做到了大气。

还要注意要少用或不用 PPT 自带的效果模式。要选择那种简洁、明快的效果,推荐使用淡出效果。

路演前准备工作要尽量充分,要注重演讲人的形象,尽量着正装,反复练习,语速建议每分钟 200 字,提前准备话术。不要让自己随着刻板的 PPT 思路走,而是让 PPT 随着演讲人的思路走。重要的东西在前面讲,不用太在意 PPT 内容的前后顺序,但要符合逻辑。要有备选方案。提前想好投资者可能会问的问题并准备好答案,做最坏的打算,路演中一旦出现事故或者发生变化,应随机应变。

路演时,自始至终都以积极的态度对待。不要原原本本地读内容;面对投资者,多用数据说话,多用金融学专业术语进行财务预测;要准确理解和解答投资人提问。投资人提出的疑问或异议的背后可能有多个原因。如果在了解其原因之前就予以回答,很可能答非所问,既没有给投资人以准确解答,也容易失去投资人的信任。听清投资人的疑问或异议,必要时确认一下自己的理解是否正确。礼貌地向投资人询问其提出疑问或异议的原因,针对投资人提出疑问或异议的原因予以回答。对于因误解或怀疑造成的疑问或异议,可予以解释、澄清,并向投资人请教。

4.7 创业风险及规避

4.7.1 创业风险的内涵

创业风险来自创业活动有关因素的不确定性。在创业过程中,创业主体要投入大量的人力、物力和财力,要引入和采用各种新的生产要素与市场资源,要建立或者对现有的组织结构、管理体制、业务流程、工作方法进行变革。这一过程中必然会遇到各种意想不到的情况和各种困难,从而有可能使结果偏离创业的预期目标。创业环境的不确定性,创业机会与创业企业的复杂性,创业者、创业团队与创业投资者的能力与实力的有限性,是创业风险的根本来源。

4.7.2 创业风险的类型

4.7.2.1 政策风险

政策对于任何创业活动都具有强制约束力,因此,创业主体需要关注创业项目行业、市场等政策的变化和趋势。不同的政策及其动态变化,意味着相关国家或地区的政府对行业的导向与要求,也就是允许做什么、鼓励做什么、禁止做什么,等等,这些都会直接影响创业项目的发展。

我国改革开放四十多年,创业者的队伍不断壮大,同时各类创业主体对国民经济和社会发展的推动作用日益显著。各级政府起到了引导创业主体的发展方向的重要作用,在四十多年间的经济发展中,我国政府及相关部门在不同阶段出台了大量的符合经济发展特征的政策和措施。对于创业主体来说,这些政策在财税、信贷、服务等方面能够为自身带来一定的支持,但另一方面,由于有些创业项目与政策扶持方向有偏差、有些创业项目规模较小无法达到扶持条件等原因,这些创业项目无法得到扶持,甚至一些创业项目还会因为与政策方向相背离而陷入困境。政策风险的不确定性非常大,需要创业者具备高认知,对于国家发展的动态因素有较强的判断能力。

📖 拓展阅读

2021 年 7 月 24 日,《关于进一步减轻义务教育阶段学生作业负担和校外培训负担的意见》印发,对课后补习机构的投融资、业务类型、经营"双减"等做出严格限制,给教育培训机构带来了巨大冲击。作为昔日教培行业巨头,新东方遭遇了前所未有的困局。"新东方"宣布关停小学和初中学科业务的线下招生,在国内大面积退租,并捐了线下课桌椅。

随着"双减"政策的落地,教育培训行业内的多家上市公司股价出现断崖式暴跌,大量相关从业人员失业。

4.7.2.2 融资风险

融资(包括借款融资和股权融资)在商业世界中是非常常见的,但也伴随着一定的风险。

1)债务负担　借款融资可能会导致债务负担,企业需要支付利息和本金,这可能会对现金流产生压力,尤其是在财务状况不佳时。

2)利息和费用　借款通常伴随着利息和费用,这增加了借款成本,尤其是高利率借款。

3)还款压力　如果企业不能按时偿还债务,可能会导致信用问题和法律纠纷,进而损害企业声誉和信誉。

4)股权权益稀释　股权融资,特别是发行新股,可能导致现有股东的权益稀释。新投资者可能要求更多的股权,这会减少现有股东的持股比例。

5)投资者干涉　股权融资可能会引入新的股东,他们可能对企业决策产生影响,要求改变经营方针,这可能与现有管理团队的愿景不一致。

6)资本成本　股权融资可能导致资本成本增加,因为股东要求股利或股票回购等回报。

7)不确定性　融资不仅涉及风险,还伴随着不确定性。融资可能不成功,或者可能需要更长的时间来实现预期的回报。

8)资本市场波动　股权融资可能受到资本市场波动的影响,股价可能波动,影响企业的估值。

9)投资者关系　融资可能引入新的股东或债权人,需要管理和维护与他们的关系,以确保投资者满意。

10）法律和合规风险　融资涉及法律和合规问题,如合同、文件提交、证券法规要求等,不遵守可能导致法律纠纷。

为了有效地管理融资风险,企业需要仔细考虑融资方式,评估财务状况,制定明智的资本结构策略,谨慎选择合作伙伴,并遵守法律法规。此外,企业需要有明确的还款计划和资金用途,以确保融资资金被有效地利用。风险管理是融资决策的关键组成部分,以确保企业能够在融资后维持财务稳健和可持续的经营。

拓展阅读

从张兰创立俏江南到冲击上市未遂,再到失去控制权,均与融资脱不开干系。从鼎晖到CVC,再到保华,张兰已经失去对俏江南的实际控制权。而这一切要从2008年9月俏江南引入鼎晖创投开始说起。早在2011年,张兰明确承认,俏江南的转折从引入投资者鼎晖创投开始,"是最大的失误"。

2008年9月金融危机爆发后,俏江南的经营受到影响。为了缓解现金压力,张兰计划抄底购入一些物业,并决定引入外部投资者,最终选择了鼎晖创投,鼎晖向俏江南注入约2亿元人民币,占有俏江南10.55%的股份。

当时,鼎晖对俏江南的估价高达20亿元左右。鼎晖入股时,投资条款中设有"对赌协议",如果非鼎晖方面原因造成俏江南无法在2012年年底上市,那么鼎晖有权以回购方式退出俏江南。因此,2012年底是当初双方约定上市的最后期限。如果俏江南无法在2012年底上市,除了高价回购鼎晖股份之外,张兰也面临失去控制权的风险。

2011年3月,俏江南向中国证监会递交A股上市申请,而后在证监会披露的终止审查企业名单中,俏江南赫然在列。折戟A股之后,俏江南火速于2012年二季度转战H股。但随着中央"八项规定"等政策出台,俏江南业绩也受到影响。随后鼎晖抽身,CVC接盘。2013年11月,CVC接盘俏江南获商务部反垄断局无条件批准。

2014年4月,CVC以3亿美元购入俏江南82.7%股权,另有13.8%及3.5%股权分别由张兰及员工持有,至此张兰彻底失去了对俏江南的控制权。

对于张兰重回俏江南,律师称不太可能。要做成"餐饮界的LV"的俏江南,在十五年的发展中发生了巨变,不仅没能搭上资本市场的快车,同时它的创始人也被宣布"出局"。

即使如张兰所说,CVC未经张兰同意质押其股权,但这份股权质押对外依然有效,因为CVC已将张兰的股权转给保华,经过转手,张兰的股权很难再被追回。下面梳理俏江南大事记,以便理解俏江南的融资过程。

2000年,俏江南首家餐厅在北京CBD开业,2002年俏江南餐厅进驻上海。

2005年,众多投资者上门谈合作。

2008年,店面扩张计划遭遇金融危机,引入风险投资鼎晖创投2亿元,占俏江南总股本的 10.55%。并与鼎晖创投签订了挂钩 IPO 的对赌协议,从此上市成为双方共同目标。

2011 年,俏江南试图 A 股上市,但最终登上了证监会披露的 2012 年度 IPO 申请终止审查企业名单,无缘 A 股。

2012 年,作为政协委员的张兰被爆变更国籍,有分析称其是为赴港上市铺路。虽已通过聆讯,但最终还是告吹。

2013 年,俏江南被传资金链紧绷,全年开店仅 10 家。同时,自 2012 年开始"八项规定""六项禁令"等政策也让整个高端餐饮行业陷入冰点。

2014 年,俏江南及张兰本人均证实,俏江南易主,CVC 收购俏江南从而获得控股权。

2015 年 7 月,俏江南公告称,保华接手 CVC 掌管俏江南,张兰不再担任俏江南董事会成员,且不再处理或参与俏江南的任何事务[1]。

4.7.2.3 团队风险

创业是九死一生的活动,创业团队内部成员自身也可能造成巨大的风险。比如,团队成员之间的意见分歧,在战略方向、项目执行等方面可能存在不同意见,若处理不当,可能导致决策效率低下或项目受阻。成员之间的权力斗争,可能存在权力分配不均或职位晋升等问题,引发内部矛盾,影响团队凝聚力和执行力。即使成员间没有权力斗争,仅仅是沟通不畅,缺乏有效的沟通机制或沟通渠道,就很可能导致信息传递不及时、不准确,影响团队协作和决策效果。

创业团队如果缺乏强有力的领导者,可能导致团队在关键时刻无法做出有效决策,错失发展机遇。领导力不足还可能导致团队成员在执行任务时缺乏统一性和协调性,影响项目进展。团队成员可能缺乏某些关键领域的专业知识和技能,影响项目的顺利推进,对于新兴行业或市场,团队可能缺乏足够的行业经验和市场洞察力,难以准确判断市场趋势和客户需求。

创业的不确定因素还有很多,比如市场风险、法律风险等。

4.7.3 创业风险的规避

创业风险的识别与规避是创业者在创业过程中需要重点关注的事项。在创业初期,要充分做好市场调研与定位。市场调研工作至关重要,包括了解市场需求、竞争对手情况、行业趋势以及潜在客户的偏好,等等。通过市场调研,创业者可以评估产品或服务的市场潜力,制定更准确的定位和营销策略,从而规避市场风险;精准的市场定位有助于明确目标市场和客户群体,提高市场竞争力,降低市场风险。

---

1 张兰"出局"俏江南疑云:祸起融资 股权质押成疑[EB/OL][2015-07-14]. https://sn.ifeng.com/caijing/detail_2015_07/24/4147838_1.shtml.[2024-05-21].

创业者需要识别所有潜在的风险,包括市场风险、财务风险、运营风险、法律风险,等等。要求创业者具备敏锐的风险意识,能够及时发现并识别各种潜在风险。对识别到的风险进行量化评估,确定其发生的可能性和潜在的负面影响,有助于创业者对风险进行优先级排序,制定针对性的应对措施。

创业者要明确风险应对策略,为每个主要风险制定具体的应对策略和计划,包括风险预防、风险减轻、风险转移和风险接受等多种策略。建立风险管理体系,确保有明确的风险管理流程和责任分配。建立由专业人员组成的风险管理团队,负责监测、评估和管理企业面临的风险。

在财务管理与资金储备方面,要保持良好的现金流。创业者需要关注公司的财务状况,预测未来的现金流,并避免资金链断裂的风险。通过制订合理的财务计划,控制成本,确保公司有足够的资金储备来应对不确定性。在创业过程中,创业者应适当储备一定的资金以应对可能出现的风险,有助于公司在遇到突发情况时能够迅速调整策略,保持稳健发展。

创业者要合规经营,规避法律风险,了解相关法律法规:创业者需要了解并遵守所有相关的法律和规定,以避免法律风险。这包括公司法、合同法、劳动法、知识产权法等。在经营过程中,创业者应确保公司行为符合法律法规的要求。这有助于维护公司的声誉和信誉,降低法律风险。

一个团结、专业的团队可以为公司提供稳定性和支持。创业者应寻找具有经验和技能的合作伙伴,提高公司的整体竞争力。建立完善的人才激励机制,吸引并保留优秀人才。通过培训和发展计划,提高员工的技能和意识,降低人为错误的风险。

创业者通过在不同行业或领域开展业务,企业可以降低单一业务的风险。这有助于在市场波动时保持稳定的收入来源。保持灵活的适应性,市场是不断变化的,创业者需要保持敏锐的洞察力和灵活的适应性。通过及时调整策略以适应市场的变化,企业可以更好地应对各种挑战和机遇。

创业风险规避需要创业者从市场调研、风险识别与评估、制订风险管理计划、财务管理与资金储备、合规经营与法律风险规避、团队建设与人才培养以及多元化战略与灵活适应等多个方面入手。通过综合运用这些策略和方法,创业者可以更有效地规避和降低创业风险,实现企业的稳健发展。

推荐阅读书目

张维迎,《市场的逻辑》,西北大学出版社,2019。

费孝通,《乡土中国》《江村经济》《乡土重建》《生育制度》,北京联合出版公司,2021。

中国科学院科技战略咨询研究院课题组,《产业数字化转型:战略与实践》,机械出版社,2020。

马建堂,《奋力迈上共同富裕之路》,中信出版社,2021。

何伟等,《中国数字经济政策全景图》,人民邮电出版社,2022。

思考题

市场是谁创造的？是用户还是商家？

课程报告

1. 撰写课程报告"组建一个创业团队并认识团队各成员优势"。
2. 撰写课程报告"根据你身边遇到的问题开发产品/服务"。
3. 撰写课程报告"利用商业模式画布详细阐述你的产品/服务"。
4. 撰写课程报告"以PPT的形式将你的产品/服务撰写为商业计划书"。
5. 撰写课程报告"以你的产品/服务商业计划书为基础录制路演视频"。
6. 撰写课程报告"梳理你未来预期落户城市的数字经济发展相关政策"。

创业实践

5.1 注册公司

5.1.1 公司类型

创业团队在确立明确的团队发展目标后,就需要建立起一套责、权、利统一的团队管理机制,要妥善处理各种权力和利益关系,制定创业团队的管理规则,树立正确的团队理念,只有这样才能保证创业团队的活力、可持续发展和成长。因此,从创业团队的组建到正式成立一个公司,创业者还需要进一步了解公司制度的相关知识,要明确未来创办企业时应选择什么样的组织形式,这个决策主要取决于创业者及其创业团队的目标,还要考虑纳税方式、承担的法律责任、企业经营活动的灵活性,等等。

依据我国现行的法律规定,个人创立新企业的法律形式主要有个人独资企业、公司制企业、合伙企业,这三种组织形式没有好坏之分,每种企业的优劣势不同,创业者可以根据需要选择适合自己的企业组织形式。

5.1.1.1 个人独资企业

个人独资企业,由一个自然人投资并承担无限连带责任,财产为投资者个人所有。企业资产所有权、控制权、经营权、收益权高度统一,但企业主自负盈亏,并且企业的债务有无限连带责任,所以说企业主风险巨大。

5.1.1.2 公司制企业

对于创业团队创办企业,有两种组织形式可供选择,一种是公司制企业,一种是合伙企业。

公司制企业有两种主要形式,分别是有限责任公司和股份有限公司。《中华人民共和国公司法》中有明确的规定,依照公司法设立的有限责任公司,必须在名称中标识出"有限责任公司"或"有限公司"的字样;依照《中华人民共和国公司法》设立的股份有限公司,公司名称中必须标识出"股份有限公司"字样。

有限责任公司比较适合于中小型企业,如果大学生组建了创业团队后,选择有限责任公司比较方便。有限责任公司股东人数通常在 50 人以下,人数是有限制的;在创业时,只要按照公司法的要求设立公司即可,相对来说比较简便、灵活。创业成员可以用货币出资,也可以用实物、知识产权、土地使用权,等等,进行货币估价后作为非货币资产作价出资。这一点对于大学生创业者来说非常友好,在资金不足的情况下,可以将自身所拥有的技术、专利、科技成果转化等知识产权作价出资。承担责任时,按照股东的出资额为限承担有限责任。当团队成员想要退出时,需要跟所有股东协商好,才可以退出企业。

股份有限公司的全部资本分为等额股份,股东以其所持股份为限对公司承担责任,公司以其全部资产对公司的债务承担责任。股份有限公司的规模相比于有限责任公司会大一些,可以筹集资金,可以公开发行股份,企业的经营风险也分摊在了所有股东身上;对于持有公司股份的股东来说可以自由地转让自己的股份;公司设置专门的部门管理公司股份,资金的利用效率相对较高;公司的最高权力机构就是股东大会,股东出席股东大会,所持的每一股份都有一表决权,董事会是公司股东大会的执行机构,经理负责公司的日常经营管理工作。

有限责任公司和股份有限公司两者的共同点:股东都对公司承担有限责任,股东个人的财产和公司的财产是分离的,对外都是以公司的全部资产承担责任。两者的不同点有:两种公司在成立条件和募集资金方面有所不同,股份转让的难易程度不同,股权证明形式不同,财务状况的公开程度不同,两种公司的股东会、董事会权限大小和两权分离程度不同。

5.1.1.3 合伙企业

合伙企业是依据《中华人民共和国合伙企业法》设立的企业,在企业名称中标识"有限合伙"或"普通合伙"的字样。由两个或两个以上合伙人订立合伙协议,共同出资、合伙经验、共享收益、共担风险,并且合伙企业债务承担无限连带责任。合伙企业分普通合伙企业和有限合伙企业两种,而有限合伙企业由普通合伙人和有限合伙人组成,其中,普通合伙人对合伙企业债务承担无限连带责任,有限合伙人以其认缴的出资额为限对合伙企业债务承担责任,需要说明的是,有限合伙企业中至少要有一位普通合伙人;有限合伙人可以用货币、实物、知识产权、土地使用权或者其他财产权利作价出资;有限合伙人不能以劳务当作出资。合伙企业由普通合伙人执行合伙事务,执行事务合伙人可以要求在合伙协议中确定执行事务的报酬及报酬提取方式。有限合伙人不执行合伙事务,对外也不能代表有限合伙企业。

现实中,还有一种公司制企业实行的"合伙人制"的治理模式,在公司制企业的经营过程中,接受若干轮外部投资,创始人团队所持股份已经非常低了,这种情况下,创始人团队依然还想保有对公司运营的控制权,于是创新性地制定了"合伙人制度",公司执行层面事务的依然由合伙人组织来完成。这里的"合伙人制定"和"合伙企业"是不同的。

在实际操作中,准备创办企业的创业团队还需要进一步深入了解这些企业组织形式,更多细节的问题可以参考《中华人民共和国公司法》《中华人民共和国合伙企业法》。

创业团队在合理、合法、大家共同接受的制度下开展创业活动,是保证事业成功的基础。

5.1.2 法人相关概念解析

当一个创业者创办了企业,从传统意义上讲他就当上了"老板"。现实中,一个企业、一个公司中常常存在着这些称呼"董事长""CEO""总裁",在法律角度还存在"法人"这样的角色,那么这些不同叫法之间有什么区别呢?

(1)法人

法人其实不是自然人,法人是依法成立的一种社会组织。这是法人与自然人之间的最大区别。法人拥有独立的财产或者经费,是法人作为独立主体存在的基础和前提条件,也是法人独立地享有民事权利和承担民事义务的物质基础。法人独立承担民事责任,这是它拥有独立财产的必然反映和结果。正因为法人有独立的财产,所以它理所当然地要独立负担由自己活动所产生的财产责任。同时法人拥有自己的成员,法人成员就是法人的出资人。以公司法人为例,公司法人成员就是公司的股东,公司法人由多个成员组成,这里国有独资公司、一人公司除外,法人与法人成员在人格、财产、责任上均相互独立。法人成员有参与法人机关的权利。除法律另有规定外,法人的成员或创立人个人对法人的债务不承担责任,而由法人以自己的财产承担民事责任。法人能够以自己的名义参加民事活动,这一特征是法人有自己独立财产的必然结果,同时也是法人的人格独立于其成员或创立人人格的证明。

和"法人"这个称谓较为接近的另一个称谓"法定代表人",法定代表人是指依法律或法人章程规定代表法人行使职权的负责人,从定义可以看出,法定代表人是一个自然人了,依照公司章程的规定,法定代表人可以由董事长、执行董事或者经理担任,并依法登记。法人的法定代表人有权代表法人从事民事活动,是法人的主要负责人。

法定代表人与法人可能存在也可能不存在劳动合同关系,比如,法定代表人可能属于雇员的范畴,像很多传统国企的法定代表人就是这种性质;也有很多上市公司的董事长作为公司的法定代表人,与公司不存在劳动合同关系,属于委托合同关系。

法定代表人对外以法人名义进行民事活动时,其与法人之间也并非代理关系,而是代表关系,即法定代表人对外的职务行为即法人行为,其后果自然由法人承担。法定代表人的代表职权来自法律的明确授权,另外不需要法人的授权委托书。

(2)董事长

"董事长"的英文为 chairman of the board。公司董事由公司股东会、股东大会或职工民主选举产生,具有实际权力和权威并管理公司事务的人员,是公司内部治理的主要力量,对内管理公司事务,对外代表公司进行经济活动。公司董事不同于股东,股东是股份公司的投资者,董事是由股东选举产生,属公司的管理者,可以由股东或非股东担任。而董事长就是公司董事会的领导,公司的最高领导者。董事长的权力在董事会职责范围之内,不管理公司的具体业务,一般也不进行个人决策,只在董事会开会或董事会专门委员会开会时才享有与其他董事同等的投票权。

（3）CEO

CEO 是公司的首席执行官,英文全称为 chief executive officer,首席执行官向公司的董事会负责,而且往往就是董事会的成员之一,在公司或组织内部拥有最终的执行权力。在比较小的公司中 CEO 也可能是董事长,但在大公司中 CEO 和董事长往往由不同人担任,避免个人在企业中扮演过大的角色,拥有过多的权力,同时也可以防止公司本身与公司的其他股东之间发生利益冲突。企业 CEO 制度是与现代企业制度相适应的,在现代市场经济体制下,现代企业制度的法人治理结构一般由股东大会、董事会、高层经理人员所组成的执行机构三个部分组成。

（4）总裁

总裁是公司最大的打工者,是专业经理人,英文为 president,负责公司日常的经营管理,并对公司的发展进行规划,但执行计划的决定权在董事会手里。现实中,并不是每个公司都设置总裁这个职位,只有一些特定的公司才有这个职位。而 CEO 是公司以及部门的最高领导,可以是部门领导,也可以是公司最高领导,但不是老板,仍然是打工者。CEO 常被称为执行总裁,首席财务官 CFO 也可被称为财务总裁。

举个例子,甲、乙两个人合伙开一个公司,两人分别出资 200 万元,那么甲和乙就是公司的股东。股东大会由甲和乙组成,他们共同决定指派由谁来担任董事长和董事,然后再由董事会对外选总裁,有时也叫总经理,总裁对董事会负责,董事会对股东大会负责。总结一下,一个公司由出资人创办,这些出资人就是股东,由股东选择董事和董事长,接下来再由董事长来选择 CEO、总裁、总经理,等等。至于 CEO、总裁、总经理来到公司后到底负责什么业务,就由董事长委派。

5.1.3 公司创建流程

对于创业者来说,创业是梦想,更是冒险。为了提高创业成功的概率,应提前做好准备。对于大学生创业而言,什么时候设立企业,设立什么样的企业,有哪些要准备、要注意的事情,都必须事先搞清楚。

5.1.3.1 前提条件

创办企业需要满足一定的前提条件。

首先,要有合适的外部环境。创业要顺势而为,需要有适当的制度环境、政策环境、金融环境、市场环境、科技环境和人文环境,良好的外部环境是创业的良机和大背景。

再者,要有强烈的老板意识和心理准备。创业者一般都在强烈的老板意识下开始创立自己企业,他们喜欢为自己工作,喜欢挑战和掌控。大多数喜欢按部就班工作的人并不适合创业,创业必须有应对机遇、困难、烦恼等挑战的心理准备。

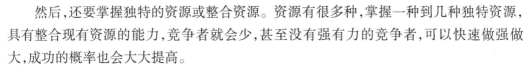

　　然后,还要掌握独特的资源或整合资源。资源有很多种,掌握一种到几种独特资源,具有整合现有资源的能力,竞争者就会少,甚至没有强有力的竞争者,可以快速做强做大,成功的概率也会大大提高。

　　接着,还要抓住有利的市场机会。有的人一直在做准备,因为政策或其他重大原因机会导致突然出现,好多人还无法反应或准备时,这类有准备的人就可以大展身手,先人一步取得成功。更多的机会是自己寻找的,发现空白市场是一种能力,有人总能比别人先发现空白市场,等到别人发现时,自己已赚得盆满钵满,又去开发下一个空白市场了。

　　当然,还要有好的团队。创业团队是由少数具有技能、资源优势互补,具体共同理念,为实现共同目标团结在一起的人组成。"一个篱笆三个帮",团队奋斗的效果远胜个人单打独斗。

　　最后,最好有充足的资金。创业前期的资金准备,特别是保证正现金流非常重要,那么筹款能力,以及开业前的资金准备就显得很重要。很多非常有前景的团队和项目都是因为资金跟不上而失败。

5.1.3.2　准备工作

　　创办企业的基本条件达到了,就可以着手准备企业的创办了。

　　首先,要确认公司股东和公司框架。股东,也就是公司的出资人,也称为投资者,成立一家公司首先要组织一定数量的投资者。除国家有禁止或限制的特别规定外,有权代表国家投资的政府部门或机构、企业法人、具有法人资格的事业单位和社会团体,自然人都可以成为公司的股东。股东根据发展需要确定公司框架和模式。

　　其次,确定公司经营范围。经营范围是指国家允许企业法人生产和经营的商品类别、品种及服务项目,企业设立前要先讨论和商定经营范围,特别是主营业务。

　　再次,公司起名。公司要起一个响亮、好记的名字,最好能体现公司所属行业或主营业务,而且要符合起名规则,一般要准备三个左右的名字,用于工商注册申请。

　　最后,确定公司地址,公司的地址必须与递交申请的注册机构的级别一致,公司地址所在地必须具备完整的产权证明文件。产权证明文件证明该所在地归谁所有,一般是房产证。公司地址所在地产权可以是自有的,也可以是租赁的。地址或经营场所要符合经营条件,特别是有些行业对场所有限制的,更要严格按要求选择或改造。创业者选择企业的注册与经营地点选择包括两个层面:一是选择地区,包括不同国家或地区、一个国家内的不同地理区域或城市;二是选择具体地址,包括商业中心、住宅区、路段、市郊等。前者主要考虑国家、地区、城市的经济、技术、文化、政治等总体发展状况;后者重点考察交通、资源、消费群体、社区环境商业环境等。

5.1.3.3　企业登记注册

　　接下来就可以进行企业登记注册了。对新办企业,首先必须有一个明确的法律地位,如同办理户口。根据我国法律规定,新办企业必须到市场监管部门办理登记手续,领取营业执照。如果从事特定行业的经营活动,还须事先取得相关主管部门颁发的经营许可证,比如,卫生、环保、教育、特种行业许可证等。营业执照是企业主依照法定程序申请的、规定企业经营范围等内容的书面凭证。企业必须取得营业执照,拥有了正式的合法身份,才可以开展各项法定的经营业务。企业设立后,还需要进行税务登记,需要会计人员做财务,这其中涉及税法和财务知识,所以,创业者还需要了解企业的税项。

企业办理注册登记手续一般包括以下几个步骤:

1)核准企业名称 注册公司的第一步就是企业名称审核,创业者需要通过市场监管部门进行企业名称注册申请,由市场监管部门进行核名,给予注册核准,并发放盖有市场监管局名称登记专用章的"企业名称预先核准通知书"。申办人需提供法人和股东的身份证复印件,并提供 3 个左右企业名称,写明经营范围、出资比例。企业名称要符合规范,格式为"行政区划+字号+行业+法律组织",其中字号需要两个字以上。比如,北京字节跳动科技有限公司,行政区划为"北京",字号为"字节跳动",行业为"科技",法律组织为"有限公司"。

2)编写公司章程 公司章程是指公司依法制定的,规定公司名称、住所、经营范围、经营管理制度等重大事项的基本文件,也是公司必备的规定公司组织及活动基本规则的书面文件。公司章程是股东共同一致的意思表示,是公司组织和活动的基本准则。公司章程具有法定性、真实性、自治性和公开性的基本特征。公司章程与《中华人民共和国公司法》一样共同肩负着调整公司活动的责任。作为公司组织与行为的基本准则,公司章程对公司的成立及运营具有十分重要的意义,它既是公司成立的基础,也是公司赖以生存的灵魂。

3)生产经营场所的获得 注册企业时都要求有自己的实际经营场所或办公场地,这种场所可以是创业者所有的,也可以是租用的。当前,很多网店或网上的个体工商户很大程度上没有实际意义上的实体店,也不需要租房。

4)经营项目审批 如果新创企业的经营范围涉及特种行业许可经营项目,则需要提前办理特种行业申请并获准后,才可以继续工商注册程序。例如,要开设一家书店,就需要向辖区的文化部门申请"出版物经营许可证"。特种许可项目涉及旅馆、印铸刻字、旧货、典当、拍卖、信托寄卖等行业,需要消防、治安、环保、科学技术委员会等行政部门审批特种行业许可证的办理,根据行业情况及相关部门规定不同,分为前置审批和后置审批。

5)公司公章备案 工商注册登记过程中需要使用的图章,由公安部门或定点单位刻制。公司用章包括公章、财务章、法人章、全体股东章、公司名称章等。

6)申领营业执照 市场监管部门对企业提交的材料进行审查,以确定其符合企业登记申请。市场监管部门核定后,即向企业发放工商企业营业执照,并公告企业成立。相关材料包括公司章程、名称预先核准通知书、法人和全体股东的身份证、公司住所证明复印件、前置审批文件或证件、生产性企业的环境评估报告,等等。

7）办理税务登记证　税务登记证应到当地税务局办理。办理税务登记证应提供的材料包括企业营业执照副本、经营场所产权证及租赁合同复印件、法人身份证、公司章程及公章。

8）银行开户　新创企业需要设立基本账户，企业可根据自己的具体情况选择开户银行。银行开户要提供的材料包括营业执照正本、公司公章、法人章、财务专用章、法人身份证、税务登记证正本，等等。

当前，企业注册流程非常便捷，基本上各个地区都实现了"跑一次"即可办理。

5.2　财税管理

5.2.1　创业初期的财务管理

对于大学生创业，财务管理是必不可少的知识储备，对于并不是财务专业出身的大学生创业者来说，非常有必要系统地学习财务管理知识。本节简单介绍创业初期大学创业者在财务管理方面需要注意的问题。

首先，需要重点强调的是财务管理对创业者非常重要，要加强财务管理专业基础知识的学习。加强财务管理专业基础知识的学习十分重要。选择创业的大学生只有了解了企业运作过程中的筹资、投资、运营及利润分配等内容，才能正确处理企业的财务关系，并进行有效的财务管理工作。当前，各高校纷纷开展不同形式的创业培训活动，旨在促进大学生了解创业，促进大学生的创业活动，减少大学生的创业风险。另外，大学慕课平台上提供众多国家级精品课程，其中不乏财务管理类课程，都是大学生创业者学习财务管理知识的平台。

其次，要树立财务管理的意识。大学生初创企业要发展就需要重视财务管理问题，建立完善的企业财务管理制度。此外，大学生不仅需要提高自己的企业财务管理意识，更应该将财务管理意识融入企业每一个员工的意识当中。组织员工学习、定期召开财务会议都能有效促进企业财务管理意识的树立。大学生创业之初，一般很难从无到有地建立一套较为完整的财务管理系统，那就需要学习并借鉴其他类似的中小企业的财务管理制度。虽然情况可能不尽相同，面对的问题也各有差异，但类似的经验还是可以学习的。例如，资金管理、成本核算、销售收入管理等财务管理制度，可以先借鉴类似的经验再依据自身情况加以修改，从而逐步建立、完善企业的财务管理制度。

再次，规范财务基础工作。对于大学生初创企业而言，没有规范化的财务基础工作，财务管理也只能是空谈。原始凭证的收集与保管、记账凭证的审核与编制、财务报表的编报与审核等工作都是财务基础工作的重中之重。重视财务基础工作是大学生初创企业财务管理的基础。在大学生初创企业发展过程中，应尽快摆脱财务人员一人身兼数职的尴尬局面。对大学生初创企业而言,聘请专业的财务人员虽然会增加相关费用,但行之有效的财务管理工作更是大学生初创企业财务管理必不可少的。规范化的财务基础工作要求同时建立监督审核制度,财务基础工作如果没有监督审核,往往会造成很大风险。

接下来,要提高自身的融资能力。国家和地方都出台了一系列针对大学生创业的优惠政策,大学生创业时要充分了解国家政策、利用优惠政策。目前,专门针对大学生创业的国家优惠政策主要包括:注册资金允许分期到位,毕业生创办国家指定行业企业可以享受一到两年的减免税,各银行、信用机构简化小额贷款程序,政府所属的人事机构免费为毕业生保管人事档案等等。与此同时,地方政府也出台了一些优惠政策,这些优惠政策有助于大学生创业的资金筹集和企业发展。另外,融资的多元化也可以解决大学生初创企业资金紧张的问题。目前,我国的资本市场资金充足,大学生创业者应充分利用各种融资渠道进行企业融资。初创企业如果能够增强财务管理意识、加强财务基础规范工作,就可以建立良好的企业信用,从而更方便地从金融机构获得贷款。

再有,要建立投资风险机制。理性的投资可以减少投资风险,确保投资收益,促进大学生初创企业的发展。理性投资需要做到以下几点:第一,树立投资风险意识,明确投资风险。大学生创业者应该将对投资风险的管理上升到一定高度,真正地重视投资风险,定期开展培训与自我培训,将风险意识融入企业全体员工的意识中去,形成企业文化。第二,建立风险应对机制。投资风险不能完全避免,因此,如何将风险降低到可以接受的范围也是大学生创业者所必须掌握的。大学生初创企业应该建立一个总体的投资风险应对机制,并在不同投资项目实施前制订相应的、明确的风险应对措施,以明确投资风险发生后大学生初创企业的对策,避免因风险产生而造成的混乱。第三,扩展信息获取渠道。信息获取的准确性、有效性和及时性是大学生初创企业合理投资的关键因素。目前,大学生获取信息的渠道众多但如何获取有效的信息仍是许多大学生创业者所迷茫的问题。信息的获取是多方面的,关注国家实时的经济政策,加强与其他企业的合作,加强与行业内部的交流,关注国际经济动向等都有助于大学生初创企业获取投资信息。第四,建立监督机制。投资风险的产生可能源自外部,也可能是由于内部问题引发的,建立投资风险监督机制,将投资绩效与权责挂钩,明确奖惩制度,可以避免盲目投资和不理性的投资。

最后,要做好税务筹划。税务筹划又称税收筹划,是指在纳税行为发生之前,在不违反法律、法规的前提下,通过对纳税主体的经营活动或投资行为等涉税事项做出事先安排,以达到少缴税或递延纳税目标的一系列谋划活动。从税务筹划的定义可以看出,税务筹划不仅是企业利润最大化的重要途径,也是促进企业提高经营管理水平的一种方式,更是企业领导决策的重要内容,这也正是税务筹划活动在西方发达国家得以迅速发展、普及的根本原因。事实上,税务筹划是纳税人的一项基本权利,纳税人在法律允许或

不违反税法的前提下,所取得的收益应属合法收益。所以初创企业应做好税务筹划以增加企业收益。

大学生创业者选择创业,创业过程中,获取利润和抵御风险要两者兼顾,要高度重视企业的财务工作,最大化地做好风险防控。

5.2.2　财务报表

5.2.2.1　财务三大报表

作为一个创业者,看懂财务报表是非常必要的。财务报表全面揭示企业一定时期内财务状况、经营成果和现金流量,有利于企业的经营管理人员了解本单位财务状况,改善经营管理水平,从而提高经济效益;投资者可以利用财务报表来掌握企业的财务状况,为报表使用者的投资、贷款行为提供决策依据。从宏观上看,企业的财务报表有利于财政、税务、工商、审计等部门对企业经营管理的监督,有利于国家经济管理部门了解国民经济的运行状况,以便宏观调控经济运行,优化资源配置。

一套完整的财务报表包括资产负债表、利润表、现金流量表、所有者权益变动表和财务报表附注。日常常用的是资产负债表、利润表和现金流量表这三个报表,很多人将其称为财务三大报表。

资产负债表(balance sheet/statement of financial position),它反映企业资产、负债及资本的状况,长期偿债能力,短期偿债能力和利润分配能力等。通俗地说,资产负债表就像给公司拍摄的"照片",基本反映了公司在某个时点的财产静态分布景象。这一报表利用会计平衡原则,将交易科目分为"资产"和"负债及股东权益"两大块,在经过一系列的会计程序后,以特定日期的公司静态情况为基准,浓缩成一张报表,最重要的作用在于表现公司的经营状况。

利润表,也称损益表(income statement/profit and loss account),它全面揭示了公司在某一特定时期实现的各种收入、发生的各种费用、成本或支出和,以及利润或亏损情况。从反映公司经营资金运动的角度看,它是一种动态报表,主要提供有关企业经营成果方面的信息。

现金流量表(cash flow statement),它详细描述了公司的经营、投资与筹资活动所产生的现金流,可用于分析一家机构在短期内有没有足够先进去应付开销。如果把现金看作是公司日常运作的"血液",那么现金流量表就好比"验血报告"。

5.2.2.2　创新企业大赛的财务报表编制

一般情况下,大学生参加创新创业类大赛,对于创业组和成长组的参赛项目来说,财务报表的编制是必不可少的。需要编制的财务报表主要是资产负债、利润表和现金流量表这三类报表,在编制报表的过程中,参赛者往往会感觉三大报表非常复杂,涉及的科目特别多,也有可能在编制的过程中,做着做着报表就不能保持平衡了。在现实企业经营过程中,财务报表都是专业人员在真实的业务数据的基础上进行编制的,而比赛中,参赛学生们一方面可能没有财务管理专业类的队员,另一方面大家可能将更多的精力专注于创新作品上,公司经营角度更多是一种演练,因此大赛类的报表也需要参赛者在充分理解三大报表模型的基础上,进行正确的、自洽的演练。三大报表之间的关系模型建立在如下关系之上:

资产负债表:资产=负债+所有者权益

利润表:利润=收入-成本(费用)

现金流量表:流入现金-流出现金=剩余现金

三大财务报表之间存在着非常紧密的勾稽关系,它们互相独立,并且内容信息互补,从而呈现出更加全面的财务信息,其实它们之间的关系并不复杂。举例来说,如果企业单位没有对现金进行分配,同时投资的资金没有增加或减少,关系可以理解如下:一定时期内,现金流入减去现金流出或是末期的现金金额减去初期的现金金额,所得的结果即是现金净流量;利润则可以用此阶段时间内的收入减去支出或是末期的股东权益减去初期的股东权益得到。资产负债表和其他两个报表内部都存在着紧密联系,现金净流量反映的是资产负债表和现金流量表之间的关系,收益则表示了资产负债表和利润表的关系,了解这些对我们理解三大会计报表之间的勾稽关系十分有帮助。

1)现金流量表和利润表之间的关系　公司经营收益金额多少通过税后的经营利润来呈现,而企业的收益则是指通过现金方式实现金额的多少,也就是通过现金流量表来呈现。其中表明现金经营的净流量以及交税之后的利润是两张报表连接的接入点。如果两张报表对现金流入流出的编制基础和原则有不一致的地方,则会导致盈利大小和现金净流量大小有出入。一般来说,利润表使用权责发生制来编制现金流入、流出,现金流量表则要使用收入支出实现制度。

2)现金流量表与资产负债表之间的关系　一般情况来说,现金流量表在一段时间内初期和末期的现金金额大小和资产负债表中的金额应该是一致的。但在具体的操作中,金额并不会完全一致,这其中有多方面的原因,主要还是由于两张报表对于现金确定的方法标准不一样造成的。资产负债表中有企业现金存量和银行中存款量等其他形式的资金,现金流量表则是主要包括企业现金存量、银行中可用金额和其他等同形式的资金。此外,资产负债表不是对基础数据进行编制,而是通过现金流量表以及利润表中的项目来编制,这些都是造成两者金额出现差异的原因。

3)资产负债表和利润表之间的关系　资产负债表和利润表之间存在着十分紧密的联系,这主要体现在资产负债表的资产以及债务和利润表的收益支出之间的关系上。企业通过利用资金财产获得利润,在财务报表编制过程中,如果说企业要求不严格或者编制体制宽松,则可能出现资产估计值过高或者负债估计值过低的情况;反之,要求严格或者过于严谨的体制,则可能过高估计债务或者低估了资产,从而进一步较低估计了利润。

总的来说,用户仅仅通过利润表不能对资产负债情况完全地了解,还需要现金流量表提供进一步的解释。

各类创业项目大赛必须编制三大报表,这就要求参赛者尽早地了解财务知识,理解财务报表的底层逻辑,并能够做出一份自洽的财务报表。而对于专业财务知识,要求大赛参加者进一步学习,尤其对于未来的创业者,看懂财务报表是非常有必要的。

5.3 运营管理

5.3.1 初创企业的运营管理

5.3.1.1 企业的生命周期

大学生创业者一般都是首次创业,需要对企业运营一般规律有一个初步的认识,学习企业管理知识,更新管理观念,提升管理能力,以减少企业运营失误,带领企业发展,更进一步,随着企业经营活动的深入,企业逐步走向成熟。

对于一个新创企业,从诞生之初就有追求成长和发展的内在动力。企业生命周期理论构成了经济学和管理学对企业成长问题最基本的假设之一。企业在成长过程中会经历若干发展阶段,每个阶段都具有相应的特点和驱动因素,这要求企业在各个方面不断变革,与其发展阶段相适应。

大多数生命周期理论认为企业一般要经历培育期、成长期、成熟期、衰退期等几个阶段。较好地理解生命周期理论可以帮助企业更好地对未来可能发生的危机进行规避。

1)培育期　培育期的企业生存能力弱,抵抗力很低,风险高,很容易受到产业中原有企业的威胁。此时新创企业处于学习阶段,市场份额低,管理水平低,固定成本高,管理费用高,产品方向尚不稳定,企业波动较大,失败率也很高。这是一个由产品创意转变为实际的、有效的产品和服务的时期。一般情况下,新创企业具有创新精神,产品具有特色和竞争力。初创企业成功与否,在很大程度上取决于创建初期的可行性分析,与市场预测和投资决策的关系很大。培育期重点需要解决企业的生存问题。

2)成长期　在培育期生存下来的企业很快进入成长期,处于这一时期的企业称为成长企业。一般把成长期分为两个阶段:迅速成长期和稳步成长期。在这一阶段,企业年龄和规模都在增长,企业全面成长,经济实力增强,市场份额逐步提高,竞争能力增强,已能在产业中立住脚跟;企业素质得到全面提高,创新能力也很强,企业已经形成了自己的配套产品。成长期的主要特点在于,该企业在产业中已经成为骨干企业,是中型企业的延伸,但尚未发展为大企业。并不是所有中小企业都能进入稳步成长期。只有那些由优秀创业者领导、积极承担风险、开展创造性新事业活动的企业才有可能进入成长的快车道。

3）成熟期　考察企业的演变史，可以发现能够进入成长期的企业本来就为数不多，而能够成长为成熟企业并得以留存的则更是凤毛麟角，许多企业在成长过程中已经被淘汰。这一时期分为两个阶段：第一个阶段称为成熟前期，即骨干企业向大型或较大型企业的演变和发展时期，企业内部大多还是单一单位，但已建立起庞大的采购和销售组织，此时的企业前后延伸取得了原料采购和产品销售的控制权，企业经济效益很高，具有较强的生存能力；第二阶段称为成熟后期或蜕变期，是大企业向现代巨型公司或超级大企业演变的重要时期，此时已经走向内部单位的多元化和集团化，能够更有效地进行日常产品流程的协调和未来资源的分配，从而促进了企业的低速、持续成长，并形成了管理工作的职业化。此时企业会出现各种各样的问题，如增长缓慢、效益下降、成本上升、士气受到影响、官僚主义加剧等。

4）衰退期　成熟期的企业如果未实现后期成熟化或蜕变演变，则进入衰退期。衰退存在两种情况：一方面是受到产业寿命周期的影响，如果该产业已到了衰退期自然影响到企业，使企业跟着衰退；另一方面可能是该企业患了衰退症，处于衰退期的企业大多是大企业，很容易患大企业病，主要表现在官职增多、官僚主义横行等本位主义加剧，企业家精神的泯灭，部门之间责任的推诿，士气低落，满足现状应变能力下降等。

新创企业成长和现有企业成长具有明显的不同。作为新入行的企业，只有打破原有竞争格局，对自身有清醒的认识，采用合适的方式与对手周旋，才能够在核心竞争力尚未形成的时候争取生存机会，积累实力，加强自身的地位。一切以活下来为首要目标，认识到"现金为王"的重要性，依靠自由资源创造自由现金流。企业在初创时，尽管建立了正式的部门结构，但很少能按正式组织方式运作，通常是虽然有名义上的分工，但运作起来是哪里需要就往哪里去。这种状态看似"混乱"，实际是一种高度"有序"的状态。创业者要亲自深入运作细节，事必躬亲。创业初期的创业者不能当大老板、"甩手掌柜"，而大都曾经直接向顾客推销产品，亲自与供应商谈判折扣，亲自到车间追踪顾客急需的订单，在库房里卸货、装车、跑银行、催账、策划新产品方案、制订工资计划，被经销商欺骗，遭受顾客当面训斥等。创业者对经营全过程的细节了如指掌才使得生意越做越精，企业越做越大。

5.3.1.2　初创阶段企业面临的问题

首先就是资金的问题。创业初期，创业者典型的热情心态对于所要承担的义务而言能起到一定作用，不可或缺，而对资金需要的客观看法却与这种富有幻想的热情不相容。这种倾向实际上就是把成功的目标定得很高，而低估对资金的需求。甚至企业的产品销量越大，出现资金不足问题的可能性越大。如果此时创业者慌不择路，比如，把短期贷款用于较长时间才能产生效益的投资项目；再比如，用折扣刺激现金流的产生，有时折扣太大以至于不足以弥补变动成本，结果是卖得越多、亏得越多；又或者，不计成本地把股份转让给风险资本家，等等，都可能造成严重的后果，因此创业者，尤其是初创期的创业者要重视企业的现金流量、贷款结构和融资成本等,制订符合实际的经营计划,甚至要以"周"为单位来监控现金流量。

其次是制度的问题。创业初期,企业可能要不断面对各种意外问题,如顾客投诉、供货商令人不满、银行不愿贷款、员工磨洋工等。没有先例规章、政策或经验可资借鉴,但此时也正是企业试验、探寻成功内涵的过程,一旦把业务逻辑走通了,就可以通过制定规章制度和内部政策来保证今后以更高的效率、更顺畅的流程解决各类可能遇到的问题。

再次就是人员管理的问题。初创期的企业,创业团队成员所承担的责任和义务往往是重叠或交叉的。例如,一位成员可能既管采购,又管销售,还兼管设计;另一位成员既是会计又是办公室主任。这时的企业是围绕人来组织的,而不是围绕企业架构来进行组织。企业以缺乏规则的方式成长,对各种机会灵活地做出反应。

随着企业的慢慢成长,无论是财务管理、制度制定、人事管理都要在"经历"中逐步完善。与人的成长过程一样,企业的成长也是从萌芽走向成熟,但创业者要尽可能地延长企业的成熟期,实现企业的持续盈利和内部活力。

企业的运营管理,包括诸多方面,比如人力资源管理、战略管理、财务管理、产品管理、营销管理、时间管理、文化管理等等,但对于初创企业来说,最重要的还是集中在财务管理、产品管理和营销管理上。接下来讨论初创企业的营销管理和人力资源管理问题。

5.3.2　初创企业的营销管理

有别于成熟企业,创业初期的企业拥有的资源极其有限,往往市场份额小,地理分布小,难以形成规模经济。企业急切需要将创造的产品或服务出售,获得收入,这样才能为企业创造利润,为企业进一步成长奠定基础。卖出产品,获取利润,销售是此时最重要的任务。

创业初期的销售有时甚至是不赚钱的,为了吸引顾客使其从消费其他公司的产品和服务转移到消费自己的产品和服务上,即使不赚钱甚至赔钱也卖。所以创业初期的销售收入增长很快,但由于成本增加更快,加上价格往往在成本附近,所以可能会出现销量很大但利润却极低甚至没有利润的困境。因此,企业在经营过程中,需要对已有的销售行为进行逐步的规范,对客户进行筛选和细化管理,对产品售前、售中、售后的整个过程进行监控,整合所有销售相关的资源,把销售工作当成经营来做,逐步使销售收入与利润实现同步增长。

如果把销售过程简单化为一个模型的话,模型的一端是产品和服务,另一端是用户和市场,连接两端的就是营销渠道。营销渠道的定义为:"促使产品或服务顺利地被使用或被消费的一整套相互依存的组织。"产品制造商都会面临营销渠道的问题,但若企业本身是中间商或零售商,那么它自己就是渠道成员。创业企业的营销渠道建设需要从整体上来布局,对所有可能的渠道进行调研和综合评估,逐步构建渠道价值网络。创业企业的渠道是一张白纸,但在白纸上画图比修改图画可能要容易。

首先,要领悟渠道思维。创业企业的营销管理者必须建立正确的渠道管理思维。营销渠道不仅要解决客户买得到产品的问题,更重要的是要与品牌定位和产品特点相匹配,相得益彰,发挥协同效应。品牌所定位的层次也要与营销渠道层次相吻合,建设渠道和打造品牌双管齐下。渠道是合作伙伴,而不是最终消费者,创业企业需要帮助渠道伙伴顺利分销产品,直至产品被最终客户购买和使用,这才算渠道工作的真正完成。建立渠道影响力,渠道可以是独立的企业,必然会因为利益上的分歧带来管理的冲突,对待渠道成员应该恩威并施,尽量成为渠道的领导者,通过建设品牌、掌握渠道核心工作和建立后备梯队等方式来获得渠道影响力。

其次,建立渠道战略决策模型。企业要考虑是自建营销渠道还是借用成熟营销渠道。绝大多数初企业都会考虑借用营销中介机构和零售机构的成熟渠道,只有少数工业品企业会在企业创立之初就自建营销渠道。几乎所有快速消费品和部分耐用消费品行业的企业都是借用外部渠道而不是自建渠道。工业品企业一般既有外部渠道也有自建渠道,通常自建的销售队伍专门开发大客户,传统的代理或经销渠道则满足中小客户的需求或提供服务支持。

因此,对于借助外部渠道资源的快速消费品企业,其自有销售人员主要开展渠道服务和促销工作;耐用消费品通常也借用外部渠道资源,但企业会有服务于渠道的销售队伍和外聘的终端促销人员队伍支持,品牌发展到一定程度可能会自建销售公司和品牌专卖店;工业品企业则可以先使用外部代理或经销商渠道,然后自建销售队伍。当然,渠道本身也是一种企业形态,创业者可以创办自己的营销公司、加盟店、超市等。

再次,注重渠道系统设计。渠道系统设计分为以下三个步骤。第一步,分析顾客的服务需求,了解顾客对于批量大小、空间便利、产品品种、等候时间、服务支持等方面的需求水平。第二步,识别出主要的渠道选择方案。第三步,对渠道方案进行评估,从经济性、可控性和适应性三个方面来评价和选择最合适的方案。创业型企业需要设计一套适合自身情况的渠道方案,考虑的要点是渠道资源是否优质和渠道合作意愿如何。

📖 拓展阅读

软饮料行业的主流分销模式

软饮料行业流通渠道中,主流分销模式以娃哈哈为代表的联销体、康师傅为代表的通路精耕及农夫山泉采用的经销专属制较为典型。三种模式各具特色,主要区别在于厂商和经销商不同的管理范围和相对关系。2000年前,娃哈哈、康师傅等厂商已较早涉足软饮料市场,但那时的供求关系与现在有很大不同。随着经济发展、行业竞争和零售模式的变化,渠道模式也发生了不小变化,现行模式的形成与经济环境变迁及品牌所处阶段高度相关。

（1）娃哈哈的联销体

杭州娃哈哈集团有限公司成立于 1987 年，娃哈哈传统上并不直接掌控终端，而是组建多层级渠道，逐级进行利润分配。娃哈哈的早期成功很大程度上源于渠道开发。

成立之初，娃哈哈多与国营糖酒公司批发系统合作，也与个体工商户、农贸市场合作，进行批发或零售。1998 年开始，娃哈哈开始打造联销体，实行保证金制度。一级联销体下面设置特约二级批发商，多级经销缓解了网点的快速铺设和人力不足之间的矛盾，可以让产品快速抵达终端。2009 年开始，娃哈哈淡化特约二级批发商角色，联销体营造分产品、分客户、分区域的网络，并执行保证金制度。其间，娃哈哈在 2013 年前后销售额突破 780 亿元，达到巅峰。

娃哈哈的渠道分工有以下特点：第一，设省（区）分公司，派驻销售人员协助经销商处理铺货、理货、广告促销等业务；第二，特约一级批发商需要交付保证金，并每月结清货款；第三，批发商只能在特定区域内供货，不得以低于公司规定的最低价出货；第四，特约一级经销承担销货指标，完成者享受年终返利，不能完成任务的自动淘汰；第五，特约二级经销商执行与一级经销商类似的保证金政策，向一级批发商支付预付款，享受优惠的进货政策。

（2）康师傅的通路精耕

康师傅的通路精耕模式由厂商业务代表直管终端，经销商仅承担分销送货的职能，大致可以分为 2007 年前的区域精耕和 2007 年后的渠道精耕两个阶段。2021 年，康师傅全国 340 个营业所，8 万个经销商，26 万个直营零售点，6 万名员工及 78 个生产基地。这种模式需要生产商搭建强大的信息化系统，实现对终端的全面掌控及产品在通路的全覆盖，相关的费用投放、客户拜访也均由公司直属的业务员负责。这种模式的优点是厂商对终端的掌控力及铺货率较高，厂商可以直接掌握终端信息与动态。缺点是需要厂商具备较高的管理能力，直接的人力与费用投入也大幅增加。

初涉饮料市场时，康师傅实施的是大经销商制，一个区域对应一家经销商，厂家在销售政策上充分保障渠道的利润，鼓励经销商做大。1998 年，康师傅开始全面实施区域精耕，区域经销商直接管理零售的上一层渠道。1999 年开始，康师傅开始引入物流经销商和邮差，推行"有效率的渠道精耕"。2007 年开始的渠道精耕，按照终端渠道的类型差异设置不同的触达方式和配送方式，公司的业务代表尽可能触达终端网点。2013 年后，康师傅取消了县级市场的业务代表，转而将县级以下市场交由经销商经营。近几年，为了扭转下沉市场份额流失的势头，康师傅尝试了多项措施，提高县域乡镇市场产品覆盖率。

（3）农夫山泉的经销专属制

农夫山泉股份有限公司原名浙江千岛湖养生堂饮用水有限公司，成立于 1996 年。农夫山泉扶植了一批较有实力的大经销商，市场营销主体由厂家转至经销商，经销商承担市场开拓、品牌形象与价格体系维护等多重职责,包括营销费用投放和业务员管理。这种模式的优点是管理简便、节省费用、提高效率,在拓展渠道的时候可以动员更广泛的力量;缺点是经销商做大后容易形成诸侯割据的局面,深挖渠道和区域市场潜力的意愿弱化,渠道下沉乏力。

1996年农夫山泉成立之初,采用的是类似娃哈哈联销体的模式。2008年,农夫山泉开始学习康师傅的渠道精耕模式。2014年,农夫山泉开始强化经销商优胜劣汰机制,并于2016年开展了经销商专项改革。2020年开始,农夫山泉与部分乡镇市场次级经销商签署协议,意在促进渠道下沉。

(4)元气森林的新锐企业渠道建设

元气森林是一家近年崛起的饮料企业,成立于2016年,是自主研发、自主设计的创新品牌。自2018年推出元气森林气泡水后,2019年快速放量,2020年、2021年收入中60%由气泡水贡献。无论是品牌知名度还是市场销量,其增长势头都堪称现象级别。元气森林能够快速打开市场,得益于其产品定位、市场营销和渠道策略三大支柱。

2019年之前,由于新锐公司人力有限,元气森林还是以传统经销模式起家,以白桃无糖气泡水作为主推爆款,主攻便利店渠道,从一、二线城市着手自上而下渗透,仅对部分头部便利店系统进行直营,辅以部分一、二线城市核心终端精耕细作,组建了3000人规模的业务代表团队对终端门店进行拜访和维护。

2020年后,元气森林铺货率显著上升。对于较为偏远或者点位密度低的地区,元气森林更倾向于直接对接一家大经销商,再由其通过分销商拓展终端;在终端相对集中和销量达到一定规模的城市地区,则由当地签约经销商直接对接终端,以此保证对终端的把控力。

2022年以来,元气森林重点关注餐饮、下沉渠道和校园等特种渠道建设,意图开发新增长点。对下沉区域50万人口以上的区域设置单独的经销商;针对餐饮终端单独招募经销商队伍,主推易拉罐卡曼橘、山楂口味;以"外星人"为主力产品,在有口味养成作用的校园渠道进行布局。随着铺货快速展开,2020年元气森林在已进入一至三线城市获得爆发式增长,但随着铺货率提升,面临着如何提高单体终端销量的瓶颈[1]。

综观上述几种典型渠道模式的异同和演变过程,发现成功企业都有很强的应变能力,一是顺应宏观经济环境的变化,二是不断回应品牌和产品发展的要求。各种模式无所谓绝对的优劣,各有长处和短板,都需要在铺货速度和铺货质量、渠道渗透率和人力成本之间找到最佳平衡点。

创业企业在稳定了现有渠道的基础上,要适时关注渠道的发展趋势,保持对新兴渠

---

1 渠道为王! 探究娃哈哈、元气、农夫等企业的成功之道和内在规律[EB/OL] https://www.xianjichina.com/special/detail_546905.html[2024-05-21].

道的密切关注,努力通过新兴渠道延伸市场,扩大市场覆盖面,尤其要利用当前日活用户高的平台做好营销渠道建立。

5.3.3 初创企业的人力资源管理

人力资源管理指通过招聘、甄选、培训、报酬等管理形式对企业组织内外相关人力资源进行有效运用,满足组织当前及未来发展的需要,保证组织目标,实现与成员发展的最大化的一系列活动的总称。一般把人力资源管理分以下模块:人力资源规划、招聘与配置、培训与开发、绩效管理、薪酬福利管理、劳动关系管理。

在初创企业中进行人力资源管理,需将人力资源置于具体的组织范畴,如部门、班组之中。因此,在企业分层化开展人力资源管理时,人力资源管理的主体不仅为企业人力资源管理部门,还可以为人力资源所具体处于的部门和班组的负责人。在人力资源管理中需践行目标管理模式,这不仅是人力资源分层化管理的必要要求,也是协调各部门、班组开展人力资源管理的必要手段。在人力资源管理中,同样含有计划、组织、领导、控制等职能。其中,对于初创企业而言,有效计划人力资源的招聘、培训工作,能增大企业专项资金投入的产出比值。下面以电子商务为主营业务的企业为例,分析初创企业的人力资源管理需要注意的问题。

1)员工招聘　就招聘员工的方式而言,企业采取了线下与线上招聘相协同的方式。在线下招聘中,企业与目标高校合作,定向招聘电子商务专业的毕业生。比如,企业的领导与母校电子商务专业所在院系取得了联系,并亲自前往母校为做公司宣传以招聘员工。另外,利用人际关系来获取员工资源,也是企业线下招聘的方式之一。再比如,企业的领导在创业之前来自 M 公司,随着企业注册成功并进入到运营阶段,便利用自己在 M 公司的人际关系网,邀请了 M 公司的个别骨干力量加入企业。线上招聘相对简单,主要通过在招聘网站上发布用人信息,并在线对应聘者进行初筛,最后邀请入围者参与线下面试。无论是线下还是线上招聘,企业都需要制定明确的岗位数。

2)绩效考核　企业主营电子商务,且以 B2C 作为电子商务运维模式。企业拥有仓储管理岗位、网络营销岗位、售后服务三类岗位。企业根据这三类岗位的业务内容和业务特征,分别设立三类绩效考核体系。对于仓储管理岗位而言,由于该岗位负责进货和出货工作,所以缺货率、错配率成了该岗位绩效考核的扣分项。对于网络营销岗位,网页点击率、促单成功率等成了该岗位绩效考核的加分项。对于售后服务岗位,则主要以客户的在线满意度反馈,作为对该岗位的绩效考核方式。其中,网络营销岗位属于企业的核心岗位,其绩效考核指标和方式也更趋复杂。相对而言,售后服务岗位的绩效考核方式则更趋简单。

3)薪酬激励　由于企业存在三类主要岗位,且每类岗位的绩效考核指标存在差异,以及岗位间的利润贡献度也存在区别,所以企业沿着网络营销岗位、售后服务岗位、仓储管理岗位的顺序,其激励效应呈逐渐式微态势。作为核心岗位的网络营销岗位,在薪酬激励中主要以促单成功率作为个体的奖励性指标。对于售后服务岗位而言,客户满意度反馈作为个体的奖励性指标,在一定程度上能够被客服岗位人员所操控。仓储管理岗位人员的薪酬激励,主要以缺货率、货损率、错配率的控制效果为奖励性指标。其中,仓储管理人员可以与上游供应商建立合作关系,以及时补货和超量补货来掩盖货损率。显然,超量补货中的增加值可看作对仓储管理人员的"返点"。总之,企业的激励方式主要为薪酬激励。另外,还配合了午餐费、住房补贴等项目,但观察发现这些并未对员工产生显著的激励效应。

4)岗位培训　岗位培训会消耗企业的资金资源,企业岗位培训的形式为分部门开展集体学习,即由网络营销部、售后服务部、仓储管理部的负责人主持,由各部门成员集体参加的培训形式。另外,企业如果重视增强员工群体的凝聚力,则会定期开展户外拓展活动。培训的效果各部门会存在一定的差异性,比如,网络营销部门和仓储管理部门的培训效果并不显著,而售后服务部门的培训效果相对显著。培训效果是否显著,主要以各部门考核指标的改善情况为依据。

初创企业的人力资源管理存在着较大的风险与不确定性。

1)逆向选择风险　企业无论采取线下招聘还是线上招聘的形式,都在一定程度上面临着逆向选择的风险。由经济学原理可知,逆向选择风险的产生根源源于信息不对称,即在经济人假设条件下,信息优势方在与信息劣势方合作时存在机会主义动机。显然,面对应聘者个体的私人信息,企业处于信息劣势地位。具体而言,在线下招聘时尽管企业与高校建立了合作关系,但高校方无法为毕业生的初次就业行为进行"背书",而且毕业生普遍存在着"骑驴找马"的就业心态,所以在面对企业的招聘信息时往往存在机会主义动机。在线上招聘中,企业面临着对海量简历的识别压力,且在较短的面试时长也无法识别出面试者所释放信息的真伪。

2)在绩效考核中双向反馈机制缺乏　在对员工的绩效考核中同样面临着信息不对称因素的干扰,此时的干扰将导致企业的资方无法正确评价劳方的工作努力程度,以及在班组作业形态下区分个体的工作绩效也存在着一定难度。然而,企业在绩效考核中缺乏双向反馈机制,即员工无法对被误判的工作绩效评价进行申述。究其原因主要为,企业成立不久还未建立完善的员工申述机制,且为员工提供申述渠道将增大企业的人力资源管理成本。显然,为员工提供利益申述机制和渠道,将能以一种激励效应影响员工群体,并通过增强员工群体的归属感而提高自身工作效能。正是由于双向反馈机制缺乏,促使企业目前始终处于"员工离职-岗位补缺"的循环之中。

3)在薪酬激励中单纯以结果为导向　对于初创型企业的管理者而言,应建立企业与员工共同成长的理念。在企业与员工共同成长的过程中,需以"双赢"作为企业与员工间的利益纽带,以过程评价为调整成长路径的手段。然而,目前在薪酬激励中企业单纯以结果为导向,而忽略了员工的努力程度。比如,对网络营销岗位员工的薪酬激励中,单纯以月度促单成功率为薪酬激励标准,这样会抑制该岗位员工业务创新的意愿。再比如,对售后服务岗位员工的薪酬激励中,单纯以月度客户满意度指标为薪酬激励标准,这在一定程度上强化了该岗位员工与客户合谋的动机。同样,以结果为导向的薪酬激励方式,也会导致仓储管理人员与供应商建立不合规的业务关系。

4)在岗位培训中,心理干预内容缺失 如上文所述,企业并未建立正规的员工培训秩序,而是以定期的部门集体业务学习以及开展户外拓展活动作为培训的主要形式。在正视企业在开展培训时面临诸多约束条件的同时,也需要反思这样的问题:企业管理者并未将员工心理干预纳入培训内容,这就导致部分员工在高强度的工作压力下,要么选择离职、要么以消极的心态面对工作任务。无论是员工离职还是消极怠工,都将对企业的发展带来严重的负面影响。对于在岗位培训中,心理干预内容存在缺失的问题,一方面源于企业的人力资源管理模式还未成熟,另一方面则源于企业缺少从事心理干预的专业人才。

上述问题,均需要初创型企业管理者高度重视。

推荐阅读书目

应千伟,四川大学,国家精品课程"财务管理"。https://www.icourse163.org/course/SCU-1002879002? from=searchPage。

菲利普·科特勒,凯文·莱恩·凯勒著,何佳讯等译,《营销管理》,中信出版社,2022。

课程报告

1.撰写课程报告"法人及相关概念的知识梳理"。

2.撰写课程报告"编制自己家庭的三大财务报表"。

3.撰写课程报告"选择一种营销推广途径实现自己的一个小愿望"。

大学生创新创业竞赛

大学生创新创业活动是指大学生个人或团队在导师指导下,完成创新性研究项目、完成创业项目、参加学科竞赛等实践活动。全国高校范围内的创新创业竞赛以习近平新时代中国特色社会主义思想为指导,深入贯彻落实创新驱动发展战略和党中央、国务院重大决策部署,旨在深化高等教育综合改革,激发大学生的创造力,培养造就具有创新思维和创新能力的生力军。大学生们在校期间的创新创业活动相较于社会创业有很多自身的特点,更加强调创新思维和创新意识的培养。当前无论是党的教育方针、社会经济发展阶段,还是大学生自身发展特征,都要求高等教育把大学生综合素养和能力提升放在首位,因此,各层次高校均面向自身办学目标,出台了学校内部鼓励大学生参加创新创业竞赛、力争取得好成绩、营造良好的创新创业氛围的制度和办法。创新创业类竞赛分为综合类竞赛和专业类竞赛,两种类型竞赛又根据其指导方针、实现目标、作品质量分为 I 类竞赛和 II 类竞赛(见附录)。

6.1　中国国际大学生创新大赛

大学生群体有着高学历、高认知,年轻、充满活力,国家鼓励大学生创新创业正是看中了大学生的这些特征,但另一个方面,大学生资历尚浅,缺乏人生阅历,对把控创业这项事业来说,还是有一定难度的,以往的数据表明刚毕业大学生创业的成功率非常低。

然而,经验是可以积累的,认知是可以在实践中逐步提高的。国家的发展离不开企业家,离不开创业者,离不开以高新技术为基础的创业。梳理老一辈企业家的履历会发现,随着创业中创新成分的增加,有大学教育经历的企业家就越多,当前跟技术相关的中小企业家们绝大多数也都是大学毕业生。所以说,国家鼓励大学生创业,究其原因,从宏观上看,大学生创业的成功率相比于其他群体来说还是高的,尤其在高新技术方面,创业者无一例外都接受过高等教育;另一方面,从大学生个人微观层面看,即使一次创业失败了,他们也会通过对失败的创业经历进行反思与复盘,积累经验,吸取教训,因此离成功会越来越近。

当然了,在大学生创业这件事儿上,并不是大学生群体的单打独斗,国家、社会、学校共同发力,早已形成了一个培养大学生创新创业能力、孵化大学生创新创业项目的环境,以此来提升大学生创业的成功率。中国国际大学生创新大赛就是一项以此为目标的技能大赛。大赛的赛事安排每年都有可能变化,本节以2023年比赛为例来介绍大赛。

6.1.1 比赛简介

2023年,第九届中国国际"互联网+"大学生创新创业大赛在赛程中将比赛更名为中国国际大学生创新大赛(2023),在未来比赛中,大赛将使用"中国国际大学生创新大赛"的名称。

(1)大赛主题

我敢闯,我会创。

(2)大赛总体目标

更中国、更国际、更教育、更全面、更创新、更协同,落实立德树人根本任务,传承和弘扬红色基因,聚焦"五育"融合创新创业教育实践,开启创新创业教育改革新征程,激发青年学生创新创造热情,打造共建共享、融通中外的国际创新创业盛会,让青春在全面建设社会主义现代化国家的火热实践中绽放绚丽之花。

——更中国。更深层次、更广范围体现红色基因传承,充分展现新发展阶段高水平创新创业教育的丰硕成果,集中展示新发展理念引领下创新创业人才培养的中国方案,提升新时代中国高等教育的感召力。

——更国际。深化创新教育国际交流合作,汇聚全球知名高校、企业和创业者,服务以国内大循环为主体、国内国际双循环相互促进的新发展格局,搭建全球性创新创业竞赛平台,提升新时代中国高等教育的影响力。

——更教育。推动思想政治教育、专业教育与创新教育深度融合,弘扬劳动精神,加强学生创新实践能力培养,造就敢想敢为又善作善成的新时代好青年,提升新时代中国高等教育的塑造力。

——更全面。推进职普融通、产教融合、科教融汇,鼓励各学段学生积极参赛,形成创新创业教育在高等教育、职业教育、基础教育、留学生教育等各类各学段的全覆盖,打通人才培养各环节,提升新时代中国高等教育的引领力。

——更创新。积极开辟发展新领域新赛道,不断塑造发展新动能新优势,丰富竞赛内容和形式,激发全社会创新创造动能促进高校创新成果转化应用,进一步服务国家重大战略需求和经济社会高质量发展,提升新时代中国高等教育的创造力。

——更协同。充分发挥大赛平台纽带作用,促进优质资源互联互通,推动形成开放大学、开放产业、开放问题的良好氛围;助推大赛项目落地转化,营造支持青年大学生创新创业、共同合作、互相包容、互相支持的良好生态。

（3）主要任务

以赛促教，探索人才培养新途径。全面提高人才自主培养质量，强化高校课程思政建设，深入推进新工科、新医科、新农科、新文科建设，深化创新创业教育改革，引领各类学校人才培养范式深刻变革，形成新的人才培养质量观和质量标准，切实提高学生的创新精神、创新意识和创新能力。

以赛促学，培养创新创业生力军。着力造就拔尖创新人才，激励广大青年扎根中国大地了解国情民情，在创新创业中增长智慧才干，怀抱梦想又脚踏实地，敢想敢为又善作善成，做有理想、敢担当、能吃苦、肯奋斗的新时代好青年。

以赛促创，搭建产教融合新平台。把教育融入经济社会发展，推动成果转化和产学研用融合，促进教育链、人才链与产业链、创新链有机衔接，以创新引领创业、以创业带动就业，推动形成高校毕业生更高质量创业就业的新局面。

（4）参赛要求

参赛项目能够紧密结合经济社会各领域现实需求，充分体现高校在新工科、新医科、新农科、新文科建设等方面取得的成果，培育新产品、新服务、新业态、新模式，促进制造业、农业、卫生、能源、环保、战略性新兴产业等产业转型升级，促进数字技术与教育、医疗、交通、金融、消费生活、文化传播等深度融合。参赛项目应弘扬正能量，践行社会主义核心价值观，真实、健康、合法。不得含有任何违反《中华人民共和国宪法》及其他法律法规的内容。

大赛的主体赛事包括高教主赛道、"青年红色筑梦之旅"赛道、职教赛道、产业命题赛道和萌芽赛道。

（5）高教主赛道方案

高教主赛道的参赛项目类型包括：①新工科类项目，大数据、云计算、人工智能、区块链、虚拟现实、智能制造、网络空间安全、机器人工程、工业自动化、新材料等领域，符合新工科建设理念和要求的项目；②新医科类项目，现代医疗技术、智能医疗设备新药研发、健康康养、食药保健、智能医学、生物技术、生物材料等领域，符合新医科建设理念和要求的项目；③新农科类项目，现代种业、智慧农业、智能农机装备、农业大数据、食品营养、休闲农业、森林康养、生态修复、农业碳汇等领域，符合新农科建设理念和要求的项目；④新文科类项目，文化教育、数字经济、金融科技、财经、法务、融媒体、翻译、旅游休闲、动漫、文创设计与开发、电子商务、物流、体育、非物质文化遗产保护、社会工作、家政服务、养老服务等领域，符合新文科建设理念和要求的项目；⑤"人工智能+"项目，聚焦于人工智能深度融合经济社会各领域发展、赋能千行百业智能化转型升级，符合"人工智能+"发展理念和要求的项目。

高教主赛道以团队为单位报名参赛，允许跨校组建参赛团队，每个团队的成员不少于3人，不多于15人（含团队负责人），须为项目的实际核心成员。参赛团队所报参赛项目,须为本团队策划或经营的项目,不得借用他人项目参赛。

根据参赛申报人所处学习阶段,项目分为本科生组、研究生组。根据项目发展阶段,本科生组和研究生组均内设创意组、创业组,并按照新工科、新医科、新农科、新文科、"人工智能+"设置参赛项目类型。

高教主赛道设置金奖、银奖、铜奖,中国大陆参赛项目设金奖 200 个、银奖 400 个、铜奖 1200 个,中国港、澳、台地区参赛项目设金奖 10 个、银奖 20 个、铜奖另定,国际参赛项目设金奖 50 个、银奖 100 个、铜奖 350 个。

(6)"青年红色筑梦之旅"赛道方案

参加"青年红色筑梦之旅"赛道的项目在符合大赛参赛项目要求的基础上,同时在推进农业农村、城乡社区经济社会发展等方面有创新性、实效性和可持续性,根据项目性质和特点,分为公益组、创意组、创业组。

公益组的参赛项目不以营利为目标,积极弘扬公益精神,在公益服务领域具有较好的创意、产品或服务模式的创业计划和实践。创意组的参赛项目基于专业和学科背景或相关资源,解决农业农村和城乡社区发展面临的主要问题,助力乡村振兴和社区治理,推动经济价值和社会价值的共同发展。创业组的参赛项目以商业手段解决农业农村和城乡社区发展面临的主要问题、助力乡村振兴和社区治理,实现经济价值和社会价值的共同发展,推动共同富裕。

本赛道设置金奖 70 个、银奖 140 个、铜奖 440 个。

(7)职教赛道方案

职教赛道推进职业教育领域创新创业教育改革,培养技术赋能、跨界融合的新时代大国工匠。参赛项目类型包括:①创新类,以技术、工艺或商业模式创新为核心优势;②商业类,以商业运营潜力或实效为核心优势;③工匠类,以体现敬业、精益、专注、创新为内涵的工匠精神为核心优势。

职业学校包括职业教育各层次学历教育,不含在职教、国家开放大学学生,仅限学历教育可以报名参赛。职教赛道分为创意组与创业组,创意组的参赛项目具有较好的创意和较为成型的产品原型、服务模式或针对生产加工工艺进行创新的改良技术,学校科技成果转化项目不能参加本组比赛,但科技成果的完成人、所有人中参赛申报人排名第一的除外;创业组的参赛项目在大赛通知下发之日前已完成工商等各类登记注册。

职教赛道设置金奖 70 个、银奖 140 个、铜奖 440 个。

(8)产业命题赛道方案

产业命题赛道推进产教融合、科教融汇。发挥开放创新效用,打通高校智力资源和企业发展需求,协同解决企业发展中所面临的技术、管理等现实问题。引导高校将创新创业教育实践与产业发展有机结合,促进学生了解产业发展状况,培养学生解决产业发展问题的能力。聚焦发展新质生产力,立足产业急需,深化新工科、新医科、新农科、新文科建设,校企协同培育产业新领域、新市场,推动大学生更高质量的创业就业。

产业赛道参赛项目类型包括:①产教协同创新组,聚焦国家重大战略需求,深度推进产教融合、科教融汇,基于"四新"建设的内涵和要求,推动解决制约产业高质量发展的各类难题,加速产业转型升级与迭代创新。②区域特色产业组,服务区域经济社会发展,聚焦举办地的先导产业,提出具有创新性的技术解决方案,助力构建具有竞争力的区域产业生态。

产业赛道首先进行命题征集,针对企业开放创新需求,面向产业代表性企业、行业龙头企业、专精特新企业等征集命题,聚焦国家规划战略性新兴产业方向,倡导新技术、新产品、新业态、新模式。围绕新工科、新医科、新农科、新文科对应的产业和行业领域基于企业发展真实需求进行申报。参赛团队所提交的命题对策须符合所答企业命题要求,命题企业将对命题对策进行契合度审核评价。

(9)萌芽赛道方案

萌芽赛道鼓励中学生崇尚科学、探索未知,推动形成各学段有机衔接的创新教育链条,发现和培养基础学科和创新创业后备人才。引导中学生开展科技创新、发明创造、社会实践等创新性思维品质,开展创新性实践活动,培养其探索性,树立学生的人才观、成才观、教育观。参赛人员由普通高级中学在校学生组成。参赛项目应紧密融合学习、生活、社会实践,能创造性地解决问题或提供解决思路,具有可预见的应用性与成长性,可以是教育部公布的面向中小学生的全国性竞赛活动名单中的项目或作品。

萌芽赛道设置创新潜力奖 20 个。入围总决赛但未获创新潜力奖的项目,发放"入围总决赛"证书。

6.1.2　大赛评审标准

6.1.2.1　高教主赛道

(1)创意组项目评审标准

评审标准具体细节由表6.1给出。教育维度中强调专业知识的基础性,创新创业建立在专业知识转化基础上,同时强调团队成员们对商业知识和行业知识的把握,强调学科交叉和专创融合,教育维度评审标准的逻辑在于,以经济社会行业内的问题为切入点,利用多学科专业知识共同作用解决实际问题,再利用商业知识将问题解决方案商业化、市场化,实现多方价值实现。教育维度分值为 30 分。

创新维度评审标准强调从创意到落地的实践过程,创新范式基础上的创新行为,强调团队创新行为的规范性,这个维度需要有一定数量的专利证书、采纳证明等实质性材料佐证团队创新成果。

团队维度评价标准强调组队的科学性,理性的组队原则能够最大限度地保证创新创业项目成功,强调团队对创意项目未来发展成为商业项目的可行性。

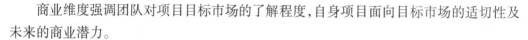

商业维度强调团队对项目目标市场的了解程度,自身项目面向目标市场的适切性及未来的商业潜力。

社会价值维度一般强调直接创造就业岗位数量,上下游产业链能带动的就业规模。

表6.1 高教主赛道创意组项目评审标准

评审要点	评审内容	分值
教育维度	1.项目应弘扬正确的价值观,厚植家国情怀,恪守伦理规范,有助于培育创新创业精神; 2.项目符合将专业知识与商业知识有效结合并转化为商业价值或社会价值的创新创业基本过程和基本逻辑,展现创新创业教育对创业者基本素养和认知的塑造力; 3.体现团队对创新创业所需知识(专业知识、商业知识、行业知识等)与技能(计划、组织、领导、控制、创新等)的娴熟掌握与应用,展现创新创业教育提升创业者综合能力的效力; 4.项目充分体现团队解决复杂问题的综合能力和高级思维;体现项目成长对团队成员创新创业精神、意识、能力的锻炼和提升作用; 5.项目能充分体现院校在"三位一体"统筹推进教育、科技、人才工作,扎实推进新工科、新医科、新农科、新文科建设方面取得的成果;体现院校在项目的培育、孵化等方面的支持情况;体现产教融合、科教融汇、多学科交叉、专创融合、产学研协同创新等模式在项目的产生与执行中的重要作用	30
创新维度	1.项目遵循从创意到研发、试制、生产、进入市场的过程,进而实现从创意向实践、从基础研发向应用研发的跨越; 2.团队能够基于学科专业知识并运用各类创新的理念和范式,解决社会和市场的实际需求; 3.项目能够从产品创新、工艺流程创新、服务创新、商业模式创新等方面着手开展创新创业实践,并产生一定数量和质量的创新成果以体现团队的创新力	20

续表6.1

评审要点	评审内容	分值
团队维度	1.团队的组成原则与过程是否科学合理,团队是否具有支撑项目成长的知识、技术和经验,是否有明确的使命愿景; 2.团队的组织构架、人员配置、分工协作、能力结构、专业结构、合作机制、激励制度等的合理性情况; 3.团队与项目关系的真实性、紧密性情况,对项目的各项投入情况,创立创业企业的可能性情况; 4.支撑项目发展的合作伙伴等外部资源的使用以及与项目关系的情况	20
商业维度	1.充分了解所在产业(行业)的产业规模、增长速度、竞争格局、产业趋势、产业政策等情况,形成完备、深刻的产业认知; 2.项目具有明确的目标市场定位,对目标市场的特征、需求等情况有清晰的了解,并据此制定合理的营销、运营、财务等计划,设计出完整、创新、可行的商业模式,展现团队的商业思维; 3.项目落地执行情况;项目对促进区域经济发展、产业转型升级的情况;已有盈利能力或盈利潜力情况	20
社会价值维度	1.项目直接提供就业岗位的数量和质量; 2.项目间接带动就业的能力和规模; 3.项目对社会文明、生态文明、民生福祉等方面的积极推动作用	10

(2)初创组、成长组项目评审标准

与创意组相比,初创组和成长组的团队已经开始运营公司了,两者的教育维度评审标准大致相同,区别仅在于面向(什么?)项目还是面向公司项目的评审,分值为20分。

商业维度是初创组、成长组项目重要的评审维度,分值为30分,强调项目的商业模式、经营绩效、经营管理等公司运营方面的数据,同时对于公司项目的可持续发展与竞争优势分析,关注公司内部现金流与融资情况,促进区域经济发展等方面来评价公司经营情况。商业维度更侧重于创业。

团队维度强调的是创业团队,区别于创意组团队,该组的团队维度评审条件强调公司运营过程中清晰的指挥链、科学的决策机制。

创新维度相对于创意组,增加公司对创新活动进行有效管理评价标准。

表6.2 高教主赛道初创组、成长组项目评审标准

评审要点	评审内容	分值
教育维度	大致同创意组评审标准	20
商业维度	1. 充分掌握所在产业(行业)的产业规模、增长速度、竞争格局、产业趋势、产业政策等情况,具有明确的目标市场定位,充分掌握目标市场的特征、需求等情况,具有完整、创新、可行的商业模式; 2. 经营绩效方面,重点考察项目存续时间、营业收入(合同订单)现状、企业利润、持续盈利能力、市场份额、客户(用户)情况、税收上缴、投入与产出比等情况; 3. 经营管理方面,是否有清晰的企业发展目标,是否有完备的研发、生产、运营、营销等制度和体系,是否采用先进、科学的管理方法,以确保企业具有较强的竞争力; 4. 成长性方面,是否有清晰、有效、全方位的企业发展战略,并拥有可靠的内外部资源(人才、资金、技术等方面)实现企业战略,以建立企业的持续竞争优势; 5. 现金流及融资方面,关注项目融资情况、获取资金渠道情况、企业经营的现金流情况、融资需求及资金使用情况是否合理; 6. 项目对促进区域经济发展、产业转型升级的情况	30
团队维度	1. 团队的组成原则与过程是否科学合理;团队是否具有独特的支撑项目成长的知识、技能、经验以及成熟的外部资源网络;是否有明确的使命愿景; 2. 公司是否具有合理的组织构架、清晰的指挥链、科学的决策机制,是否有合理的岗位设置、分工协作、专业能力结构,是否有良好的内部沟通机制,是否有合理的股权结构、激励制度等; 3. 团队对项目的各项投入情况及团队成员的稳定性情况; 4. 支撑公司发展的合作伙伴等外部资源的使用以及与公司关系的情况	20
创新维度	1~3 大致同创意组标准; 4. 项目能够从创新战略、创新流程、创新组织、创新制度与文化等方面进行设计协同,对创新进行有效管理,进而保持公司的竞争力	20
社会价值维度	同创意组评审标准	10

6.1.2.2 "青年红色筑梦之旅"赛道

(1)公益组项目评审标准

"青年红色筑梦之旅"赛道的公益组教育维度中相比于高教主赛道更强调团队扎根中国大地了解国情民情,选题要更贴近大国民生,同时去掉了产教融合、专创融合维度的要求。分值为30分。

公益维度评审标准中不看重营利,但强调公益成果,解决社会问题,同时具有较好的创意,强调社会效益最大化。

发展维度强调项目自身生存能力、成长能力,同时面向社会民生、大学生到基层就业方面是否有推动作用。

创新维度除了遵循科学性原则外,还强调了高校科研成果的公益性推广。

还需要指出的是,"青年红色筑梦之旅"赛道所有项目均需要参加由学校、省市或全国组织的"青年红色筑梦之旅"活动。

表6.3 "青年红色筑梦之旅"赛道公益组项目评审标准

评审要点	评审内容	分值
教育维度	1. 项目应弘扬正确的价值观,厚植家国情怀,恪守伦理规范,有助于培育创新创业精神; 2. 项目体现团队扎根中国大地了解国情民情,遵循发现问题、分析问题、解决问题的基本规律,将所学专业知识、技能和方法应用于解决各类社会问题,展现创新创业教育对创业者基本素养和认知的塑造力以及提升创业者综合能力的效力; 3. 项目充分体现团队解决复杂问题的综合能力和高级思维,体现项目成长对团队成员创新创业精神、意识、能力的锻炼和提升作用; 4. 项目能充分体现院校在"三位一体"统筹推进教育、科技、人才工作,扎实推进新工科、新医科、新农科、新文科建设方面取得的成果;项目充分体现专业教育、思政教育、创新创业教育的有机融合;体现院校在项目的培育、孵化等方面的支持情况	30
公益维度	1. 项目以社会价值为导向,以谋求公共利益为目的,以解决社会问题为使命,不以营利为目标,有一定公益成果; 2. 在公益服务领域具有较好的创意、产品或服务模式的创业计划和实践,追求社会效益的最大化	10
团队维度	大致同高教主赛道创意组标准	20
发展维度	1. 项目通过吸纳捐赠、获取政府资助、自营收等方式确保持续生存能力情况; 2. 团队基于一定的产品、服务、模式,通过高效管理、资源整合、活动策划等运营手段,确保项目影响力与实效性; 3. 项目在促进就业、教育、医疗、养老、环境保护与生态建设等方面的效果; 4. 项目的模式可复制、可推广,具有示范效应; 5. 项目对带动大学生到农村、城乡社区从事社会服务就业创业的情况	20

续表6.3

评审要点	评审内容	分值
创新维度	1.团队能够基于科学严谨的创新过程,遵循创新规律,运用各类创新的理念和范式,解决社会实际需求; 2.项目能够从产品创新、服务创新等方面着手开展公益创业实践,并产生一定数量和质量的创新成果; 3.鼓励将高校科研成果运用到公益创业中,以解决相应的社会问题	20
必要条件	参加由学校、省市或全国组织的"青年红色筑梦之旅"活动	

（2）创意组项目评审

"青年红色筑梦之旅"赛道创意组项目强调面向农村,面向乡村振兴、农业农村现代化、城乡社区建设过程中的问题,提出项目解决方案,教育维度依然强调"学院派",利用创新创业基本方法论、专业知识技能来解决农村问题;发展维度强调对农村问题"痛点"难点深入理解的基础上,兼顾经济效益和社会效益去解决这些"痛点"难点。

表6.4　"青年红色筑梦之旅"赛道创意组项目评审标准

评审要点	评审内容	分值
教育维度	1.项目应弘扬正确的价值观,厚植家国情怀,恪守伦理规范,有助于培育创新创业精神; 2.项目体现团队扎根中国大地了解国情民情,遵循发现问题、分析问题、解决问题的基本规律,将所学专业知识、技能和方法应用于乡村振兴和农业农村现代化、城乡社区发展,展现创新创业教育对创业者基本素养和认知的塑造力以及提升创业者综合能力的效力; 3.项目充分体现团队解决复杂问题的综合能力和高级思维,体现项目成长对团队成员创新创业精神、意识、能力的锻炼和提升作用; 4.项目能充分体现院校在"三位一体"统筹推进教育、科技、人才工作,扎实推进新工科、新医科、新农科、新文科建设方面取得的成果;项目充分体现专业教育、思政教育、创新创业教育的有机融合;体现院校在项目的培育、孵化等方面的支持情况其他同"青年红色筑梦之旅"赛道公益组评审标准	30
团队维度	大致同高教主赛道创意组标准	20
发展维度	1.充分了解乡村振兴、农业农村现代化、城乡社区发展的内容和要求,了解其中的"痛点"、难点,进而形成对所要解决问题完备的认知; 2.在服务乡村振兴、农业农村现代化、城乡社区发展等方面有较好的创意、产品或服务模式,追求经济效益和社会效益的平衡; 3.项目对推动乡村振兴、农业农村现代化、城乡社区发展等方面的贡献度; 4.项目的持续生存能力,模式可复制、可推广,具有示范效应等	20

续表6.4

评审要点	评审内容	分值
创新维度	1.团队能够基于科学严谨的创新过程,遵循创新规律,运用各类创新的理念和范式,解决乡村振兴、农业农村现代化、城乡社区发展中遇到的各类问题; 2.项目能够从产品创新、服务创新等方面着手开展公益创业实践,并产生一定数量和质量的创新成果; 3.鼓励将高校科研成果运用到公益创业中,以解决相应的社会问题其他同"青年红色筑梦之旅"赛道公益组评审标准	20
社会价值维度	同高教主赛道评审标准	10
必要条件	参加由学校、省市或全国组织的"青年红色筑梦之旅"活动	

（3）创业组项目评审

"青年红色筑梦之旅"赛道创业组项目在发展维度强调面向农村问题解决方案的服务模式,与高教主赛道的初创组、成长组项目不同,并不强调项目商业化运作。

表6.5　"青年红色筑梦之旅"赛道创业组项目评审标准

评审要点	评审内容	分值
教育维度	同"青年红色筑梦之旅"赛道创意组标准	20
团队维度	大致同高教主赛道初创组、成长组标准	20
发展维度	1.充分了解乡村振兴、农业农村现代化、城乡社区发展的内容和要求,了解其中的"痛点"、难点,进而形成对所要解决问题完备的认知; 2.在服务乡村振兴、农业农村现代化、城乡社区发展等方面有较好产品或服务模式,追求经济效益和社会效益的平衡; 3.项目通过商业方式推动乡村振兴、农业农村现代化、城乡社区发展等方面的贡献度; 4.项目的持续生存能力,模式可复制、可推广,具有示范效应等	30
创新维度	同"青年红色筑梦之旅"赛道创意组评审标准	20
社会价值维度	同高教主赛道初创组、成长组评审标准	10
必要条件	参加由学校、省市或全国组织的"青年红色筑梦之旅"活动	

6.1.2.3　职教赛道

（1）创意组项目评审

职教赛道整体的项目要求强调"大国工匠"培养的重要性。创新维度强调项目的原创性,"大国工匠"面向现实问题时的创新;商业维度上,强调团队对自身所在行业的充分认知,强调前期的市场调研。

表 6.6　职教赛道创意组项目评审标准

评审要点	评审内容	分值
教育维度	大致同高教主赛道创意组项目评审标准	30
创新维度	1. 具有原始创意、创造; 2. 具有面向培养"大国工匠"与能工巧匠的创意与创新; 3. 项目体现产教融合模式创新、校企合作模式创新、工学一体模式创新; 4. 鼓励面向职业和岗位的创意及创新,侧重于加工工艺创新、实用技术创新、产品(技术)改良、应用性优化、民生类创意等	20
团队维度	同高教主赛道创意组评审标准	20
商业维度	1. 充分了解所在产业(行业)的产业规模、增长速度、竞争格局、产业趋势、产业政策等情况,形成完备、深刻的产业认知; 2. 项目具有明确的目标市场定位,对目标市场的特征、需求等情况有清晰的了解,并据此制定合理的营销、运营、财务等计划,设计出完整、创新、可行的商业模式,展现团队的商业思维; 3. 其他:项目落地执行情况;项目促进区域经济发展、产业转型升级的情况;已有盈利能力或盈利潜力情况	20
社会价值维度	同高教主赛道创意组评审标准	10

(2)创业组项目评审

职教赛道创业组项目评审标准与前面所介绍标准比较契合,可参考高教主赛道、职教赛道创意组项目评审标准。

表 6.7　职教赛道创业组项目评审标准

评审要点	评审内容	分值
教育维度	大致同高教主赛道创意组项目评审标准	20
商业维度	大致同高教主赛道初创组、成长组项目评审标准	30
团队维度	同高教主赛道初创组、成长组项目评审标准	20
创新维度	同职教赛道创意组评审标准	20
社会价值维度	同高教主赛道初创组、成长组项目评审标准	10

以上所介绍的评审标准以 2023 年大赛标准为例,每年的参赛要求都会有一些简单

的调整,但总体框架大致不变,当然随着国家大的经济发展指导方针的变化,大赛可能在某一届产生突破性的变化。

由于萌芽赛道的参赛对象为中学生,因此萌芽赛道项目评审标准不再赘述。

6.1.3　选题与组队

中国国际大学生创新大赛的参赛对象不仅仅只有在校大学生、研究生,对于不同赛道创业组,毕业五年之内的大学生、研究生依然可以参赛,也就意味着如果一个大学生把创新创业作为自己的使命和事业的话,根据大赛的规定,他可以作为项目负责人参加 9 次大赛,如果他继续深造的话,那么他就有可能参加 15 次大赛,当然一旦某个项目在这些参赛的过程中拿到了金奖或银奖,他如果还想参加大赛的话,就需要换项目。这充分说明了,大学生创新创业不仅仅是个人层面的事业,也是高校、社会、政府共同的事业,也说明了一项事业的成功需要个人以自我内驱为基础,在国家引领领域内持续性深耕,辅以社会、政府资源的扶持,这一点大赛充分尊重创新创业的客观规律。国家举办这项大赛的目的和诚意在于想挑选出好作品,想让好作品落地成为好项目,想有大批创新创业人才脱颖而出。好项目遇到了拔尖人才,就成了好企业。创业虽然不易,但这个精心设计的创新创业过程允许一个大学生利用十年左右的时间来优化自己的模型、验证自己的假设、落地自己的项目,最终实现盈利。

大学生作为社会发展的第一资源,有着活跃的创造性思维,好奇、不服输、精力旺盛,这都是创新创业者所需要的基本素质,举办大赛就是为了让这些卓越人才尽情发挥自身优势,让科研领域、商业领域的"伯乐"们发现人才、培养人才、扶持人才。大赛面向不同赛道不同组别的评审标准有所不同,细致且有针对性,但是总结起来大赛的目的就是选项目选人,对于参赛方的大学生来说也就是选题与组队,而选题与组队是相辅相成的。

首先,根据大赛"四新"建设的主导思想,选题要注重学科交叉与融合,团队也要有相应学科的成员。比如,对于各赛道创业组项目,一个公司的运营团队成员除了负责核心技术的成员以外,需要有负责财务、法律、运营等工作的成员,因此,很多工科、医科、农科等专业的大学生在组队参赛时,都要寻找法学、金融、经济、市场营销等管理学学科的大学生一同组队。再比如,计算机类、信息资源管理等学科也往往作为工具类学科与其他学科进行交叉融合,国家的数字经济战略、"人工智能+"战略都要求这些学科的大学生们要主动与其他应用学科交叉融合参加大赛。第七届大赛项目"同陆云-道路管养数字化领导者",该项目以数据为基石和导向,运用数据智能融合分析技术,结合道路管养行业上下游的实际需求,针对性地提供了数据产品、平台产品、方案产品。以数据产品为运输物流企业提供运营附加增值服务,以平台产品为政府与监管部门提供高效管理手段,以方案产品为养护施工企业提供快速低扰性价比高的方案计划。该项目团队中有一位平台研发与大数据架构专家,以上公司项目产品需要有数字化平台承载其落地。

其次,选题要注重学科理论知识、科学研究成果的商业化、产业化,因此,对于工科、医科、农科类专业大学生可依托学校学科导师的重大科研项目、产学研结合横向项目进行选题。对于创业组项目选题则要强调公司业务的创新性、科技性,同时还要强调由这样的科技创新驱动了经济价值和社会价值创造。大赛对于文科类专业项目来源更偏向于已经落地运营并且已经有前期收益的创业项目,比如"灵泊国粹城——中国文旅行业新模式开拓者"是一个初创组项目,来源于甘肃尘隐文化旅游有限公司,灵泊国粹城重在打造兰州文化古城池,运用电影造景还原当时的社会场景、人文风情、融汇古园林建筑艺术、结合兰州本土的历史文化以及工作人员的角色扮演与游客多维度互动,呈现一个活灵活现的古城镇场景。这个文旅项目获得了第七届大赛的国赛银奖,其学科覆盖历史、文学、旅游管理等相关学科与专业。再比如,"瑞火体育——全国青少年体育健康连锁品牌"项目来源于郑州大学体育学院毕业生李春伟创办的河南瑞火体育活动策划有限公司,以"真善美"为核心理念,专注中考体育训练与青少年体能综合提升,围绕 9 至 15 岁孩子的健康成长,对家校沟通、成长记录、训练实况进行线上线下全场景呈现,对身体素质、项目考核、增长数据进行大小周期全维度记录。该项目获得了第七届大赛的国赛铜奖,公司员工多数来自当地高校体育院系毕业生,为当地创造了大量的就业岗位,社会效益显著。

再有,项目选题也要注重地区、高校、专业的特色性,尤其是参赛者利用自身学科优势服务地区经济的项目,具有巨大的潜在贡献度,如果参赛者还是来自高校的优势建设学科,那么项目选题就更加优秀。比如,"海蟹富盐碱——全球首创内陆盐碱地海洋牧场开拓者"获第六届大赛的"青年红色筑梦之旅"赛道国赛金奖,该项目来自宁波大学,项目负责人秦康翔是水产专业的学生,他的家乡河南某地区有大量的盐碱地,受焦裕禄精神的感召不断思索如何学以致用帮助家乡致富,依托全国顶尖蟹类繁育实验室,采用全新低渗透循环诱导技术育成极强适碱的新型青蟹品种,并在中国科学院院士团队技术指导下,最终实现依托盐碱地养殖的"兰青 1 号"养殖期 116 天重达 9 两成蟹的科研创新成果。项目累计帮扶盐碱地贫困户 270 多户,平均每亩青蟹养殖增收 30000 元,青蟹产业为农户创收 1695 万元/年。可以说,这是"青年红色筑梦之旅"赛道一个非常完美的选题,面向农村与乡村振兴,基于学校的优势学科,项目负责人"学在高校、用在家乡",这不正是教育的根本目标吗?这不正是中华民族的文化传承吗?

6.1.4　好作品的标准

好作品的标准之一就是有一个背景充分、问题突出的选题,以及跟选题相契合的创新创业团队。以下仅从作品本身出发,分析如何打造一个好的大赛作品。

(1)团队成员正能量的"起心动念"

参加大赛是对自身价值观的认知与重塑过程。中国国际大学生创新大赛是国内规格最高、国家最为重视的一个大赛,在这个大赛上拿到国家金奖、银奖,说明项目好、团队好,对于参赛队员来说,意味着荣誉和后续可能的政府扶持、民间投资等巨大利好。但参赛者并不能将参加大赛获奖作为最终目标,也不能以拿到政府扶持和投资为最终目标,而是从好选题、真问题出发,身体力行去真正解决问题,在比赛过程中享受创新创业的真实乐趣,获得的真实成果为经济社会创造真价值。这个"起心动念"无比重要,因为创新创业是一个长期、艰辛的过程,一项持续性的事业需要以正确价值观为基础。

（2）团队创新过程的完整复盘与里程碑事件

对于工科、医科和农科类的项目,遵循科研创新项目的方法论。①选题的来源与背景,这个问题是什么,为什么会产生这个问题,团队为什么关心这个问题;②解决问题的过程,将大问题拆解,每一步完成了什么,攻克了什么技术难关,产出了什么样的成果,一方面是以 SCI/核心期刊文章、专利、采纳为证明的成果,另一方面是成果的实际落地,成果对社会产生什么样的效益,是否受到了当地政府的关注等。对创新创业项目过程的真实复盘,记录每一个里程碑事件,就是一份创业计划书。

（3）高能技术团队的指导背书

大赛的每一个参赛项目都会有若干名指导老师。在以往的比赛中,指导老师有院士,有某个领域内数一数二的专家学者,有科技成果在身的一线科研人员,参赛的大学生们在老师的指导下反复实践,整个参赛过程大学生通过一点一滴的努力提升了自身解决问题的能力、创业所需的认知能力和执行能力。高能技术团队的指导背书说明项目来源的正统性、急需性,项目选择没有偏离主流科研方向,技术手段位于当前的科技前沿,有巨大的发展前景。同时,被院士垂青的创新团队,应该是创新精神、创业精神同时具备的优秀团队。

（4）巨大的经济价值与社会价值

好作品一定是"有价值"的作品,面向国家战略、面向服务地区经济发展,聚焦于经济社会中的真问题、真"痛点"、真难点,能直接带动多大范围内的多少人实现增收,能够创造多少个就业岗位,可以说这些就是大赛的最终目标,也是大学生实现人生价值的最大体现。

6.1.5 各赛道国奖作品

6.1.5.1 夕阳再晨——全国最大的青年社区治理公益组织

第五届中国国际"互联网+"大学生创新创业大赛"青年红色筑梦之旅"赛道全国金奖作品,来自北京邮电大学。

养老问题事关社会稳定与和谐,在社区中,独居、失独、高龄老人的精神养老问题尤为突出。以北京为例,一方面,由于城市化进程过快,传统的社交方式日渐缩减,老年人闲暇生活单一,精神文化缺乏;另一方面,由于社区老人知识水平相对较高,且具有强烈的学习意愿。因此,社区参与、社区交往对于社区老年人而言,是至关重要的。

2011 年,夕阳再晨创始人张佳鑫正值大四,有一天恰好在楼下宿舍宣传栏里看到了一张希望工程激励行动的海报,上面写着"寻找改变世界的种子"。当时他就想:"改变世界对我们来说太大了,但是当个种子我们可以啊!"这时他想到自己是北邮的学生,学习过信息通信技术,再加上来到北京上学后与家人的联系越来越不方便,张佳鑫和小伙伴们决定教老人学习使用电脑。就这样,张佳鑫给它起了个好听的名字叫"夕阳再晨"。想法的落地总是在一瞬间,张佳鑫从希望工程开始,建立了北京邮电大学的"桑榆守望者"团队,并发起"夕阳再晨老年人科普计划",组织志愿者给老年人传授科普知识和电脑技术,帮助他们更好地融入数字信息时代。正是最初灵感的迸发,才有了现在"夕阳再晨"项目的落地。

"在过去的 20 年中,中国加速步入老龄化社会,同样的 20 年中,我们也经历了从 2G 到 5G 的信息化变革,数字鸿沟带来巨大的社会治理问题,造成老人与家庭、社会、时代脱节。'自助服务''网络抢票''拒收现金',面对这些银发苍苍的老人、这些新中国的建设者,我们这个奔跑的智能时代,是时候为他们留下一点时间,让他们慢慢赶上我们的脚步。"张佳鑫说。

中央出台了一系列政策文件,大力发展助老志愿服务。作为数量庞大、拥有专业知识和服务热情的大学生,开展助老服务已经成为时代呼唤,但却面临服务力量不足、活动形式单一、课程内容匮乏的问题。如何组织青年志愿者走进社区、服务老年人成了重要的时代课题。

"夕阳再晨"搭建青年助老志愿服务的新公益平台,突破传统的单点、个案式的服务模式,开创一套新的全流程、全链条、全生态的超大规模社区志愿服务工作方法,通过完善的孵化体系、教学体系、课程体系和管理体系,为高校青年志愿者赋能,将中国最大规模的青年志愿服务力量引入志愿服务需求最旺盛的社区,服务最需要的老年人。通过"孵化体系"建立专业的助老高校青年志愿服务队伍;通过"教学体系"探索高效多元化的青年助老教学方法;通过"内容体系"打造精准专业课程内容;通过"管理体系"对"夕阳再晨"高校服务队进行大数据信息化管理。四大体系相结合为中国青年社区助老服务力量赋能,帮助老年人回归家庭、回归社会、回归时代。

(1)孵化体系

孵化专业的青年社区助老服务队伍,解决谁来服务的问题。"夕阳再晨"独创助老志愿服务 3 级孵化体系,通过"联络机制、服务保障、活动流程、动员方法、岗位设置、服务实操、培训督导、表彰激励、团队管理、讲师培育"10 大孵化内容,为上百所高校提供全流程孵化,设立项目管理师、服务规划师、卓越讲师和团建督导师进行队伍岗位标准化建设。目前已经孵化上百支高校服务队,每年在超过 200 个社区落地开展超过 2300 场社区助老服务活动。

（2）教学体系

以多样化的教学模式满足老年人的学习需求,解决怎样服务的问题。线下结合高校志愿者专业优势,选拔建立拥有385位讲师的优质卓越讲师队伍,结合标准化的讲义及PPT开展线下课程;在课程的基础上,开发由教材、口袋书及课程包组成的配套教辅材料,便于老年人随时随地查阅使用。线上打造"夕阳再晨·云课堂"小程序,开发超过300节的课程内容,覆盖科技生活、养生健康、文化艺术等多个方面,为超过100万老人提供全方位、全内容的科技生活学习资料。

（3）内容体系

通过不断迭代教学体系来适应老人不同时段的需求,解决服务什么的问题。通过不断迭代新的教学体系适应老人不同时段的需求,解决课程与时代的匹配问题。随着课程的推进提出不同的教学版本。1.0时代,"夕阳再晨"设计了从电脑开关机到PPT使用、发送邮件等超过75种使用场景教学;2.0时代,"夕阳再晨"再次开设了全品类手机和智能硬件等基础操作及使用课程,覆盖市面上90%的智能设备;3.0时代,"夕阳再晨"打造了预防诈骗、识别谣言、购物陷阱、养生健康等超过100节精品课程。

（4）管理体系

利用线上大数据平台解决规模化发展的问题。通过规范优化管理体系实现规模化管理以及对高校的实时服务督导。在"互联网+服务信息化、系统化应用"方面,"夕阳再晨"建立了大数据志愿服务平台,实现志愿服务领域跨地区数据共享与应用。全国的高校服务队都通过线上平台进行大数据信息化管理,可以实现服务数据实时上传、实时更新,高校活力指数实时变动,以及数据采集、分析、归类、研判及动态实时展示、排名等全平台功能,通过大数据平台实现管理高校的服务情况、有效制定服务培训及督导建议等高效操作。

"夕阳再晨"助老服务取得实效,研究显示"夕阳再晨"服务可将老人媒介素养16项能力指标提升至96.1%,这也促进了居民融入,提升了参与决策和议事协商的水平,促进社区和谐稳定。项目自身也完成了从科技助老到社区助老,再到社区治理的演进,通过引入外部志愿服务力量激活社区内生力量实现关系重塑和社区复兴,实现了真正意义上的本土化、可复制。

"夕阳再晨"荣获全国敬老文明号、中国青年志愿服务项目大赛金奖、中国国际"互联网+"大学生创新创业大赛全国金奖、GSVC全球社会企业创业大赛中国区最具影响力奖、重阳盛典福寿中国"福寿之鹿"奖、北京市第四届社会组织公益服务品牌金奖、北京市最美慈善义工榜样团体等多个奖项,同时被中央电视台、中国教育电视台、人民日报、北京晚报等多家媒体报道。

6.1.5.2 博士村长——贵州脱贫攻坚的一线战士

第六届中国国际"互联网+"大学生创新创业大赛"青年红色筑梦之旅"赛道全国金

奖作品,来自贵州大学。

习近平总书记在 2011 年贵州大学"5·9"重要讲话中勉励贵州大学学子"希望大学生们自强不息,做中华民族的脊梁。"2017 年 10 月 18 日,党的十九大报告中,习近平总书记指出:"农业、农村、农民问题是关系国计民生的根本性问题,必须始终把解决好'三农'问题作为全党工作重中之重,实施乡村振兴战略。"贵州省发展不平衡不充分的问题还比较突出,面临的挑战还比较多,比如脱贫攻坚仍有不少硬骨头,一些贫困群众脱贫内生动力不足。

在贵州省教育厅的支持下,贵州大学博士村长团聚全校优势力量组建生态渔业、生态畜禽、精品水果、蔬菜和茶叶等十二个产业团队作为贵州大学"博士村长"计划的中坚力量,组织 300 余支"博士村长"队伍,深入到贵州省 300 多个贫困农村开展农村贫困现状调研、农业技术指导、技术培训、政策宣讲、农村小学支教和文化上墙等相关工作,同时也成为了教育厅的智库项目。截至目前,"博士村长"助推科教兴农工作成效显著,惠及贵州省特贫特困农村,极大地促进了贫困农村产业可持续发展,为全省贫困村镇促产增收,促进乡村文化建设及生态文明建设,为贵州省全面打赢脱贫攻坚战贡献了"贵大力量"。

在贵州省教育厅的支持下,贵州大学"博士村长"计划是由贵州大学第二届博士生会成员提出,于 2017 年 11 月正式启动实施。该计划的目的是帮助解决贵州省农村产业发展的技术难题,推广农业基础知识,促进乡村文化发展,加快乡村振兴建设。项目中博士研究生占主导地位,同时带领农、林、食品、艺术等相关专业的硕士研究生和本科生,以贵州省贫困县和贫困村为主要扶贫对象,涉及乡村产业扶贫计划、精准教育扶贫计划和乡村文旅产业扶贫计划,并结合导师科研项目开展现代农业技术推广、新型环保技术培训、基层治理知识普及和乡村发展战略研究等。

贵州省多数地区属中亚热带和北亚热带气候,地形以山地为主,昼夜温差较大,环境空气优良,土壤肥沃,有利于发展绿色、环保具有经济效益的农作物。因此贵州依托于良好的环境资源和生态资源,发展具备良好经济效益的茶叶、蔬菜、食用菌、中药材、精品水果、石斛、生态家畜、生态渔业等十二个特色产业。项目实施后,十二个产业的种植面积、产值及收益都呈现稳步提升的喜人场景,揭示了十二个产业是拥有广阔发展前景与深远发展潜力的。仅水果产业来看,果园种植面积快速增加,水果产量稳健提升,其产业带来的收益甚巨。据人民网报道,仅 2018 年,贵州省果园面积已达 708 万亩,产量 330 万吨,产值达 168 亿元,带动贫困人口 49.9 万人。贵州省十二特色农业产业具有良好的发展潜力和经济效益,农业产品质量积累的良好口碑和消费者的信赖,以及得天独厚的生态环境,为农作物的健康绿色保驾护航。如何让低收入农户实现创收,让经济薄弱村摆脱贫困,一直是社会各界关注的重点和难点。贵州大学博士村长结合贵州省十二特色产业情况,开辟了贵州博士村长十二特色产业扶贫队伍,实现精准扶贫、科技扶贫与产业振兴。

项目以博士村长志愿实践活动、博士村长技术下乡、博士村长校企农结合、博士村长品牌建设四种模式为主导进行。博士村长志愿实践活动主要围绕产业扶贫、科技服务等方面开展相关行动。博士村长技术下乡是以生态渔业、生态畜禽、精品水果、蔬菜和茶叶等贵州省十二特色产业为突破口，聚全校硕博优势力量作为贵州大学"博士村长"计划中坚力量，同常规的单一产业援助不同，博士村长团队的成员们需要同时考虑贵州省十二大产业，范围更广，内容更杂。

面对挑战，博士村长团队创新性地将"自上而下"和"自下而上"两种模式相结合，采用"上下层双管齐下"的技术下乡模式，针对上层管理运营和生产环境等进行指导的同时，对基层农户们做现场技术培训和投放研发产品等，达到上下层双向技术援助的目的。针对上层，团队成员着手利用所学计算机知识对蔬菜种植进行分类，梳理出科学的种子流程，对当地农技站工作人员及干部做讲解，发放编制的产业技术手册，丰富管理层种植知识，再由管理层长期对基层农户做知识普及。此外，在顶层设计上，团队成员还为产业做了规划，进行品牌建设，延伸产业链等，例如贵州大学博士村长团赴息烽县西山镇胜利村开展稻田生态渔业实用技术培训。

博士村长校企农结合以贵州大学重点支持的十二个农村产业为抓手，以"学校+企业+农户"为主导建立了"产业+专家+基地+博士村长"的可持续发展模式。博士村长"校农结合"扶贫模式是博士村长通过和企业与学校的合作促进农产品产销、农业产业基地建设、产业发展、镇校帮扶合作等，加速广大群众增收致富，推动农业农村转型升级的一项有力创举。博士村长通过联系学校，优先采购贫困地区贫困户农产品，贵州大学也因此开通了贵州省内首家高校"校农结合扶贫农产品直销点"，使贫困户"菜园子"直通学校食堂"菜盘子"，"校农结合"2.0升级版，创建了"校农结合农产品直销点"，销售贫困农户的蔬菜、稻米、肉蛋奶制品等农产品，以博士村长重点扶贫的平塘县为例，经过两年多的探索尝试，平塘县结合实际，致力以"三强三建三联三转"四个三模式深化拓展"校农结合"扶贫模式，打造"乡厂校店"升级版，促进产业向规模化、标准化、市场化发展。通过博士村长的联系，建立起了企业、学校和平塘县合作共赢的模式。

(1)田间劳作，产业扶贫

生态渔业产业团队采用"企业+合作社+贫困户"、"企业+贫困户"、直接服务于贫困户三种模式，通过因地制宜拟定养殖方案、效益预算、传授养殖技术、鱼病防治、建立微信群线上全程跟踪等带动养殖户脱贫。向平塘县胜安村无偿赠送草鱼、鲤鱼共2000斤，帮助该村建成村级休闲渔业池塘。蔬菜产业团队于2020年3月23日—3月29日，组建200人的"贵州大学沿河扶贫作战队"，开展了"贵州大学百人团队培训沿河县万名群众活动"，博士村长蔬菜团队帮助发放5万张技术明白卡，队员们走到田间地头，开展田间培训，和老师们一起圆满完成万名群众培训任务。2020年4月13日，组建"威宁扶贫作战队"，开展"贵州大学支持威宁春耕冲刺黄金周活动"，带领团队和"博士村长"进田间，抢抓春耕战脱贫。

（2）扎根农村，科技扶贫

2018年4月—8月，安顺市普定县绿源茶叶茶毛虫危害严重，茶园50%以上茶叶均遭到不同程度的危害。来自贵州大学精细化工研究开发中心的"博士村长"成员利用自己专业知识，对茶叶病虫害采取了生物、药物等多种防治方法，其中包括：采取活体生物药剂，人工释放赤眼蜂控制茶毛虫虫卵；采取甘蓝夜蛾核型多角体病毒500倍液大面积喷雾方式控制虫害；在茶叶恢复期采用氨基寡糖素水剂800倍液大面积静电喷雾，提高茶叶的抗病抗逆能力，解决茶园病虫害问题，保障茶叶质量。

（3）农村调研，教育扶贫

贵州大学"博士村长"科教并重，在2019年暑期，开展了教育扶贫和科技扶贫相关工作。教育方面，开展了主题为"大塘学子贵大行，八一建军强国梦"的贵州大学2019暑期夏令营，并在大塘镇进行村民走访（科技扶贫）、辅导补课、探望留守儿童，给胜安村村民送温暖，和村民及孩子结下友谊。"博士村长"医疗实践队全队50人前往贞丰县沙坪镇进行教育扶志、健康脱贫帮扶活动，对当地医疗卫生情况进行调研。2019年8月3日，实践队员共同前往校少年宫参加建设银行与贵州大学医学院联合举办的教育物资捐赠仪式；8月4日，医学院众师生集合中小学生及其家长共1000余人开展教育宣讲大会，并以初中生为主要对象开展"人人知晓健康"的系列科普推广活动；8月5日，实践队将自身专业与沙坪镇实际困难相结合，组织开展了6人次医生业务能力提升培训。

助力脱贫攻坚，发展农业经济

"把论文写在黔中大地上"是"博士村长"计划中的重要理念，也是对科研人员参与扶贫工作的重要指导性理念。对于博士生而言，实验室里面的实验数据固然重要，资料库中的资料也不可或缺，在扶贫工作的过程中，团队会找到有价值的课题与研究方向。实践出真知，走出校园、走向社会、投身扶贫的过程中，将扶贫工作当作一个更为广阔的科研平台，大家要在扶贫工作中积极检验自己的科研成果，让自己的科研成果在扶贫这一社会实践中形成检视与修正。除此之外，博士生导师也需要指导博士生在扶贫工作中探寻有价值的、事关保障民生的课题，使贵州地区扶贫工作经验的优势在科研、论文当中得以发挥。

6.1.5.3 施必克——全球首创智能感知防水系统

第七届中国国际"互联网+"大学生创新创业大赛高教主赛道创业组国赛金奖作品，来自郑州大学。

项目负责人石九龙在读博士期间带领团队获得了2021年中国国际"互联网+"创新创业大赛全国金奖，2023年个人获得了由教育部颁发的创新创业英才奖等荣誉。石九龙自幼就对科技创新有着浓厚兴趣。大学期间曾获得2011年"挑战杯"大赛省特等奖、全国三等奖，2011年中国机器人大赛全国冠军，2012年国际物联网大赛国际特等奖等。

石九龙的家乡是河南平舆，著名的中国建筑工程防水之乡，所以研究生毕业后，他也毅然选择从事这个行业，为我国防水事业作出自己的贡献。他于 2016 年 1 月 28 日在上海创办了上海豫宏建材集团有限公司。该公司是一家集防水材料研发、生产、销售、施工及服务于一体的现代高新技术企业、省级专精特新企业，具有国家建筑防水防腐保温一级资质。先后在上海、苏州、淮安等地建立了生产基地，保证了产品供应的及时与稳定。目前公司配备国际领先的改性沥青防水卷材、三元乙丙橡胶防水卷材、高分子防水卷材、防水涂料及沥青瓦生产线，拥有极具竞争力的全品类防水材料生产实力。集团旗下拥有上海豫宏（金湖）防水科技有限公司、上海豫宏建设集团有限公司等多家全资子公司。在江苏、河南等地成立了多家分子公司，服务网络覆盖全国，优质产品远销海外。

石九龙在创业的同时继续深造，到郑州大学攻读博士学位。因每年建筑渗漏给国家带来的经济损失高达 5 万亿元，同时也给广大人民群众带来极大困扰。石九龙决定，一定要为这个行业带来突破性的创新。为此他与在校期间参与各种竞赛项目而结识的伙伴们很快聚集在一起，即使他们专业相异，但每个人都能在各自的领域内独当一面，并一同决心做好这件事。

"施必克——全球首创智能感知防水系统"项目针对工程渗漏频发、渗漏率居高不下和堵漏困难、成本高等问题，提出了一种具备渗漏检测功能的智能感知防水系统。该项目使用以高密度聚乙烯为基体的导电高分子复合材料作为渗漏检测传感器，将传统的防水卷材与微型化的无线传感器网络结合，能够实现对建筑内部渗漏情况实时监测，精准预警的功能。公司目前总客户数达到 700 余家，起草参编 26 项国家和建材行业标准，已授权核心专利 32 项，软件著作 5 项，在申请专利 22 项。2020 年公司营业收入 2.7 亿元，净利润 2635 万元，税收上缴 638 万元，帮助农民工 1500 余人解决就业问题。

创新是为了能够解决或者更好地解决一些困扰人们的具体问题，否则，创新就成了空口号。目前石九龙同时担任郑州大学创新创业导师、中原工学院硕士研究生导师，将自己的经验和智慧毫无保留地传授给学生们。

6.1.5.4 国升科技——高性价比陶瓷连接解决方案

第七届中国国际"互联网+"大学生创新创业大赛高教主赛道创业组国赛铜奖作品，来自上海电机学院。

随着各行业的迅速发展，对于特种陶瓷的材质和结构的要求也更加苛刻。而特种陶瓷连接技术作为特种陶瓷应用的桥梁，其重要性不言而喻，更加优质的连接技术势必会带来更明显的经济效益和社会效益。

项目团队通过对特种陶瓷生产产业带进行调查得知，胶水连接和机械连接是目前陶瓷连接的主流技术。胶水连接成本低，但连接后性能不佳；机械连接后性能较为稳定，但相对成本高。目前的市场"痛点"在于低成本与高性能无法兼顾。特种陶瓷连接技术突破在于寻找一种新技术支持下的新模式。实验发现，实现铝钎焊技术创新转化是突破口。因为目前与陶瓷相关联的连接技术上，钎焊是实现陶瓷与金属连接说一不二的方法，但目前的钎焊技术在陶瓷与陶瓷连接上仍是空白。有专业论文指出，铝是已知能直接润湿陶瓷表面的良性材料，但铝表面的氧化膜成了阻碍直接润湿陶瓷的最强屏障。加上陶瓷易断裂，禁不起反复操作与切割，只能一次成型。所以，新陶瓷连接技术要求能自去除表面氧化铝膜的良性钎料和一次成型的性能稳定连接。

另一方面，陶瓷材料是世界上公认的六大高新技术领域之一，是 21 世纪最重要和最具发展潜力的领域。它在航空航天发动机、装甲防护、导弹壳体、半导体工业等高新科技中发挥着重要的作用，是国家未来发展不可或缺的材料。随着工业发展对耐磨、耐高温、高硬度材料的需求越来越大，使得特种陶瓷的应用领域不断扩大。在汽车、微电子工业、通信产业、自动化控制和未来智能化技术等方面，特种陶瓷作为支撑材料的地位将日益显著。例如特种陶瓷在航空航天中有着不可替代的作用，火箭绝热外壳、直升机防弹装甲、卫星电池用的陶瓷隔膜等都涉及特种陶瓷部件。

该项目团队依托技术特点，设计出可以实现陶瓷连接的金属双面胶——镀膜铝箔，打破了低温下无法完全润湿陶瓷的难题，将镀膜铝箔放在待连接陶瓷中，并在热压炉中进行钎焊，即可得到连接性能足够好的陶瓷连接件，具有方便快捷，省时省力，性能优异等优点。项目采用合金钎料降低铝钎料熔点，在较低温度下便可实现对陶瓷的钎焊，从而降低生产成本。对于不同属性的陶瓷，实现对两片同属性或异属性陶瓷无界面反应过渡层钎焊，并获得性能优异的接头。一体化特种陶瓷连接定制服务可以广泛应用到火箭多层多功能陶瓷绝热外壳制作、直升机用防弹装甲陶瓷与整体连接、飞机刹车盘、卫星电池用陶瓷隔膜连接、陶瓷轴承与整体连接等场景中，从而助力高端装备、航空航天等领域的发展。

这是一个来自非"985"、"211"高校的大赛参赛作品，项目负责人黄子瑶来自广西梧州的一个小山坳，在政府的大力扶持下，一直活跃在她所热爱的科技创新领域。2019 年，华为半导体芯片的进口受到了美国制裁。当时正在读高三的黄子瑶，通过这件事了解到中国亟须这方面的人才，也坚定了自己报考芯片相关专业的决心。在查询了相关学校信息之后，她最终报考上海电机学院，攻读电子封装技术专业。这个专业与芯片关联度非常高，集成电路产业通常被分为芯片设计、芯片制造和封装测试三大领域，而她所学的电子封装技术是封装测试领域的一项重要内容。

"学校给我提供了众多展示自我的平台，在数次实践中我逐渐认清自己需要什么，也找到了最适合的学习方法，那就是'以用促学，学以致用'。"大一下学期，她加入"国升科技——高性价比陶瓷连接解决方案"团队，成为项目初创成员之一，为项目提炼科技成果转化要点并阐述项目特色。当时她深知自己的专业知识还远远不够，为了能够做好这个项目，她跨学期选课、自学专业技能、查询陶瓷相关的专业书籍，最终整理出了特种陶瓷钎焊的详细资料。

以一个"外行人"的身份深究一番后,她不由感叹:科学技术可以高大上,但项目整体"接地气"是实现科技成果转化的第一步。为了让项目更接地气,她在2020年夏天提出"双面胶"概念,让项目整体变得通俗易懂。简单来说,项目生产的成品就像双面胶一样,可以将陶瓷与其他材料紧密地连接起来。"我感觉做科创就像是把一个乱糟糟的家重新布局打扫干净一样,面对项目初期搜集的纷繁杂乱的资料,虽然看着就让人头疼,但一旦深入去寻找、整合它们的亮点、共性,理顺思路,就能变得豁然开朗,饥饿、伤痛、忧虑也在这个分析汇总的过程中不知不觉地飞走了,这是一件很奇妙的事情。"黄子瑶说。

对她来说,这个项目不是终点。她也在不断加强专业技能,获得了与材料专业技能有关的第十届全国大学生金相技能大赛全国三等奖、与机械设计有关的第十一届"上图杯"先进成图技术与创新设计一等奖、与材料加工工艺创新有关的第八届上海市大学生新材料创新创意大赛二等奖等。同时,她也在努力传好科技创新的接力棒,担任学生科创部部长期间,筹划开展了9场科创沙龙和3场赛事讲座,一对一辅导科创团队提炼项目亮点,成功指导超过15支团队获得20余项市级荣誉。她在科创部工作期间,配合学校完善"优秀项目负责人"人才培养方案,积极参与科创活动又兼顾学业,连续三年保持专业第一,综合排名在全校前1%,申请两篇材料制造工艺相关专利,均获得国家授权,获得两次国家奖学金。临近毕业的黄子瑶已拿到了多个工作邀约,大都属于半导体行业。她不怕吃苦,也不介意下工厂、上流水线,希望在自己热爱的行业上,能够继续发光发热,用奋斗和奉献在实现中国梦的伟大实践中释放青春激情,追逐青春理想,以青春之我,奋斗之我,为民族复兴铺路架桥,为祖国建设添砖加瓦。

6.1.5.5　莲花坞——基于莲花的功能食品系列品类创新先行者

第七届中国国际"互联网+"大学生创新创业大赛职教赛道中职创意组国赛铜奖作品,来自上海食品科技学校。

"莲花坞"是上海食品科技学校团队结合所学专业创建的创意项目。"莲花坞"团队的使命是:基于平衡膳食现代营养理念与药食同源传统养生文化有机融合的理念,开发莲花花卉功能食品系列,推广莲花健康生活新理念,引导食用莲花时尚新潮流,成为莲花功能食品新品类健康消费的引领者。

以花入食,古已有之,可溯千年,大量科学研究证明,花卉中含有丰富的生物活性物质,确有养颜功效,在追求健康崇尚绿色的今天,"食花"必将成为当今新的生活方式。莲花是莲属两种植物的通称,又名荷花。《本草纲目》中记载莲花具有养心安神助眠、净化血管等功效,药食两用,是天然的保健食品。它富含氨基酸、维生素C、黄酮甙、铁等,具有极高的食用价值。受时令季节所限,又因传统加工易破坏莲花中的活性物质,营养损耗大,莲花加工后色泽差,品相低。目前国内莲花功能食品仍处在蓝海阶段,市场几乎空白。

莲花坞创业项目依托上海食品科技学校食品研发与技术服务中心,开发出莲花"零号"核心加工技术,通过优化真空脉动干燥技术,锁住莲花中的生物活性物质,"零损耗"保留莲花原有的颜色和营养,再通过超微粉碎技术打造微米级莲花超微细粉,最大限度利用生物活性营养素,将其开发成莲花系列功能食品。

根据世界高端花卉食品消费趋势,结合学校食品专业优势,借助世界技能大赛经验,"莲花坞"提出基于莲花的功能食品健康消费整体解决方案,提供莲花花卉原料深加工和莲花功能食品系列等;开设莲花功能食品课堂,提供莲花功能食品健康养生专栏、DIY 制作课堂;建立"莲花坞"线上线下功能食品养生馆,倡导基于莲花的健康生活方式。

从产品多样性、营销模式创新性、售后服务专业性等方面体现解决方案的整体性和前瞻性。"莲花坞"的商业模式,以莲花深加工生产车间+"前店后厂"型专业实体旗舰店模式+互联网社群新零售营销模式;成长期,形成完善的莲花深加工生产车间+中央工厂+门店配送、再制型的中西点心产品+关联性产品的经营类型的复合型商业模式;成熟期,莲花深加工生产车间+完善的配送、再制型的中西点心产品+关联性产品的经营类型,集功能食品店+DIY 制作课堂于一体的复合型商业模式。

"莲花坞"团队已经选定了莲花原材料采集基地,完成了莲花真空脉动干燥-超微粉碎深加工生产车间设计方案,初步制定了生产工艺流水线,成立"莲花坞"功能食品品类创新实验室,基本完成"莲花坞"功能食品系列消费者测评,受到良好的评价。团队加大互联网营销力度,提升莲花坞品牌影响力,运用短视频宣传推广产品,吸引了大量的粉丝,产生了良好的品牌宣传推广效果。随着"莲花坞"创业项目的启动和发展,不仅激发了上海食品科技学校学生们的创新创业热情,还为相关专业学生提供学以致用的实践平台。

我国莲花种植面积约 100 万公顷,每亩可产莲花约 200 kg,每亩约产出 15 kg 莲花超微细粉,按每千克 500 元计算,将会产生 1125 亿人民币的巨大市场,为振兴乡村莲农增收致富创造新的路径,为乡村就业创造更多的新岗位。

该项目来自一所中职学校,团队成员均为上海食品科技学校的学生,只有中专学历,参赛时平均年龄 17 岁,他们来自农产品加工与质量检测专业,有食品生物工艺专业,有食品科技与工程专业,还有计算机专业。这个项目很好地契合了大赛的主题——我敢创、我会创,也很好地契合了当前我国经济发展的战略布局,是一个当之无愧的好项目。

6.1.5.6　釉里藏金——世界顶级釉金融合工艺传承艺术品供应商

第七届中国国际"互联网+"大学生创新创业大赛职教赛道创意组工匠类国赛银奖作品,来自上海工艺美术职业学院。

方思懿所带领的团队,并不是为了参加"互联网+"大赛而临时组建的。一直以来,上海工艺美术职业学院不遗余力地支持学生将非遗元素、中国意象与当下的品质生活、审美变迁、时尚创意等相结合,运用创意成果进行创业孵化,参与构建工艺美术的当代转化。方思懿在进入工艺美院的第一年,就在手工艺术学院副院长、正高级工艺美术师周景纬的指导下,参与对"釉下金彩技艺"的优化与改进;同时,她与5位志同道合的同学组队,渴望学以致用,在非遗与时尚相结合、成果转化等方面进行一些尝试。

恰巧,一家业内知名的艺术品公司想与一批有想法、有创意的大学生合作,研发传统与现代融合的艺术品。通过周老师的牵线搭桥,方思懿团队获得了这一机会,开始为这家公司设计"釉里藏金"陶瓷腕表表盘。

"我们之所以将'釉下金彩技艺'应用到腕表表盘,是因为想在艺术腕表界开创一个全新的、更具特色的定位。以往,艺术腕表的制作大多采用珐琅工艺,是西方的特色,而我们想,为什么不设计具有东方特色的艺术腕表呢? 于是我们尝试给腕表设计陶瓷表盘。"方思懿说。陶瓷表盘的设计与制作流程包括出初稿、打稿、上料、烧制等,团队6人分工协作、相互配合,第一版样品即得到公司的认可。随后,他们又研发新模式,开启私人定制业务,并顺利与公司签约。"比起纯粹的陶瓷装饰品,我们更喜欢研发、制作人们在日常生活中经常使用的东西。"方思懿说,"非遗技艺并不是阳春白雪,若能将其运用到日常生活中,生产日常用品,那么不仅技艺能得到传承,还能产生一定的效益。"据悉,装有方思懿团队设计、定制陶瓷表盘的腕表,最贵的一款单价高达7万元。当然,其中也不乏平价产品。为了更好地与公司开展合作,团队于2021年年初成立自己的公司,准备参加大赛时已盈利50余万元——这也为他们参加"互联网+"大赛赚足了底气。

乍看方思懿带领的"釉里藏金"项目团队,外行可能看不出其作品中的门道。实则,他们运用的是全球首创的"釉里藏金"技艺,破解的是金瓷"水火不容"的千年难题,金与瓷的结合并不容易。在我国历史上,各种工艺都无法让光滑的黄金长久"待在"同样光滑的瓷器上。"釉下金彩技艺"使陶瓷表面形成一层玻璃釉质,黄金被如保护膜一般的瓷釉所包裹,不易脱落、氧化、磨损。这项创新技艺的发明者,正是方思懿团队的指导教师——周景纬。

周老师精益求精,在发明"釉下金彩技艺"后,带领学生不断研究,对这项技艺进行优化、改进。比如,釉下金彩的"微绘"技法非常复杂,难以掌握,成品也无法量产,方思懿就和周老师一起研发了"水转印花纸"技法——可复制金绘图案,大大降低难度和成本。方思懿还和周老师一起对瓷釉的成分加以改良,防止釉下黄金因被釉料侵蚀而氧化、变色。此外,他们还提交了"一种用于陶瓷加工的喷釉装置"的发明专利及"一种陶瓷加工用的泥料处理装置"等三项实用新型专利申请,其中部分已申请成功。这些专利成果,都凝聚着方思懿的心血。进校两年来,她一有空就往实验室跑,有时还往校外跑,去合作公司进行研发、试验。"想让成品达到预期效果,就要反复试验、记录数据、不断尝试,无法走捷径。艺术创作除了需要天马行空的创意,也离不开高科技的运用,比如制作方法要正确、配方数据要精准、烧结温度要适宜。新时代的非遗传人,如果不讲科学、不与时俱进,怎么行呢?"

由方思懿带队的全球首创专利技术团队利用"釉下金彩工艺",参与合作国家、工艺大师、高端品牌广泛运用技术。当前项目团队的产品技术运用多样化,产品种类多样,市场覆盖广,加上独特专利技术的加持,使得各类用户都能有适合他们的产品,激起了用户的消费欲望。釉下金彩产品是行业内的"独角兽"。团队通过建立工作室,主要提供专利技术与多家公司合作,制作各类产品推向市场,再从公司销售额中收取分成,从而实现盈利。项目团队在2019—2020年通过表盘微绘,与上海涨稻文化传播股份有限公司合作,团队成员手工微绘表盘,每个表盘收取费用10000~30000元制作费,并提供水转印花表盘(500元/个),全年收益300多万元,除去订购成本,完成盈利约168万元,成功度过生存孵化期。

2021年成立公司,唯一的陶瓷金彩装饰非物质文化遗产传承人周景纬也已经是公司股东。学校为项目提供生产与实践的场所,团队将工作场所开放给在校同学,让感兴趣的同学能够接触到更多的技术,了解到科技与文化如何与产业链接融合。新时代的工匠不只是坚守一个技艺,更是要用创新守护一片产业的阵地。2021—2023年生长期,团队主要是针对日用陶瓷产业,结合日用陶瓷产业特性,围绕釉下金彩工艺目前已研发申报4项相关专利,力求在与企业的技术合作中更全面的保护釉下金彩知识产权,从而保障合作过程中的收益。与3家企业签订釉下金彩技术输出产品开发协议,盈利模式是合作产品的销售分成。科技文化融合新产业模式势必会提供新的用人需求和岗位。

2023—2025年腾飞期,团队主要针对建筑陶瓷和卫浴陶瓷,1000亿级产业集群,卫浴陶瓷用金会脱落变色,外墙瓷砖没有金色的,因为室外环境短时间内黄金就会变色脱落。团队将结合建筑陶瓷和卫生陶瓷生产工艺,研发配套工艺并申请专利。

这个大赛项目的团队负责人是一位幸福的大学生,在自己的人生道路上较早发现自己的兴趣所在,并在兴趣的驱动下,精进自身理论知识与技术能力,不断创新发展,进而带领团队创建自己的公司,集兴趣、所学、所用为一体,成就终身事业。

6.2 "挑战杯"全国大学生课外学术科技作品竞赛

6.2.1　竞赛简介

"挑战杯"全国大学生课外学术科技作品竞赛(简称"大挑")是由共青团中央、中国科协、教育部、中国社会科学院、全国学联、省级人民政府主办的大学生课外学术科技活动中一项具有导向性、示范性和群众性的竞赛活动,每两年举办一届。竞赛的宗旨是崇尚科学、追求真知、勤奋学习、锐意创新、迎接挑战。

竞赛的目的是引导和激励高校学生实事求是、刻苦钻研、勇于创新、多出成果、提高素质,培养学生创新精神和实践能力,并在此基础上促进高校学生课外学术科技活动的蓬勃开展,发现和培养一批在学术科技上有作为、有潜力的优秀人才。鼓励学以致用,推动产学研融合互促,紧密围绕创新驱动发展战略,服务国家经济、政治、文化、社会、生态文明建设。

竞赛的基本方式为高等学校在校学生申报自然科学类学术论文、哲学社会科学类社会调查报告、科技发明制作三类作品参赛。

6.2.2 参赛资格与作品申报

"大挑"的参赛对象为在举办竞赛终审决赛的当年 6 月 1 日以前正式注册的全日制非成人教育的各类高等院校在校专科生、本科生、硕士研究生,不含在职研究生。

申报参赛的作品必须是距竞赛终审决赛当年 6 月 1 日前两年内完成的学生课外学术科技或者社会实践活动成果,可分为个人作品和集体作品。申报个人作品的,申报者必须承担申报作品 60% 以上的研究工作,作品鉴定证书、专利证书及发表的有关作品上的署名均应为第一作者,合作者必须是学生且不得超过 2 人;凡作者超过 3 人的项目或者不超过 3 人,但无法区分第一作者的项目,均须申报集体作品,集体作品的作者必须均为学生。凡有合作者的个人作品或者集体作品,均按学历最高的作者划分至本专科生或者硕士研究生类进行评审。

申报参赛的作品分为自然科学类学术论文、哲学社会科学类社会调查报告、科技发明制作三类。自然科学类学术论文作者限本专科生。哲学社会科学类支持围绕发展成就、文明文化、美丽中国、民生福祉、中国之治等 5 个组别形成社会调查报告。科技发明制作类分为 A、B 两类:A 类指科技含量较高、制作投入较大的作品;B 类指投入较少,且为生产技术或者社会生活带来便利的小发明、小制作等。参赛作品如果涉及动植物相关研究、发现与培育,新药物研发、燃气用具等与人民生命财产安全相关的,必须由申报者提供有关部门的证明材料。

竞赛设置"揭榜挂帅"专项赛道,聚焦科技发展前沿和关键核心技术,聚焦哲学社会科学领域的重大课题和现实问题,由政府、企业、科研机构等单位发榜命题,学生团队揭榜答题。每个学校选送参加专项赛的作品数不设限制,但同一作品不得同时参加主体赛事自然科学类学术论文、哲学社会科学类调查报告、科技发明制作作品评比。

6.2.3 奖励方法

参赛的自然科学类学术论文、哲学社会科学类社会调查报告、科技发明制作三类作品各设特等奖、一等奖、二等奖、三等奖。各等次奖分别约占各类报送作品总数的 5%、10%、20%、55%。本专科生、硕士研究生两个学历层次作者的作品获奖数与其报送作品数成正比。

科技发明制作类中 A 类和 B 类作品分别按上述比例设奖。全国评审委员会对各省级组织协调委员会和发起高校报送的参赛作品进行预审,评出报送作品中的 35% 左右进入终审决赛,55% 左右获得三等奖,10% 左右淘汰。在终审决赛中评出特等奖、一等奖、二等奖。同时为激发学生参与基础学科、小众学科的热情,终审决赛各分类小组原则上至少有 1 件特等奖和 1 件一等奖。预审和终审前,组织委员会根据作品数量等确定各分类小组授奖数量。

"揭榜挂帅"专项赛独立评审,每个选题作品评出特等奖 5 个, 一等奖、二等奖、三等奖若干,获得特等奖的团队通过"擂台赛"原则上决出 1 个"擂主"。出题方与获奖团队兑现奖励。"红色专项"活动和"黑科技"展示活动独立评审,作品参照特等奖、一等奖、二等奖、三等奖的等次设置相应奖项。

6.2.4　国奖作品

6.2.4.1　复杂环境下多智能体编队建模及控制理论研究

第十八届"挑战杯"国赛作品,自然科学类学术论文大类。

该项目来自湖北工业大学机械工程学院,项目团队共有 7 名成员,均为本科生,其中主要发起人为机器人工程专业 2020 级本科生邹宇晗。

随着新一代人工智能的快速发展,以无人系统组成的多智能体广泛应用于军事、经济等领域,其编队控制受到国内外的高度关注。目前实际应用上多智能体失控事故频发,其亟待解决的难点主要是在复杂环境下的适应能力和无人集群协同控制问题,可总结为四种典型的复杂情况:障碍阻挡、链路失效、输入饱和以及外部干扰。该团队针对上述两大难点问题和四种典型情况展开了研究,利用建模方法构建编队系统模型,并且利用控制算法提升系统性能,利用大量的数值仿真实验验证算法的可行性。该项目贡献在于实现多智能体编队的两大突破:解决了编队在通信链路失效下的避障避碰问题和在非对称约束下的姿轨一体化控制问题,并提高了编队系统的三项性能;将多智能体编队在复杂环境下系统抗干扰能力提高 25.39%,收敛速度提高 76.59%,避障半径缩短 25.26%。该项目能降低智能体集群失控概率、实现复杂环境的数据收集和任务执行、大幅度提高运输效率、降低潜在人身伤害风险等,可应用于环境测绘、森林防火、物流运输、军事打击等多种场景。该团队本科期间在相关领域发表 SCI 论文 8 篇,EI 会议论文 1 篇,在投 SCI 论文 3 篇,并且受理国家发明专利 4 项。该项目为复杂环境下多智能体编队在国防及民用方向的工程应用提供理论支撑,有助于未来海、空、天三维一体的集群智能体系的建立。

习近平总书记说:"青年人才是国家战略人才力量的源头活水。"项目团队备受鼓舞,团队成员表示,第十八届"挑战杯"竞赛不仅打开了大学生探索科技前沿之门,提升了团队协作、克难攻关、临场应变等综合能力,更提振了青年投身科技创新的信心和决心。团队成员聚焦多智能体系统在各种不确定复杂环境下实现编队控制的问题,改进了多智体编队在通信链路失效下的避障问题和在非对称约束下的姿轨一体化控制难题。未来,团队成员将胸怀"国之大者",持续打好关键核心技术攻坚战,用实际行动在科技强国建设中跑出最美"青春加速度"。

6.2.4.2　基于水中脉冲放电的退役锂离子电池正极活性物质分离设备

第十八届"挑战杯"国赛作品,科技发明制作 B 类大类。

团队由重庆大学电气、机械、环境、管理等专业的 7 名本科生组成,分工明确,团队指导老师为团队提供设备研制、平台搭建等技术指导。

团队针对现有退役锂离子电池正极活性物质分离方法存在的分离不彻底、分离成本高、易产生有害物质等突出问题,结合脉冲功率技术与金属丝电爆炸现象,提出一种基于水中脉冲放电汽化正极集流体的退役锂离子电池正极活性物质分离新方法,该方法利用脉冲大电流所产生的沉积能量,使正极集流体瞬时汽化,并通过水中激波震荡作用促进正极活性物质逃逸,实现正极活性物质的有效分离。团队依托重庆大学全国重点实验室,历时三年,历经千余次实验,成功研制出基于水中脉冲放电的退役锂离子电池正极活性物质分离设备,可成功分离出磷酸铁锂电池、三元锂离子电池等退役锂离子电池中的正极活性物质,实现在微秒级时间内正极活性物质完全分离,分离率近 100% ,分离效率提高 70% ,实现无排放、零污染。

习近平总书记强调:"关键核心技术是要不来、买不来、讨不来的。"团队心系国家科技发展,深耕脉冲放电领域,坚持从实践出发,结合专业所长解决社会"痛点"问题。团队成员表示,第十八届"挑战杯"竞赛为团队提供了深入学习前沿知识的机会,帮助团队成员将所学理论更好地应用于实践,在学思践悟中不断坚定自己的理想信念。未来,团队将持续专研脉冲放电领域关键核心技术,努力为建设世界科技强国,实现高水平科技自立自强贡献青春力量。

6.2.4.3　传统农区粮食生产方式转变的考察、评价与集约型生产路径
研究——基于河南粮食核心区的调查

第十二届"挑战杯"国赛作品,哲学社会科学类社会调查报告和学术论文大类。

"十二五"规划提出加快转变经济发展方式,推进农业现代化。传统农区转变粮食生产方式任务紧迫。本项目组以传统农区河南为主要调查对象,对多个产粮大省进行调查。通过构建粮食生产方式转变的综合评价指标体系,对传统农区粮食生产方式进行评价,找出其转变的薄弱环节,提出传统农区粮食生产方式转变的目标、原则和实施路径,并设计了粮食集约型生产路径的支持政策,以有力保障粮食集约型生产路径的有效实施。

自党的十七大报告提出加快转变经济发展方式后,"十二五"规划又把加快转变经济发展方式作为重要内容。从 20 世纪 90 年代以来我国始终面临"三农"问题,尤其是粮食安全难题。传统农区作为国家粮食战略工程粮食核心区建设的重地,其转变粮食生产方式任务紧迫。然而,传统农区粮食生产方式的现状缺乏系统考察,其粮食生产方式转变

的路径研究尚未成熟。因此,研究粮食生产方式由粗放型向集约型转变,就成为一个亟待解决的课题。该项研究以传统农区河南省为代表,对其 26 个市(含县级市),共 50 个乡镇及陕、甘、皖、鲁、黑、吉、鄂等省的粮食生产方式现状及其存在的问题进行了实地调查。

该项研究采用走访、问卷、现场采访、个别交谈、亲临实践、会议等方法进行调查;发放问卷 1540 份,其中农户卷 1280 份,村委卷 130 份,政府卷 130 份,问卷回收率为 76.2%,其中有效问卷占 82.47%;对信阳市罗山县农业局、焦作市农业局、商丘市农业局、滑县农业局及当地的农产品加工车间进行了实地走访,当地政府提供了大量有参考价值的政府文件。以农业经济学、发展经济学、管理经济学和西方经济学原理为理论基础,界定了粮食生产方式转变的内涵;采用定量分析法,建立了转变粮食生产方式的综合评价指标体系。

综合指标体系涉及粮食生产不同方面的 20 个指标,采集从 1999 年到 2008 年的数据,系统地反映了传统农区粮食生产方式转变的现状及制约因素。运用功效系数法对各指标进行了无量纲化处理,采用德尔菲法咨询了国内 10 多位农业经济专家,汇总各位专家对各指标建议及对其权重的评分后,运用加权平均法对无量纲化处理后的各数据进行了最终合成。本项研究采用数学模型和统计方法对各指标进行了严密的分析和论证,初步得出的结论是:传统农区粮食生产的集约化水平呈逐步提高趋势,各影响因素的转变分为稳定增长型、波动增长型和波动停滞型三种类型。其中,要素投入指标贡献度较高,资源利用指标贡献程度较低,经营管理指标贡献度波动提升,产能保障指标贡献度缓慢增长。粮食生产方式转变中存在的薄弱环节和突出问题主要表现在:粮农科技文化水平低和农村青壮年劳动力流失,耕地日益分散、细碎化,农业科技投入力度不够,农业科技推广工作有待进一步完善,农业产业化水平低,农村社会化生产服务水平不高,信贷支农和财政支农的实际贡献率低。因此,加快推进传统农区粮食生产方式由粗放型向集约型的转变,要从根本上解决好以上薄弱环节。

该项研究提出传统农区集约型粮食生产方式转变的目标、原则及实施路径。集约型粮食生产方式的目标是加快推进传统农区粮食生产方式由粗放型向集约型转变。集约型粮食生产方式以规模化发展、产业化积聚、科技引领、服务社会化、加工业带动和产业链整合为原则,以确保集约型粮食生产路径各环节的相互促进和有效实施。集约型粮食方式的实施路径沿着"积极推进粮食规模化经营、提高农业机械化水平、加大科技投入、培养现代化粮农和完善社会化服务体系"五个有机结合、相互促进的环节进行。为保障集约型粮食生产路径的有效实施,该项目组设计了集约型粮食生产的支持政策,为粮食主产区政府部门制定粮食生产的中长期规划和加快推进粮食生产方式转变的政策提供参考。

6.2.4.4　中国刺绣"非遗"的传承与发展——基于湖北省武汉、荆沙、洪湖地区汉绣流派的调查研究

第十二届"挑战杯"国赛作品,哲学社会科学类社会调查报告和学术论文大类。

该研究通过对武汉、荆沙、洪湖地区不同流派汉绣遗产的田野考察、文献资料研究、市场考察、历史考察、文化考察以及同姊妹艺术进行比较分析。在把握历史和现状的基础上,提出了汉绣目前存在二元并存现象的观点,即"雅"与"俗"二元文化并存,"汉"与"苏"二元市场并存;进一步研究了汉绣遗产传承与发展问题,研究了汉绣遗产的传播方式,提出了传播策略,旨在完成文化的统一;又提出了传承发展的必由途径,进一步通过传承与发展刺绣遗产,实现最终的有效保护工作。

1)站在楚文化的视角,追溯了汉绣的历史线索。立足于文化变迁现象,站在整个文化圈的范围内挖掘汉绣的历史渊源。对于现实风貌的考察,主要从生产组织、从业人员、市场状况、社会环境展开,力求介绍现状的同时,引出对非物质文化遗产传承与发展的思考。

2)从文化的层面思考汉绣,认为主要存在"二元并存"现象。汉绣的二元并存主要是"雅""俗","汉""苏"的并存,"雅"与"俗"表现在艺术风貌、选题、材质、工艺方面等方面,主要是一种历史的原因;"汉"与"苏"表现在市场方面,主要是地域传统文化在市场经济时代开拓自己的生存空间所致。

3)讨论汉绣遗产传承与发展问题。先是肯定了汉绣作为工艺美术的良好经济属性。然后讨论了非物质文化遗产保护面临"地域性"与"时代性"的核心问题。解析汉绣遗产与地域文化传播,通过分析传播方式,即实物传播、表演传播、媒介传播,提出传播的策略要形成传播方式的多样化、要形成传播层次的多元化、要形成传播周期的有效化、要形成传播内涵的地域化、要形成传播内容的品质化,目的是更好地通过刺绣载体有效的传播优秀的地域文化形象并建设文化产业。

4)提出了汉绣遗产传承与发展的必由途径,即结合文化学研究,开阔视野,将工艺文化放到大文化的范围内展开研究,进行汉绣文化的创新研究;结合设计艺术学,以把握汉绣绣品的形式美和地域性问题;结合纺织服装学,以提供汉绣物质基础(包括纺织科技基础)和文化基础;结合经济管理学,加强汉绣文化产业运作的理论对策;结合国家非物质文化遗产保护工作,以提供政策基础和社会基础;结合企业市场运作,以提供绣品交易循环及文化传播基础,并实现汉绣遗产的社会价值和经济价值。

结　语

——写在《大学生创新创业基础》教程之后

对于大学生来说,脚下的创新创业之路或许才刚刚开始,未来要面对的可能是一次次创新、一次次创业的机会。

为什么要创新? 当前的人类似乎走进了零和博弈的死胡同,国与国之间、人与人之间都面临着你有我无,我有你无的局面,如何实现全人类的共同价值,构建全人类命运共同体? 这是当前摆在全人类面前的一道难题。创新将促进世界经济的高质量发展,扩展经济发展赛道,做大经济发展成果"蛋糕",打破零和博弈的困境需要创新。

在之前的内容中我们提到,只要有创新,就意味着一部分不合时宜的就业岗位消失,另一些适合先进生产力的就业岗位随之产生。经济社会的发展就在这样的创新历程中一步步向前。可以说纵观人类历史,创新就是人类自我成长自我发展的内在驱动,创新是人类在不确定性和确定性之间动态平衡的重要手段,人类的来路从来不会缺少创新,人类的未来依然不会缺少创新。

为什么要创业? 因为实业兴邦,产业强国。创业和就业之间也存在着相互依存的关系,想就业那就意味着一定要有足够的就业岗位,而就业岗位就是创业行为提供的,可以说没有创业就不存在就业。

当前世界百年未有之大变局,整个社会正处在一个创业和就业的困难期,国际国内各种困难因素叠加在一起,创业者、企业家们带领自己的企业跨越重重困难,不可避免地,一部分企业以失败收场,另一部分企业也以"先活下来"为目标,将经营战线尽可能收缩,不再向外扩展新业务,裁撤部分就业岗位。当大学生感到就业压力时,创造就业岗位的创业者已经承受经营困难有一段时间了。

但大变局是危,更是机,为创业带来了前所未有的机遇。对于大学生而言,当前就业岗位不足,从个人角度来讲,是困难,但如果从社会价值的角度去看,这个阶段所面临的问题正是创业的好时机。大学生学习掌握了理论知识,但仅仅只有这些理论还是不够的,还要紧紧跟随社会发展的步伐,将眼光放在国家需要的领域,智能制造、实体经济、乡村振兴、高科技创新等,扎下根去调查研究,去发现问题,去分析问题,最终拿出解决方案,让问题落地。未来的发展靠的是科技技术,靠的是创新,靠的是人才。

综合类竞赛简介

A.1　Ⅰ类竞赛

（1）中国国际大学生创新大赛（原"中国国际'互联网+'大学生创新创业大赛"）

中国国际大学生创新大赛,由教育部与各地政府、各高校共同主办。大赛旨在深化高等教育综合改革,激发大学生的创造力,培养造就"大众创业、万众创新"的主力军;推动赛事成果转化,促进"互联网+"新业态形成,服务经济提质增效升级;以创新引领创业、创业带动就业,推动高校毕业生更高质量创业就业。

中文名:中国"互联网+"大学生创新创业大赛,简称"互联网+"大赛。

外文名:China College Students'Internet+'Innovation and Entrepreneurship Competition。

赛事时间:一般为每年的5月到10月。

参赛组别:高教主赛道、青年红色筑梦之旅赛道、职教赛道、产业命题赛道,其中各赛道又设置不同分组。

高教主赛道:本科生创意组、研究生创意组、初创组、成长组、师生共创组。

青年红色筑梦之旅赛道:公益组、创意组、创业组。

职教赛道:创意组、创业组。

大赛目的:①以赛促学,培养创新创业生力军。大赛旨在激发学生的创造力,激励广大青年扎根中国大地了解国情民情,锤炼意志品质,开拓国际视野,在创新创业中增长智慧才干,把激昂的青春梦融入伟大的中国梦,努力成长为德才兼备的有为人才。②以赛促教,探索素质教育新途径。把大赛作为深化创新创业教育改革的重要抓手,引导各类学校主动服务国家战略和区域发展,深化人才培养综合改革,全面推进素质教育,切实提高学生的创新精神、创业意识和创新创业能力。推动人才培养范式深刻变革,形成新的人才质量观、教学质量观、质量文化观。③以赛促创,搭建成果转化新平台。推动赛事成果转化和产学研用紧密结合,促进"互联网+"新业态形成,服务经济高质量发展,努力形成高校毕业生更高质量创业就业的新局面。

(2)"挑战杯"全国大学生课外学术科技作品竞赛

"挑战杯"全国大学生系列科技学术竞赛,简称"挑战杯",是由共青团中央、中国科协、教育部和全国学联共同主办的全国性的大学生课外学术实践竞赛,竞赛官方网站为www.tiaozhanbei.net。"挑战杯"竞赛在中国共有两个并列项目,一个是"挑战杯"全国大学生课外学术科技作品竞赛,另一个则是"挑战杯"中国大学生创业计划竞赛。这两个项目的全国竞赛交叉轮流开展,每个项目每两年举办一届。

"挑战杯"全国大学生课外学术科技作品竞赛被大家称为"大挑","大挑"是由共青团中央、中国科协、教育部、全国学联和地方政府共同主办,国内著名大学、新闻媒体联合发起的一项具有导向性、示范性和群众性的全国竞赛活动。自1989年首届竞赛举办以来,"大挑"始终坚持"崇尚科学、追求真知、勤奋学习、锐意创新、迎接挑战"的宗旨,在促进青年创新人才成长、深化高校素质教育、推动经济社会发展等方面发挥了积极作用,在广大高校乃至社会上产生了广泛而良好的影响,被誉为当代大学生科技创新的"奥林匹克"盛会。

"大挑"是促进优秀青年人才脱颖而出的创新摇篮。竞赛获奖者中的代表人物有:第二届"挑战杯"竞赛获奖者、国家科技进步一等奖获得者、中国十大杰出青年、北京中星微电子有限公司创始人邓中翰,第五届"挑战杯"竞赛获奖者、"中国杰出青年科技创新奖"获得者、科大讯飞信息科技有限公司总裁刘庆峰,第八届、第九届"挑战杯"竞赛获奖者、"中国青年五四奖章"标兵、南京航空航天大学2007级博士研究生胡铃心等。

"大挑"是引导高校学生推动现代化建设的重要渠道。成果展示、技术转让、科技创业,让"挑战杯"竞赛从象牙塔走向社会,推动了高校科技成果向现实生产力的转化,为经济社会发展做出了积极贡献。

"大挑"当前采用高校、省、国家三级赛制,举办频率是两年一次,在奇数年举行。其时间安排一般为:①校赛在偶数年10月至次年5月;②省赛在奇数年6月至7月;③国赛在省赛结束后的8月至10月。而实际的举办时间根据当年具体主办方的通知为准。"大挑"发起高校可报六件作品,其中三件为高校直推作品,另外三件要与省赛组织方协商推荐。

"大挑"设置特等奖、一等奖、二等奖、三等奖,参加国赛竞赛团体最多可以报八个人,分为专本科组、硕士组、博士组,各组分开评审。其认证单位为共青团中央、中国科协、教育部、全国学联、举办地人民政府。

A.2 Ⅱ类竞赛

(1)"挑战杯"中国大学生创业计划竞赛

"挑战杯"中国大学生创业计划竞赛被称为"小挑",大力实施"科教兴国"战略,努力培养广大青年的创新、创业意识,造就一代符合未来挑战要求的高素质人才,已经成为实现中华民族伟大复兴的时代要求。作为学生科技活动的新载体,创业计划竞赛在培养复合型、创新型人才,促进高校产学研结合,推动国内风险投资体系建立等方面发挥出越来越积极的作用。

与"大挑"不同的是,"小挑"更注重市场与技术服务的完美结合,商业性更强,每个项目团队最多可以报十人。小挑奖项设置为金奖、银奖、铜奖,其认证单位为共青团中央、中国科协、教育部、全国学联。

"小挑"的创业计划竞赛借用风险投资的运作模式,要求参赛者组成优势互补的竞赛小组,提出一项具有市场前景的技术、产品或者服务,并围绕这一技术、产品或服务,以获得风险投资为目的,完成一份完整、具体、深入的创业计划。

(2)中国青少年科技创新奖

中国青少年科技创新奖励基金是在邓小平同志诞辰100周年之际,按照邓小平同志遗愿,由共青团中央、全国青联、全国学联、全国少工委共同设立,邓小平同志亲属把邓小平同志生前的全部稿费100万元捐献出来,用于鼓励青少年的科技创新。邓小平同志生前一直十分关心青少年的健康成长,注重青少年创新精神和创新能力的培养,他曾为全国青少年科技作品展览题词"青少年是祖国的未来,科学的希望"。2008年12月,新世界中国地产有限公司、香港卓越集团投资有限公司又分别向中国青少年科技创新奖励基金各捐赠人民币1000万元。同时,自2008年第五届评选表彰起,将奖励对象扩展到港澳地区在校学生。

中国青少年科技创新奖面向全日制在校学生个人设奖,基金主要奖励在校大、中、小学生,每年奖励100人左右。申报实行组织遴选与社会推荐相结合,各地候选人可由省级团组织统一组织申报,也可由国内科技教育领域的权威专家联合推荐。评审坚持公正、公平、公开原则,评审结果向社会公布。设研究生、大学本专科、高中生、初中生、小学生五个组别。研究生和大学本、专科生获奖者每人颁发奖学金20000元,中、小学生获奖者每人颁发奖学金5000元,同时分别颁发荣誉证书和奖杯。

该奖项的推荐标准强调被推荐人要热爱科学、乐于探究、积极实践、勇于创新;在科技创新方面取得突出成绩或显示较大潜力。推荐人优先考虑以下大学生获奖者,①"挑战杯"全国大学生课外学术系列竞赛中特等奖获得者;②在国际核心学术期刊上发表论文或论文被SCI收录者;③学术科研成果具有较高的理论价值和推广价值,或应用于实践领域产生显著社会经济效益者;④在其他国内外科技竞赛中取得优异成绩者。

该奖项采取组织推荐和社会推荐相结合、以组织推荐为主的方式进行,由各省级团组织统一协调。组织推荐的基本程序:学校党团组织审核推荐,省级团组织审核推荐。社会推荐的基本程序:专家老师联名推荐,省级团组织认定推荐。各省级团组织确定推荐候选人名单后,通报候选人所在单位及有关组织,在一定范围内公示,公示时间一般不少于3天。

专业类竞赛简介

B.1　Ⅰ类竞赛

（1）ACM-ICPC 国际大学生程序设计竞赛

美国计算机协会（Association for Computing Machinery，简称 ACM）于 1970 年发起组织国际大学生程序设计竞赛（International Collegiate Programming Contest，简称 ICPC），是一项旨在展示大学生创新能力、团队精神和在压力下编写程序、分析和解决问题能力的年度竞赛。经过近 40 多年的发展，ICPC 已经发展成为最具影响力的大学生计算机竞赛，被誉为计算机软件领域的奥林匹克竞赛。

ICPC 赛事由各大洲区域赛（Regional）和全球总决赛（World Final）两个主要阶段组成。根据各赛区规则，每站前若干名的学校获得参加全球总决赛的资格，决赛安排在每年的 4—6 月举行，而区域赛一般安排在上一年的 9—12 月举行。一个大学可以有多支队伍参加区域预赛，但只能有一支队伍参加全球总决赛。

ICPC 以团队的形式代表各学校参赛，每队最多由 3 名队员组成，每位队员必须是在校学生，取得学士学位超过两年或进行研究生学习超过两年的学生不符合参赛队员的资格，并且最多可以参加 2 次全球总决赛。

比赛期间，每支参赛队伍使用 1 台计算机需要在 5 个小时内使用 C、C++或 Java 中的一种编写程序解决 10～11 个问题，程序完成之后提交裁判运行，运行的结果会判定为"AC（正确）/WA（错误）/TLE（超时）/MLE（超出内存限制）/RE（运行错误）/PE（格式错误）"中的一种并及时通知参赛队。每队在正确完成一题后，组织者将在其位置上升起一只代表该题颜色的气球。最后的获胜者为正确解答题目最多且总用时最少的队伍。每道题用时是从竞赛开始到试题解答被判定为正确为止，其间每一次提交运行结果被判错误的话将被加 20 分钟时间，未正确解答的不记时间。

（2）全国大学生数学建模竞赛

全国大学生数学建模竞赛是中国工业与应用数学学会主办的面向全国大学生的群众性科技活动，旨在激励学生学习数学的积极性，提高学生建立数学模型和运用计算机技术解决实际问题的综合能力，鼓励广大学生踊跃参加课外科技活动，开拓知识面，培养创造精神及合作意识,推动大学数学教学体系、教学内容和方法的改革。

竞赛的宗旨是创新意识、团队精神、重在参与、公平竞争,其指导原则是扩大受益面、保证公平性、推动教学改革、促进科学研究、增进国际交流。

竞赛题目一般来源于科学与工程技术、人文与社会科学(含经济管理)等领域经过适当简化加工的实际问题,不要求参赛者预先掌握深入的专业知识,只需要学过高等学校的数学基础课程。题目有较大的灵活性供参赛者发挥其创造能力。参赛者应根据题目要求,完成一篇包括模型的假设、建立和求解、计算方法的设计和计算机实现、结果的分析和检验、模型的改进等方面的论文(即答卷)。竞赛评奖以假设的合理性、建模的创造性、结果的正确性和文字表述的清晰程度为主要标准。

竞赛每年举办一次,全国统一竞赛题目,采取通讯竞赛方式。大学生以队为单位参赛,每队不超过 3 人,须属于同一所学校,专业不限。竞赛分本科、专科两组进行,本科生参加本科组竞赛,专科生可参加专科组竞赛,也可参加本科组竞赛,研究生不得参加。每队最多可设一名指导教师或教师组,从事赛前辅导和参赛的组织工作,但在竞赛期间不得进行指导或参与讨论。

竞赛主办方设立全国大学生数学建模竞赛组织委员会,负责制定竞赛参赛规则、启动报名、拟定赛题、组织全国优秀答卷的复审和评奖、印制获奖证书、举办全国颁奖仪式等。原则上一个省(自治区、直辖市、特别行政区)为一个赛区。每个赛区建立组织委员会,负责本赛区的宣传及报名、监督竞赛纪律和组织评阅答卷等工作。未成立赛区的各省院校的参赛队可直接向全国组委会报名参赛。各赛区组委会聘请专家组成赛区评阅专家组,评选本赛区的一等奖、二等奖,并按全国组委会规定的数额将本赛区的优秀答卷送至全国组委会,全国组委会聘请专家组成全国评阅专家组,按统一标准从各赛区送交的优秀答卷中评选出全国一等奖、二等奖。

(3)全国大学生电子设计竞赛

全国大学生电子设计竞赛(National Undergraduate Electronics Design Contest)是教育部和工业和信息化部共同发起的大学生学科竞赛之一,是面向大学生的群众性科技活动,目的在于推动高等学校促进信息与电子类学科课程体系和课程内容的改革。竞赛的特点是与高等学校相关专业的课程体系和课程内容改革密切结合,以推动其课程教学、教学改革和实验室建设工作。组织运行模式为"政府主办、专家主导、学生主体、社会参与",以充分调动各方面的参与积极性。

竞赛由教育部、信息产业部、部分参赛省市教育主管部门负责人或有关学校专家组成,组委会成员由教育部高等教育司以文函形式任命,每届全国竞赛组织委员会和赛区组委会任期四年。以高等学校为基本参赛单位,参赛学校应成立电子竞赛工作领导小组,负责本校学生的参赛事宜,包括组队、报名、赛前准备、赛期管理和赛后总结等。每支参赛队由三名学生组成,具有正式学籍的全日制在校本、专科生均有资格报名参赛。

竞赛从 1997 年开始每两年举办一届,竞赛时间定于竞赛举办年度的 9 月份,赛期四天。每逢单数年的 9 月份举办,赛期四天三夜(具体日期届时通知)。在双数的非竞赛年份,根据实际需要由全国竞赛组委会和有关赛区组织开展全国的专题性竞赛,同时积极鼓励各赛区和学校根据自身条件适时组织开展赛区和学校一级的大学生电子设计竞赛。

竞赛采用全国统一命题、分赛区组织的方式,竞赛期间学生可以查阅有关纸媒或网络技术资料,队内学生可以集体商讨设计思想,确定设计方案,分工负责、团结协作,以队为基本单位独立完成竞赛任务;竞赛期间不允许任何教师或其他人员进行任何形式的指导或引导;竞赛期间参赛队员不得与队外任何人员讨论商量。参赛学校应将参赛学生相对集中在实验室内进行竞赛,便于组织人员巡查。为保证竞赛工作,竞赛所需设备、元器件等均由各参赛学校负责提供。

全国竞赛采用两套题目,即本科生组题目和高职高专学生组题目,参赛的本科生只能选本科生组题目;高职高专学生原则上选择高职高专学生组题目,但也可选择本科生组题目,并按本科生组题目的标准进行评审。

评奖工作采用"校为基础、一次竞赛、二级评奖"的方式进行,即竞赛建立在学校广泛开展课外科技活动的基础上,积极组织学生参加全国大学生电子设计竞赛活动,每次全国竞赛后,经赛区评奖(第一级评奖)后再推荐出赛区优秀参赛队参加全国评奖(第二级评奖)。全国分组设立一、二等奖。本科生组和高职高专学生组获奖队数量分别不超过当年实际参赛队的 8%,其中一等奖和二等奖的比例原则上为 3∶7。竞赛颁发全国统一的获奖证书。全国颁发的获奖证书、奖杯等冠名为"××××年全国大学生电子设计竞赛(本科生组或高职高专学生组)"。

(4)全国高等医学院校大学生临床技能竞赛

全国高等医学院校大学生临床技能竞赛最早始于 2010 年,以"尚医德、兴医术、奉医道、展风采"为主题,旨在创新实践教学体系,加强医学生临床基础理论、基础知识、基本技能和人文关怀精神的培养,提升医学生创新能力、实践能力和团队合作意识。竞赛范围涉及内外妇儿、传、护、眼、耳、皮等,竞赛内容涉及临床理论、技能、思维、人文、沟通、团队合作等等。

技能大赛的培训不仅关注学生基础操作技能的训练,更要求学生具有人文关怀意识和交流沟通能力。结合临床场景,重点培养学生的临床思维与团队协作能力,让学生面对患者有独立思考的能力,并能快速高效准确地判断病情,最终救治患者。

(5)全国大学生机器人大赛 RoboMaster

全国大学生机器人大赛 RoboMaster 是中国最具影响力的机器人项目,2017 年,RoboMaster 改名 RoboMaster 机甲大师赛,RoboMaster 机甲大师高校系列赛是全国大学生机器人大赛旗下赛事之一,是专为全球科技爱好者打造的机器人竞技与学术交流平台。大赛是全球独创的机器人竞技平台,包含机器人赛事、机器人生态以及工程文化等多项内容。自 2013 年创办至今,始终秉承"为青春赋予荣耀,让思考拥有力量,服务全球青年工程师成为追求极致、有实干精神的梦想家"的理念,致力于培养与吸纳具有工程思维的综合素质人才,并将科技之美、科技创新理念向公众广泛传递。

平台要求参赛队员走出课堂,组成机甲战队,自主研发制作多种机器人参与团队竞技。他们将通过大赛获得宝贵的实践技能和战略思维,在激烈的竞争中打造先进的智能机器人。大赛比拼的是参赛选手们的能力、坚持和态度,展现的是个人实力以及整个团队的力量,参赛队员通过比赛获得宝贵的实践技能和战略思维,将理论与实践相结合,在激烈的竞争中打造先进的智能机器人。

除了大赛本身,RoboMaster 还有机器人相关的夏令营、俱乐部、机器人课程等科技项目,旨在为科技爱好者提供一个全方位的平台来实现他们的科技理想。

B.2　Ⅱ类竞赛

(1)全国大学生化学实验邀请赛

全国大学生化学实验邀请赛是我国高等学校化学学科最高级别赛事,由教育部高等学校化学教育研究中心主办。该赛事旨在推动我国高等学校化学实验教学模式、教学内容、教学方法的改革,探索培养创新型化学人才的思路、途径和方法,以提高我国化学实验教学总体水平。

竞赛内容主要包括实验理论笔试和实验操作考试。实验理论笔试的考察范围主要是化学实验理论知识、化学实验操作规范、化学实验室安全知识等。实验操作考试的考察范围主要是化学实验基本技能、实验设计与操作、数据采集和分析、常规和大型仪器的使用、图谱解析、实验总结与报告等。邀请赛秉承"检验化学实验教学改革的成果,加强交流,总结经验,探索培养和提高本科生创新能力的思路、途径和方法"的宗旨,把"重参与,淡名次"的精神贯穿到了邀请赛的始终。邀请赛每两年举办一次。

(2)全国大学生机械创新设计大赛

全国大学生机械创新设计大赛在教育部机械基础课程教学指导分委员会的关心与指导下,由全国大学生机械创新设计大赛组委会主办,由全国机械原理教学研究会、全国机械设计教学研究会、金工研究会和著名高校及社会力量联合承办。

大赛弘扬在办赛实践中形成的"规范、平等、优雅、仁爱、创新"大赛文化,目的在于引导高等学校在教学中注重培养大学生的创新设计意识、综合设计能力与团队协作精神;加强学生动手能力的培养和工程实践的训练,提高学生针对实际需求通过创新思维,进行机械设计和工艺制作等实践工作能力;吸引、鼓励广大学生踊跃参加课外科技活动,为优秀人才脱颖而出创造条件。评委通过审阅设计资料、观摩实物演示与问辩、学生答辩等过程,对参赛作品的选题、设计、制作和现场表达等方面的情况进行综合评价。

评委依据评分标准,对参赛作品进行独立评分。评审观测点主要包括选题的新颖性、实用性、推广应用价值;设计的创新性、结构合理性、技术文件的质量、设计理论和方法的应用、数字化智能化技术的应用;制作的功能实现、工艺性、外观、性价比;现场的介绍及演示、答辩等。

大赛每两年举办一届;竞赛题目主要采用命主题方式,亦不排除采用自主命题方式。凡在全国决赛举办当年为教育部正式注册或备案的全日制各类高等院校的本科生、专科生都可报名参赛。学生可以以个人或小组的形式申报参赛作品;每个参赛作品参与的学生人数不得超过 5 人,指导教师人数不得超过 2 人。参赛作品必须符合由全国大赛组委会发布的当届大赛主题,不得将教师的科研成果或其他不满足参赛条件的他人的作品充当参赛学生的作品参加比赛。参加全国决赛的参赛作品必须提交作品报名表、设计计算说明书和工程图纸等参赛通知要求的纸质、电子和视频材料,同时,必须提供参赛作品的实物样机或实物样机模型。

比赛评审分为三个阶段,分别是学校选拔赛、分赛区预赛和全国决赛。由学校选拔赛确定出参加分赛区预赛的作品名单;由各分赛区预赛确定出推荐参加全国决赛的作品名单。全国决赛设立设计奖、单项奖、组织奖三类奖项。其中设计奖全国决赛设立一等奖、二等奖、三等奖三个获奖等级。一般来说,以符合当届大赛主题和要求的全国作品总数为基数,获奖作品数量的比例为10%左右。一等奖、二等奖、三等奖等级的具体数量和比例由全国决赛评审委员会根据当届赛事实际情况确定。

(3)全国大学生结构设计竞赛

全国大学生结构设计竞赛由中国高等教育学会工程教育专业委员会、高等学校土木工程学科专业指导委员会、中国土木工程学会教育工作委员会和教育部科学技术委员会环境与土木水利学部共同主办。

参赛队由 3 名学生组成,指导教师 1~2 名(3 名及以上署名指导组),参赛学生必须是属于同一所高校在籍的全日制本科生、大专生,指导教师必须是参赛队所属高校的教师。全国竞赛设立等级奖、单项奖、优秀组织奖和突出贡献奖四大类奖项。其中,等级奖中设立特等奖 1 项(可空缺)、一等奖(15%)、二等奖(30%)和三等奖(40%)若干项,单项奖中设立最佳创意奖和最佳制作奖各 1 项。

各省(市、自治区)分区赛可根据本科与大专(高职院校)参赛高校及队数情况,按本科与大专分开单独设立奖项和确定参加全国竞赛的名额。全国竞赛等级奖、单项奖由全国竞赛专家委员会根据理论方案、模型制作、现场答辩和加载总成绩评定。模型结构分作为评审最佳创意奖的主要依据;模型制作质量分作为评审最佳制作奖的主要依据,最佳创意奖和最佳制作奖均要求至少通过第一级加载。

(4)全国大学生广告艺术大赛

全国大学生广告艺术大赛(简称大广赛)是由教育部高等教育司指导,中国高等教育学会、教育部高等学校新闻传播学类专业教学指导委员会主办,全国大学生广告艺术大赛组委会组织,中国传媒大学、大广赛文化传播(北京)有限公司承办,是面向全国在校大学生的一项群众性的广告策划创意实践活动。目的在于活跃大学生的课外文化生活,激发大学生的创意灵感,加强大学生实践能力、创新能力和合作精神的培养,推动大学新闻传播、广告艺术教育的人才培养模式和实践教学的改革,为优秀人才脱颖而出创造良好的竞赛平台,不断提高人才培养质量。

全国各类高等院校在校全日制大学生、研究生均可参加。全国总决赛设作品一、二、三等奖及优秀奖,优秀组织奖、优秀指导教师奖等,每届竞赛设大奖 1 个。评奖比例:平面类作品一般不超过各分赛区报送作品总数的 15%,视频类、动画类、互动类、广播类、策划案类、营销创客类、公益类作品一般不超过各分赛区报送作品总数的 20%。大奖从评选的一等奖作品中产生。大广赛自 2005 年开始,每两年举办一届,从 2014 年开始改为一年举办一届。大广赛采取全国统一命题的公益广告或企业公益广告和以企业背景资料命题的商业广告两种形式。

大广赛将专业教育、素质教育和职业教育贯通,旨在提高大学生的创新精神和实践能力,激发大学生的创意灵感,促进大学新闻传播、广告、设计、艺术教育的人才培养模式的改革,同时对于课程设置、教学内容和方法的出新起到了推动作用,极大地提高了大学生的动手能力、实践能力、策划能力和综合能力。

(5)全国大学生智能汽车竞赛

全国大学生智能汽车竞赛是一项以"立足培养、重在参与、鼓励探索、追求卓越"为指导思想,面向全国大学生开展的具有探索性的工程实践活动。大赛常年入选教育部高教学会发布的《全国普通高校学科竞赛排行榜》,是教育部认可的 A 类赛事。竞赛旨在鼓励大学生组成团队,综合运用多学科知识,解决复杂问题,激发大学生从事工程技术开发和科学研究探索的兴趣和潜能,倡导理论联系实际、求真务实的学风和团队协作的人文精神。

(6)全国大学生交通科技大赛

全国大学生交通科技大赛是由教育部高等学校交通运输与工程学科教学指导委员会交通工程教学指导分委员会主办的交通科技创新竞赛,是国内第一个由诸多在交通运输工程领域拥有优势地位的高校通力合作促成的大学生学科竞赛,是一个以大学生为主体参与者的全国性、学术型的交通科技创新竞赛项目。大赛专业范围包括交通运输、交通工程、载运工具运用工程、交通信息工程与控制、物流等专业,同时涵盖了土木工程(道路与铁建方向)、管理学(交通运输相关)等多个学科领域。

大赛时间一般在每年的 2 月开始,5 月的最后一周周末举行决赛答辩和颁奖典礼以及参赛高校交流活动。设置本科生和研究生 2 个赛道,本科生赛道结合作品研究领域及所在学科分设 7 个竞赛类,研究生赛道设置 2 个分赛道。本科生赛道,成员中不含有研究生,主要涉及专业有交通工程与综合交通、航海技术、道路运输与工程、水路运输与工程、铁路运输与工程、航空运输与工程。硕士生分赛道,成员中不得含有博士研究生。博士生分赛道,成员中可有硕士研究生和本科生,但至少有 1 名博士研究生。

所有参赛作品应为参赛者自主完成的原创性作品,参赛者及指导教师须对作品的原创性做出承诺。所有参赛作品应围绕大赛主题,针对交通运输系统中出现的具体问题,运用相关专业知识,提出具有新颖性、可行性、实用价值,具备完成度及一定难度的优化方法或解决方案。本科生赛道作品从创新性、专业知识综合运用、实用价值、完成度四个方面进行评价,研究生赛道作品在此基础上还需体现作品的学术性、理论方法的科学严谨性、作品方案的系统性。作品可以是实物模型、研究报告、设计图纸和计算机软件等。

大赛只接受高校组织推荐的作品,不接受个人或以其他团体名义的参赛申请。每一参赛高校,按照本科生赛道和研究生赛道推荐作品,推荐到每一竞赛类或分赛道的作品数不超过 3 件,获得省或区域(多省)级交通运输科技大赛一等奖以上的作品单位可在相应分赛道增加推荐 1 件,同一作品不得重复推荐。

值得注意的是,每一届大赛主题均是根据当年的经济发展特征确定的,比如,2024 年第十九届大赛以“面向中国式现代化建设、促进世界一流人才培养”为主题,2023 年第十八届大赛以“高质量发展、创新赢未来”为主题,2022 年第十七届大赛以“数智交通、低碳运输”为主题等。

(7)全国大学生电子商务“创新、创意及创业”挑战赛

全国大学生电子商务“创新、创意及创业”挑战赛(简称“三创赛”)是由教育部高等学校电子商务专业教学指导委员会面向全国高校(含港澳台地区)举办的大学生竞赛项目,是教育部、财政部“高等学校本科教学质量与教学改革工程”重点支持项目。三创赛秉持促进教学、促进实践、促进就业、促进创业、促进升学、促进育人的价值理念,激发大学生兴趣与潜能,培养大学生创新意识、创意思维、创业能力以及团队协同实战精神。

参赛团队须是经教育部批准设立的普通高等学校的在校大学生,本科、专科、研究生均可,专业不限,经所在学校教务处等机构审核通过后方可具备参赛资格。高校教师既可以作为学生队的指导老师也可以作为混合队的队长或队员。参赛团队每人可以同期参加一个常规赛和一个实战赛,但不能是同一个项目。同一团队如果参加两个比赛必须注册两个团队 ID 号,即需要使用不同的邮箱注册两个账号。参赛团队应包括 3 ~ 5 名学生,其中一名为队长;最多 2 名高校指导老师,最多 2 名企业指导老师。

参赛团队分两种,第一种是学生队,队长和队员须全部为全日制在校学生;第二种是师生混合队,队长必须为教师,队员中学生数量必须多于教师。可以跨校组队,队长负责注册团队账号,队长和每个队员须各自填写本人所在学校名称。队员身份信息的真实性由队长负责。大赛提倡参赛队员合理分工、学科交叉、优势互补。

大赛采用校级赛、省级选拔赛、全国总决赛(分别简称为校赛、省级赛、国赛)三级赛

制,分为常规赛和实战赛两类比赛,实战赛包括跨境电商实战赛、产学用实战赛、乡村振兴实战赛、商务大数据分析实战赛、直播电商实战赛。竞赛中成绩优秀的团队按规则依次晋级获得高一级赛事参赛资格,不能跨级参赛。

三创赛遵循"公开、公平、公正"的三公原则,在项目作品中,参赛团队及所属学校的名称实名标出,不允许匿名,有利于监督。竞赛形式分线上和线下两种,原则上尽量采用线下形式,特殊情况下可以采用线上形式。在国赛、省级赛和校赛中,均采用小组赛和终极赛两轮赛制。若校赛时参赛团队不足 20 个,则不用小组赛,各小组第一名进入终极赛。校赛的终极赛排名可以达到 15 名及以上,校赛晋级省级赛最多 15 支团队。省级赛的终极赛需要排出团队名次,为晋级高一级的比赛做准备。小组赛在封闭环境下进行,终极赛在公开环境下进行。小组赛参赛团队答辩时间共 15 分钟,其中团队演讲最多 8 分钟,评委提问与参赛团队回答 7 分钟;终极赛每个参赛团队演讲不超过 8 分钟,一般不再安排问答环节。

三创赛一般在每年的 9 月份开始启动,赛事一直持续到次年 8 月。

(8)全国大学生节能减排社会实践与科技竞赛

全国大学生节能减排社会实践与科技竞赛是由教育部高等学校能源动力类专业教学指导委员会指导,全国大学生节能减排社会实践与科技竞赛委员会主办的学科竞赛。该竞赛充分体现了"节能减排、绿色能源"的主题,紧密围绕国家能源与环境政策,紧密结合国家重大需求,在教育部的直接领导和广大高校的积极协作下,起点高、规模大、精品多,覆盖面广,是一项具有导向性、示范性和群众性的全国大学生竞赛,得到了各省教育厅、各高校的高度重视。本活动每年举办一次。全国大学生节能减排社会实践与科技竞赛主要是激发当代大学生的青春活力,创新实践能力,承办单位一般为上届表现突出院校。目前全国几乎所有 211 大学都积极参与其中。

大学生节能减排社会实践与科技竞赛是节能减排全民行动的重要组成部分。举办竞赛的目的在于,通过竞赛进一步加强节能减排重要意义的宣传,增强大学生节能环保意识、科技创新意识和团队协作精神,扩大大学生科学视野,提高大学生创新设计能力、工程实践能力和社会调查能力。节能减排竞赛由教育部高等教育司主办,委托教育部高等学校能源动力学科教学指导委员会组织,部分高校承办,赞助企业协办。竞赛每年举办一次,原则上申报时间为 1 月份,竞赛时间为 8 月份。

参赛学校为普通高等院校。参赛队员应为在竞赛报名起始日前正式注册的全日制非成人教育的高等院校在校中国籍专科生、本科生、研究生,不含在职研究生。申报参赛的作品以小组申报,每个小组不超过七人。竞赛设立等级奖、单项奖和优秀组织奖三类奖项,其中等级奖设特等奖(可空缺)一等奖、二等奖、三等奖和优秀奖。获奖比例由竞赛委员会根据参赛规模的实际情况确定,单项奖由专家委员会提出设立,报竞赛委员会批准。

（9）全国大学生工程训练综合能力竞赛

全国大学生工程训练综合能力竞赛是教育部发文举办的全国性大学生科技创新实践竞赛活动,是基于国内各高校综合性工程训练教学平台,为深化实验教学改革,提升大学生工程创新意识、实践能力和团队合作精神,促进创新人才培养而开展的一项公益性科技创新实践活动。竞赛是公益性的大学生科技创新竞技活动,是有较大影响力的国家级大学生科技创新竞赛,是教育部、财政部资助的大学生竞赛项目,目的是加强学生创新能力和实践能力培养,提高本科教育水平和人才培养质量。为开办此项竞赛,经教育部高等教育司批准,专门成立了全国大学生工程训练综合能力竞赛组织委员会和专家委员会,每两年一届。

开展大学生工程训练综合能力竞赛旨在促进各高校提高工程实践和工程训练教学改革和教学水平,培养大学生的创新设计意识、综合工程应用能力与团队协作精神,促进学生基础知识与综合能力的培养、理论与实践的有机结合,养成良好的学风,为优秀人才脱颖而出创造条件。参赛选手须为普通高等教育本科院校正式注册的全日制在校本科生,如果赛项有特殊要求另行通知,每支参赛队一般由 3~4 名学生和 2 名指导教师组成,每名学生只能参加一项竞赛。全国竞赛设金、银、铜奖及优秀组织奖、优秀指导教师奖等。

（10）全国大学生物流设计大赛

全国大学生物流设计大赛是由教育部高等学校物流类专业教学指导委员会和中国物流与采购联合会共同发起的一项竞赛活动,自 2006 年启动以来,每两年举办一次,是目前国内最具专业性、权威性、实用性的大学生物流竞赛,于 2007 年被列入教育部“质量工程”项目。大赛面向全国大学生,目的在于实现物流教学与实践相结合,提高大学生实际动手能力、策划能力、协调组织能力,促进大学物流人才培养模式、课程设置、教学内容和方法的改革,推动物流教学改革和科学研究,为全国高校搭建开放的物流教学改革及学术交流平台,建立社会群众宣传普及物流知识的平台,更好地培养和发现物流人才。

参赛者需要根据大赛组委会提供的案例,自主确定设计的领域和方向,完成设计内容。比赛涉及信息系统开发、软硬件开发、企业管理、数学建模、财务分析、流程再造、组织结构优化、企业战略管理、物流各环节的优化设计等诸多方面,包括采购、包装、仓储、流通加工、配送、运输等。奖项设一、二、三等奖,一等奖从入围决赛的参赛队中评选出20%,二等奖从入围决赛的参赛队中评选出35%,三等奖从入围决赛的参赛队中评选出45%,除此以外,对所有入围复赛的参赛队授予优胜奖。一、二、三等奖获奖学生将免试获得由中国物流与采购联合会颁发的物流师职业能力等级认证证书。

（11）“外研社杯”全国英语演讲大赛

“外研社杯”全国英语演讲大赛是由外语教学与研究出版社联合教育部高等学校大学外语教学指导委员会和教育部高等学校英语专业教学指导分委员会共同举办,面向全国高校在校大学生的公益赛事。"外研社杯"全国英语演讲大赛于 2002 年创办,在国内外广受关注,已成为全国参赛人数最多、规模最大、水平最高的英语演讲赛事。大赛以高远的立意和创新的理念,汇聚全国优秀学子,竞技英语表达与沟通艺术,为全国大学生提供展示外语能力、沟通能力与思辨能力的综合平台。

英语演讲是国家未来发展对高端人才的基本要求,也是高端人才外语能力、思辨能力、交际能力、创新能力和国际竞争力的综合体现。大赛的设置以演讲能力的提高为驱动力,全面提升学生的外语综合应用能力。赛题将以国际化人才要求为标准,融入思辨性、拓展性和创造性等关键要素,增强学生的跨文化交际意识,开拓其国际视野,提升其国际素养。

"外研社杯"全国英语演讲大赛覆盖面广,选手代表性强;比赛遵循国际规则,赛程科学,赛制严谨,程序规范;评委专业,评判严格,保证公开、公平、公正;奖项设置合理,师生共赢,奖励丰厚。主办单位为外语教学与研究出版社,合办单位为教育部高等学校大学外语教学指导委员会和教育部高等学校英语专业教学指导分委员会。

参赛者为全国具有高等学历教育招生资格的普通高等学校在校本、专科学生、研究生,不包括在职研究生,35 岁以下,中国国籍。曾获得往届"'外研社杯'全国英语演讲大赛"、"'外研社杯'全国英语辩论赛"出国及港澳交流奖项的选手不包括在内。

初赛的组织方式:各参赛学校作为初赛赛点,由本校外语院(系)或大学外语教学部负责组织实施。每个初赛赛点应有不少于 20 人参赛。根据本省(市、自治区)大学外语教学研究会公布的时间安排举办,确保在本省(市、自治区)复赛之前完成初赛。比赛环节可包括定题演讲、即兴演讲、回答问题等部分,可参考大赛决赛形式。定题演讲可参考大赛决赛题目,也可自定,即兴演讲题目自定。

复赛的组织方式:以省(市、自治区)为单位,由各省(市、自治区)大学外语教学研究会(指委会)组织成立复赛组委会,主办复赛,外研社驻当地机构协办。复赛组委会至少提前两周将复赛通知发给本省(市、自治区)全部符合参赛资格的院校。各省复赛组委会决定各初赛赛点进入复赛名额的原则,并预先公布。比赛环节可包括定题演讲、即兴演讲、回答问题等部分,可参考大赛决赛形式。在进入决赛选手前 3 名中有并列名次时,须进行加赛。定题演讲可参考大赛决赛题目,也可自定。即兴演讲题目由复赛组委会决定,在比赛前应严格保密。各地复赛奖项与决赛一致,即包括特等奖(3 人可参加决赛)、一等奖、二等奖、三等奖。

决赛的参赛资格限各省(市、自治区)复赛前 3 名选手,仅限 3 人,不得出现并列名次,以及网络赛场前 30 名选手。主办单位还将邀请香港、澳门、台湾地区的选手参加决赛。决赛选手的选手号和各阶段出场次序均由抽签决定,所抽到的号码或次序为最终结果,不得与任何人交换。比赛分四个阶段进行,奖项设置为特等奖、一等奖、二等奖、三等奖以及单项奖。

（12）全国大学生创新创业训练计划年会展示

教育部高等教育司从 2008 年起,委托高校举办全国大学生创新论坛,2012 年更名为全国大学生创新创业年会。年会遴选国家级大学生创新创业训练计划(简称国创计划),参与项目学生进行学术交流和成果推介。中央部委所属高校每校推荐的学术论文不超过 3 篇,参展项目不超过 3 项,由国创计划专家工作组遴选确定参会项目;地方所属高校的参会项目由地方教育行政部门根据下达参会项目配额择优推荐。奖项设置"我最喜爱的项目"20 个,"最佳创意项目"20 个,"优秀论文"20 篇,遴选 5 篇论文进行大会报告。"国创计划"始终坚持"兴趣驱动、自主实践、重在过程"的理念,让更多大学生都有机会参与创新训练、创业训练和创业实践。"国创计划"的实施对教育思想观念转变,学生主体意识和创新意识的提升均发挥了重要作用。

年会总结实施大学生创新创业训练计划的经验,展示各高校近年来在创新创业教育方面的成果;建设创新文化,形成良好的创新人才培养的氛围,营造大胆实践、敢为人先、敢冒风险、宽容失败的氛围环境,鼓励大学生在创新基础上追逐创业梦想,培养造就创新创业生力军,是目前国内同领域竞赛中影响力最大的交流项目之一,得到广大师生的普遍赞誉和欢迎。

全国大学生创新创业年会每年召开一次,一般在十月的某个周末举行,星期五报到,会期为星期六全天,星期天上午,共 1.5 天,如有需要,也可延长为 2 天。

（13）"西门子杯"中国智能制造挑战赛

教育部与西门子(中国)有限公司签订战略合作框架,在此框架下共同举办中国智能制造挑战赛。大赛受教育部国际合作与交流司指导,由中国仿真学会和西门子(中国)有限公司联合主办,方向涉及智能制造领域中的科技创新、产品研发、工程设计和智能应用等,是针对智能制造发展所需的技术及创新人才进行培养及选拔的工程类竞赛。大赛主要面向全国控制科学与工程、电气工程、机械工程、仪表科学与工程、信息与通信工程、计算机科学与技术等相关学科的研究生、本科生,和全国自动化类、机电设备类、机械设计制造类、电子信息类、计算机类及通信类等相关专业的高职、高专、技师院校学生。

大赛内容涉及智能制造领域中的科技创新、产品研发、工程设计和智能应用等,为我国智能制造发展培养和选拔具备解决复杂工程问题的技术及创新人才。大赛以企业真实的工程项目和科研项目作为竞赛赛题,以真实的工业设备和工业环境作为赛场,以工业企业的工程标准作为考核评分指标,全面锻炼学生解决复杂工程问题的综合能力、系统思维。

大赛自 2006 年发展至今,大赛在教育部、各省市教育主管部门、制造业企业和全国近 800 所高校、2000 余个学院的支持下,已成为中国智能制造领域规模最大、规格最高的国家 A 类竞赛。大赛利用现有资源和平台,与全国高校、工业企业共同发起成立联合教育界与工业界的"智能制造新工程师校企联盟",以期为智能制造领域的高校和企业之间建立广泛、畅通、有效、信任的合作机制与平台,实现双方在教育、人才、科研、品牌、公益、国际化等各个方向和领域的合作,丰富高校教育内容,解决企业当前各类现实需求,提高中国智能制造的整体资源融合与创新能力。

参赛选手以参赛队为基本单元参与竞赛过程。每支参赛队由 1～3 名参赛选手和 1～2 位指导教师组成。通过大赛官网注册报名、选择赛项、组队;参赛选手需要缴纳评审费才能选择赛项、组队;工程设计与应用类赛项分别设置本科组(含研究生)与高职组(含高专、技师院校)两个组别;创新研发类赛项不分组。每位同学只能加入 1 支参赛队,指导教师可以指导多个赛项、多支参赛队;每支队伍只能选择 1 个赛项,必须指定 1 位教师为第一指导教师。第一指导教师所在学院为本队伍所在学院。创新研发类赛项每支队伍至多允许 2 名研究生,工程设计与应用类赛项至多允许 1 名研究生。需要注意的是,创新研发类赛项的指导教师建议为不同学科或专业的在校老师。

奖项设置分为队伍等级奖和个人单项奖。队伍等级奖分为特等奖、一等奖、二等奖,获奖队伍由全国竞赛组委会颁发证书,获奖队伍名单将在媒体及网络上予以公布。对于竞赛中某些单项表现突出的参赛选手,可由专家组集体讨论通过设立个人单项奖予以鼓励。

(14) 全国大学生化工设计竞赛

为了多方面培养大学生的创新思维和工程技能,培养团队协作精神,增强大学生的工程设计与实践能力,中国化工学会、中国化工教育协会在浙江省天正设计工程有限公司冠名赞助下举办"天正设计杯"全国大学生化工设计竞赛。工程技术人才的创新能力集中体现在工程实践活动中创造新的技术成果的能力,包括新产品和新技术的研发,新流程和新装置的设计,新的工厂生产过程操作运行方案等等。

通过竞赛,学生不仅对所学专业知识,如化工原理、化工反应工程、化工分离工程、化工热力学等进行了系统综合和提升,而且锻炼了工程实践能力,培养了其工艺设计理念,特别在新工艺、新设备、节能降耗等方面的创新思维能力,对于学生的团队协作精神、吃苦耐劳和坚忍不拔的毅力培养方面起到了积极作用。

参赛者为全日制在校本科生。以团队形式参赛,每队 5 人,设队长 1 人。每位学生只允许参加一个参赛队,鼓励学生多学科组队参赛。竞赛分为初赛和决赛两个阶段。初赛分为东北、华北、华东、华南、华中、西北、西南七个赛区进行,然后在初赛基础上举行全国总决赛。在初赛阶段,参赛队伍根据竞赛命题和要求,完成方案设计,提交设计作品的电子文档和书面文档。设计工作必须由参赛队员完成,每个参赛队只能提交一份作品。初赛作品经初赛评审委员会评审,评选出各赛区的获奖作品,并甄选进入全国总决赛的 60 支参赛队,其中赛区预选赛承办学校和全国总决赛承办学校各获得一个直升名额。决赛时参赛队要提交书面文档并进行口头报告和现场答辩,由评审委员会评选获奖队伍。各参赛队必须在规定时间内提交参赛作品,并在指定的时间和地点参加报告会,缺席者作自动放弃处理。

（15）全国大学生先进成图技术与产品信息建模创新大赛

全国大学生先进成图技术与产品信息建模创新大赛由原教育部高等学校工程图学课程教学指导委员会、中国图学学会制图技术专业委员会和中国图学学会产品信息建模专业委员会联合主办的图学类课程最高级别的国家级赛事，2018 年被中国高等教育学会列入全国普通高校学科竞赛排行榜。

大赛以培养学生的工匠精神，激发学生的创新意识，探索图学的发展方向，创新成图载体的方法与手段为宗旨。以"德能兼修，技高一筹"为主题，每年举办一届。目的在于以赛促教，以赛促学，以赛促改，全面提高大学生的图学能力，为中华民族全面复兴，为中国制造走向中国创造催生和助长大量优秀人才。大赛结合新工科建设和工程教育专业认证，设立机械、建筑、道桥、水利四个竞赛类别，近年来又新增电子类别。主要围绕尺规绘图、产品信息建模、数字化虚拟样机设计、3D 打印、BIM 综合应用等项目进行命题竞赛。

每届大赛类别下设的赛道不尽相同，比如，第十七届大赛，机械类下设赛道包括先进成图技术赛道、增材制造赛道、轻量化设计赛道、数字化创新设计赛道；建筑类下设赛道包括先进成图技术赛道、BIM 创新应用赛道、智能建筑结构设计赛道；道桥类下设赛道包括先进成图技术赛道、桥梁数字化创新设计赛道；水利类下设赛道包括先进成图技术赛道、数字化创新设计赛道；电子类下设先进成图技术赛道；产品创新设计赛道面向社会。

除面向社会的产品创新设计赛道外，参赛选手必须是高等院校注册大学生。同等条件下，中国图学学会学生会员优先参赛。参赛高校须先参加省赛，并经省赛组织机构推荐，方可参加国赛。省赛报名时，各高校须按网站指引上传校赛学生信息。为提高竞赛水平，确保公平竞争，要求提交的校赛各类别参赛人数应不少于参加省赛人数的 10 倍。国赛报名时，一个高校各类别限报一支队伍，多校区的高校各类别可分别组队参赛。每支队伍限报 20 名选手、1 名领队和 1～8 名指导教师。

奖项设置，国赛按类别分赛道设个人奖或赛道奖，按类别设团体奖。其中，各类别先进成图技术赛道设个人奖，其他各赛道设赛道奖。团体一、二、三等奖获奖比例分别为各类别参赛队伍总数的 10%、15%、25%。个人一、二、三等奖获奖比例分别为各类别先进成图技术赛道参赛选手总数的 10%、15%、25%。除各类别先进成图技术赛道外，其他赛道一、二、三等奖获奖比例分别为该赛道参赛总组数的 5%、8%、12%。

（16）全国三维数字化创新设计大赛（大学生组）

全国三维数字化创新设计大赛（简称 3D 大赛、3DDS 或 3D Show）是在国家大力实施创新驱动发展战略、推动实体经济和数字经济融合发展的时代背景下开展的一项大型公益赛事，体现了科技进步和产业升级的要求，是科教兴国、人才强国、创新发展的具体实践。

3D 大赛自 2008 年发起举办以来，受到各地方、高校和企业的重视，赛事规模稳定扩大，参赛高校连续每届超过 600 所、参赛企业每年超过 1000 家，初赛参赛人数累积突破

800万人、省赛表彰获奖选手累积突破20万人、国赛表彰获奖选手累积突破2万人;参赛项目水平不断提升,涌现出了一大批优秀设计项目与团队,并快速成长为行业新锐与翘楚,备受业界关注。同时大赛一头连接教育、一头连接产业、一头连接行业与政府,产教融合不断深化,政产学研用资互动不断加强,技术、人才与产业项目合作对接及产业生态平台作用日益突显,已成为全国规模大、规格高、水平强、影响广的全国大型公益品牌赛事与"数智化+创新创造"行业盛会。对推进中国式现代化产业体系建设,加快发展新质生产力,特别是引导广大青年学生积极投身数字化创新创造实践的时代洪流,发挥了不可替代的作用。同时,全国3D大赛秉承"以赛促教、以赛促学、以赛促用、以赛促新"的宗旨,被教育部正式列入全国高校学科评估体系。

全国三维数字化创新设计大赛下设两项平行赛事:①全国3D大赛年度竞赛,时间安排一般为:大赛报名/初赛每年的3月至8月、复赛选拔9月至10月、年度竞赛总决赛与颁奖在12月。年度竞赛侧重强调现代协同设计理念和团队合作精神,大赛各赛项初赛(校赛/海选)、复赛(省赛)、决赛(国赛)均以团队形式参赛。②全国3D大赛精英联赛,时间安排一般为:大赛报名/初赛在每年的9月至次年4月、复赛选拔在次年5月至6月、精英联赛总决赛与颁奖在次年7月。精英联赛侧重强调创意、创造与应用场景实现,包含个人参与类赛项与团队参与类赛项。

全国三维数字化创新设计大赛以推动"创意、创新、创造、创业"为目标,设置职业组、研究生组、本科生组、高职高专组、青少年组与企业/产业组六个组别。与大学生和高校相关的组别包括:①职业组,鼓励职业人员(创客/自由工作者/工作室/工作坊、企事业单位在职工作人员、高校教师、中小学教师等)以三维数字化/3D方式参与创新设计及创业实践活动;②研究生组,鼓励研究生组团(含硕士研究生/博士研究生)参与创意设计与科技创新,并以三维数字化/3D方式进行创新设计及创业实践活动;③本科生组,鼓励本科生组团参与创意设计与科技创新,并以三维数字化/3D方式进行创新设计及创业实践活动;④高职高专组,鼓励高职/高专生组团参与创意设计与科技创新,并以三维数字化/3D方式进行创新设计及创业实践活动。

除以上组别以外,青少年组鼓励青少年(普通高中/中职中专/初中生/小学生)以三维数字化/3D方式积极参与创新实践课堂、培养创新创业精神、培育创新实践素养;企业/产业组,鼓励企业/产业(3D技术研发应用上下游企业与机构)参与3D/XR/元宇宙产业年度风云榜评选,树立行业风向标、营造产业生态链、引领行业健康快速发展。

(17)中国大学生计算机设计大赛

中国大学生计算机设计大赛是由教育部高等学校计算机类专业教学指导委员会、教育部高等学校软件工程专业教学指导委员会、教育部高等学校大学计算机课程教学指导委员会、教育部高等学校文科计算机基础教学指导分委员会、中国教育电视台联合主办。

大赛始筹于2007年,首届于2008年举办。大赛的参赛对象是全国高等院校中所有专业的当年在籍本科生(含港、澳、台学生及留学生),是大学计算机教学实践的组成部分,旨在激发学生学习计算机知识和技能的兴趣与潜能,提高学生运用信息技术解决实际问题的综合能力,以赛促学,以赛促教,以赛促创。参赛作品的指导教师应是在高校担任中国本科生或来华留学生教学任务的教师(含退休返聘教师)。

大赛以校级赛、省级赛、国家级赛三级竞赛形式开展。校级赛、省级赛可自行独立组织。国赛只接受省级赛上推的本科生参赛作品。参赛院校应安排有关职能部门负责参赛作品的组织、纪律监督与内容审核等工作,保证本校竞赛的规范性和公正性,并由该学校相关部门签发参加大赛报名的文件。

每届大赛作品分类均会有一些变化,以2024年(第17届)大赛作品为例,共分11大类,具体包括:

①软件应用与开发,包括Web应用与开发、管理信息系统、移动应用开发(非游戏类)、算法设计与应用、软件应用与开发专项赛;

②微课与教学辅助,包括计算机基础与应用类课程微课或教学辅助课件、中小学数学或自然科学课程微课或教学辅助课件、汉语言文学限于唐诗宋词微课或教学辅助课件、虚拟实验平台;

③物联网应用,包括城市管理、医药卫生、运动健身、数字生活、行业应用、物联网专项;

④大数据应用,包括大数据实践赛、大数据主题赛;

⑤人工智能应用,包括人工智能实践赛、人工智能挑战赛;

⑥信息可视化设计,包括信息图形设计、动态信息影像、交互信息设计、数据可视化;

⑦数媒静态设计,包括平面设计普通组、环境设计普通组、产品设计普通组、平面设计专业组、环境设计专业组、产品设计专业组;

⑧数媒动漫与短片,包括微电影普通组、数字短片普通组、纪录片普通组、动画普通组、新媒体漫画普通组、微电影专业组、数字短片专业组、纪录片专业组、动画专业组、新媒体漫画专业组;

⑨数媒游戏与交互设计,包括游戏设计普通组、交互媒体设计普通组、虚拟现实VR与增强现实AR普通组、游戏设计专业组、交互媒体设计专业组、虚拟现实VR与增强现实AR专业组;

⑩计算机音乐创作,包括原创音乐类普通组、原创歌曲类普通组、视频音乐类普通组、交互音乐与声音装置类普通组、音乐混音类普通组、原创音乐类专业组、原创歌曲类专业组、视频音乐类专业组、交互音乐与声音装置类专业组、音乐混音类专业组;

⑪国际生"汉学",以上各类别均可参加,但国际生区别其他类别,单独归一类。

（18）全国大学生市场调查与分析大赛

全国大学生市场调查与分析大赛由中国商业统计学会创办于 2010 年,是全国一流的公益性专业品牌赛事,也是学术引领、政府支持、企业认可、海峡两岸暨港澳高度联动的多方协同育人平台。市调大赛经过多年的蓬勃发展,参赛群体由 2012 年扩展到台湾,2019 年扩展到澳门,2021 年扩展到香港,实现全国 34 个省级行政区全覆盖,架起了海峡两岸及港澳青年同台竞技、交流融通的桥梁。对于弘扬中华文化,促进心灵契合,增进同胞利益福祉意义深远。

竞赛宗旨是引导大学生创新和实践,提高大学生组织、策划、调查实施及数据处理与分析等专业实战能力,培养大学生的社会责任感、服务意识、市场敏锐度和团队协作精神。以赛促学、以赛促教、以赛促改、以赛促创,促进教育链、人才链、产业链的有机衔接,为社会经济发展服务。竞赛的目的是促进统计学、管理学、计算机、数学和社会学等跨专业跨领域融合;促进企业需求融入人才培养环节,倡导"真题真做",解决实际问题,推进校企融合、理实融合;促进海峡两岸暨港澳青年学子同台竞技和人文交流。

全日制在读专科生、本科生和研究生均可参赛,专业不限。大赛设专科组、本科组、研究生组和在华留学生组四个竞赛组别。知识赛主要考核学生对于基本理论和基础知识、技能的掌握程度;实践赛包含书面报告和展示答辩两个部分,主要考查学生理论结合实际的能力、解决实际问题的能力和综合展示能力。竞赛历时 7 个月,通过校赛、企业命题赛、省赛、全国赛等多层比赛形式,加上学生来自不同专业等因素,培养学生团队协作、现场展示、语言表达,以及多种信息技术的综合应用能力,多角度多层次地提升学生的综合素养。

竞赛赛程分为个人赛和团体实践赛。理论知识赛是个人赛,每年 11 月份由大赛组委会组织线上理论知识测试。每人有两次测试机会,以本人最高分为最终成绩,校赛和省赛是团体实践赛。校赛采用报告评审、现场展示答辩形式,次年的 3 月底前,由各校组织完成;省赛采用报告评审、现场展示答辩形式,由各赛区组织完成。

（19）中国大学生服务外包创新创业大赛

中国大学生服务外包创新创业大赛是响应国家关于鼓励服务外包产业发展、加强服务外包人才培养的相关战略举措与号召,举办的每年一届的全国性竞赛。大赛的主要目的是搭建产学结合的大学生服务外包创新创业能力展示平台;促进校企交流,促进高等教育为服务经济发展提供人才保障;宣传服务经济,提升社会公众对服务外包产业发展的关注度和重视度。参赛队伍均来自中国国内高等院校,以本科生为主,自由组队。大赛以开放方式竞赛,经过报名参赛、自主选题、分散备赛和集中答辩的环节,评选出相应的优秀团队。

大赛在选题上呼应服务外包产业,关注服务科学;在形式上注重学生的团队协作,在虚拟的商业环境中解决问题。赛题一方面来源于现代服务产业企业的现实需求,鼓励学生综合考虑业务模型、技术方案、商业运营等各种因素，提供完整方案，立足实际情况创新应用；另一方面，大赛还鼓励参赛团队提出有创造力的创意项目，在优秀方案的基础上实现创业，增强大学生的创新创业意识。在评审环节过程与结果并重，增强能力培养导向，尤其关注团队的综合素质、学习能力与问题解决能力。

大赛逐步发展成广受欢迎的国际一流竞赛。通过开展服务外包创新创业能力竞赛，引导和促进高校加强服务外包人才培养，为服务外包产业发展提供人才保障；推动大学生关注服务外包，关注服务外包企业就业机会；促进高校教育改革，使人才培养方向更紧密贴合新兴产业发展的需要。同时，大赛坚持公益性、公开性、公正性，努力打造人才培养和产业发展互动融合、选才用才的典范。

（20）两岸新锐设计竞赛"华灿奖"

两岸新锐设计竞赛"华灿奖"，旨在发现、推介青年设计师的综合设计赛事。竞赛面向青年设计师和高校师生，以创新、时尚、实用为评审原则，选拔最具创新意识和培养潜力的青年设计人才，从而增进青年设计人才的交流与互动，推动中国设计事业的创新发展。海峡两岸暨香港、澳门45周岁以下的高校师生和青年设计师均可制作提交参赛作品。

竞赛采用校赛、赛区赛和全国赛三级赛制。大陆高校自行组织校赛，按时完成校内比赛，推荐作品进入赛区赛评审。在全国设立10个赛区，大陆7个赛区赛由各赛区组委会组织评选，设一、二、三等奖等奖项若干项，获奖人数原则上不超过参赛人数的15%，同时各赛区择优推荐作品进入全国赛评审；港、澳、台3个赛区及合作组不设赛区赛和奖项，直接进入全国赛评审。全国赛奖项由全国竞赛组委会组织评选，主赛道和定向主题赛道设全场大奖、一等奖、二等奖、三等奖等奖项若干。

（21）中国高校计算机大赛——大数据挑战赛

教育部高等学校计算机类专业教学指导委员会、教育部高等学校软件工程专业教学指导委员会、教育部高等学校大学计算机课程教学指导委员会、全国高等学校计算机教育研究会联合创办了中国高校计算机大赛，目前中国高校计算机大赛继续由全国高等学校计算机教育研究会主办。大数据挑战赛是其中的一项重要赛事，在2018—2022年期间均入选全国普通高校学科竞赛排行榜，获得社会各界的高度关注和广泛好评。

大赛面向中国及境外在校学生（包括高职高专、本科、研究生），可以单人参赛或自由组队，每个参赛队伍人数最多不超过3人，允许跨年级、跨专业、跨校组队。每人只能参加一支队伍，即个人参赛后不可再与他人组队参赛，或个人参加一个队伍后不可再参加另一个队伍，允许最多有一名指导老师，指导教师须为在职高校教师。

大赛分为预选赛、初赛、复赛和决赛四个阶段，其中预选赛是由参赛队伍根据预选赛题在本地进行算法设计和调试并在官网提交结果进行评测；初赛和复赛均要求参赛者在科赛网平台上进行数据处理、算法调试和生成结果，可使用平台提供的计算资源和工具包；决赛要求参赛者进行现场演示和答辩。

参考文献

[1]约瑟夫·熊彼特.经济发展理论[M].北京:商务印书馆,2020.

[2]董洁林.人类科技创新简史[M].北京:中信出版社,2019.

[3]埃尔温·薛定谔.生命是什么?[M].张义天,译.北京:商务印书馆,2021.

[4]保罗·戴维斯.生命与新物理学[M].北京:中信出版社,2019.

[5]混沌学园.创新力:从思维到能力的企业增长之路[M].北京:中信出版社,2021.

[6]史蒂芬·平克.心智探奇:人类心智的起源与进化[M].杭州:浙江人民出版社,2016.

[7]葛建新.创业学[M].北京:清华大学出版社,2004.

[8]陈闻冠.创业人才的素质和识别方法研究[D].上海:同济大学,2007.